Nuevo Avance
Superior

Concha Moreno | Victoria Moreno | Piedad Zurita

Español Lengua Extranjera

SGEL

Primera edición: 2014
Tercera edición: 2017

Produce: SGEL - Educación
Avd. Valdelaparra, 29
28108 ALCOBENDAS (MADRID)

© Concha Moreno
Piedad Zurita
Victoria Moreno

© Sociedad General Española de Librería, S. A, 2014
Avd. Valdelaparra, 29. 28108 ALCOBENDAS (MADRID)

ISBN: 978-84-9778-377-4 (versión internacional)
ISBN: 978-84-9778-381-1 (versión Brasil)
Depósito Legal: M-35.928-2013
Printed in Spain – Impreso en España

Edición: Ana Sánchez
Coordinación editorial: Javier Lahuerta
Cubierta: Track Comunicación (Bernard Parra)
Maquetación: Track Comunicación (Bernard Parra)
Ilustraciones: Gonzalo Izquierdo, Gabriel Flores
Fotografías: Shutterstock, Cordon Press, Thinkstock, Concha Moreno, Piedad Zurita
© Zabalaga-Leku, VEGAP, Madrid, 2011
© 2011 Banco de México Diego Rivera Frida Kahlo Museums Trust, Mexico, D.F. / VEGAP, Madrid
© Antonio López, Carmen Laffón, VEGAP, Madrid 2011
Impresión: Marbán Libros, S. L.

Presentación

Nuevo Avance es fruto de una larga experiencia docente y cuenta con la garantía de los miles de estudiantes que a lo largo de todos estos años han trabajado y aprendido con él. Renovado de acuerdo con los tiempos, se adapta al *Marco común europeo de referencia* y recoge las directrices del Plan Curricular del Instituto Cervantes, teniendo siempre muy presente la realidad de lo que ocurre en el aula. Todo ello se refleja en la forma en la que se han distribuido los contenidos y las variadas prácticas correspondientes.

Su nuevo formato, de tamaño mayor, cuenta con más ilustraciones, que lo hacen más atractivo tanto para el profesorado como para el alumnado. Entre sus novedades está la grabación de los **pretextos** y de algunas actividades de los **contenidos gramaticales**, lo que será una gran ayuda en el aula y fuera de ella; de este modo, el estudiante dispondrá siempre de un excelente material para escuchar y repetir cuando trabaja en solitario.

Una vez superados los niveles inicial y básico (A1 y A2), así como el intermedio (B1), entramos en el **avanzado**, englobado en el **B2**. Cualquier docente experimentado sabe que este nivel es, junto con el intermedio, el que más contenidos abarca, ya que no solo hay que seguir avanzando con todo lo nuevo, sino que exige consolidar lo anterior. La cantidad y variedad de contenidos, así como su secuenciación, permiten una progresión adaptada a las necesidades personales y a las del contexto educativo.

Estructura de *Nuevo Avance Superior*

Consta de doce unidades. Cada una se compone de las siguientes secciones:

Pretexto

Se introducen de forma visual y reflexiva los contenidos y temas que se trabajarán posteriormente.
Las imágenes van reforzadas por las grabaciones correspondientes.

Contenidos gramaticales

Aparece uno por unidad. Llamamos la atención sobre el hecho de que los contenidos que tienen relación con los vistos en los niveles anteriores, van precedidos de ejercicios de repaso y de reflexión antes de abordar su ampliación.

Practicamos los contenidos gramaticales

Avanzamos hacia la fluidez partiendo de una práctica controlada para fijar estructuras, no solo gramaticalmente correctas, sino también adecuadas pragmáticamente.
En este nivel, la tipología de las prácticas se ha enriquecido, pero mantenemos la diferencia entre las destinadas a consolidar las estructuras y las destinadas a la práctica semiguiada y libre. La forma en que están creadas favorece la expansión de las mismas si se considera oportuno. Siempre hay una actividad gramatical y un ejercicio sobre la aplicación pragmática derivada de los conocimientos gramaticales. En él partimos de los elementos aparecidos en el **Pretexto** o en la sección **Practicamos los contenidos gramaticales** para enfocarlos desde un nuevo punto de vista. Con ello pretendemos desarrollar la conciencia lingüística y dar oportunidades de aplicación en el aula.

De todo un poco

Apartado destinado a la profundización de todas las destrezas.
La expresión oral –que impregna el material desde el **Pretexto**– se practica en la sección. **Interactúa**, dedicada a la interacción, y **Habla**, orientada a la exposición personal. Incluimos siempre una historieta que el/la estudiante deberá describir, narrar para, finalmente, interactuar a partir de ella.
La comprensión auditiva –que se va afianzando con las grabaciones de **Pretextos**– se refuerza con dos o tres **Escucha.** En uno de ellos retomamos y ampliamos las funciones comunicativas y ponemos especial énfasis en los contenidos socioculturales y pragmáticos. Estas audiciones permiten, no solo desarrollar la comprensión, sino que son pretexto para seguir interactuando.

En algunas ocasiones hemos introducido poemas, textos literarios, juegos de palabras para que el alumno practique correctamente la entonación.

Tras la explotación de la audición, aparece la nueva sección **Un paso más**, donde trabajamos **temas de gramática** diferentes al tema principal, **contenidos léxicos en contexto**, **contenidos socioculturales y pragmáticos, la lengua coloquial** a partir de los textos grabados. De este modo quedan contextualizados.

Además, los contenidos léxicos se presentan unidos a documentos reales y jugamos con los conocimientos previos del alumnado y propiciamos estrategias de inferencia antes de pasar al trabajo concreto.

Lee

Mantenemos la sección destinada a la **lectura**. Unas veces será de carácter informativo y otras presentará mayor variedad de tipología textual. Al final aparecerá la nueva sección **Un paso más** donde se trabajarán:
- los conectores y marcadores discursivos
- contenidos gramaticales diferentes al tema gramatical de la unidad
- contenidos léxicos contextualizados
- contenidos funcionales y pragmáticos
- contenidos socioculturales

Escribe

También se incrementan las tareas de escritura. En la mayoría de las unidades proponemos dos **Escribe**, uno de ellos es o descriptivo o argumentativo o narrativo mientras que el otro trata de cartas formales o formularios, solicitudes, etc. Afianzamos y ampliamos los marcadores discursivos, los conectores, explicamos las características de la tipología textual, con el fin de favorecer la correcta elaboración de los diferentes tipos de escrito. Una vez más, perseguimos la coherencia de toda la unidad, relacionando los contenidos presentados con las prácticas, que han sido estudiadas en su variedad y objetivos para que los estudiantes, usuarios de la lengua como agentes sociales, activen sus recursos cognitivos y afectivos, sin olvidar que el uso de todas sus estrategias y competencias los conducirán a la acción.

Pretendemos que al terminar este nivel el/la estudiante deje de ser usuario dependiente y pase a ser usuario independiente.

Repasos

Cada tres unidades se presentan:
- Actividades dedicadas al repaso de las distintas destrezas.
- Ejercicios recopilatorios de elección múltiple.

El manual se completa con varios **Apéndices**:
- Gramatical
- Glosario
- Trascripción de las audiciones
- Cuaderno de sugerencias didácticas y soluciones en la web de SGEL: *www.sgel.es/ele*

Agradecemos una vez más la buena acogida que desde 1995 (fecha de aparición del primer *Avance*) ha tenido nuestro trabajo y que nos ha llevado a crear este nuevo manual que consta de dos versiones: una comouesta de seis niveles: (A1, A2, B1.1, B1.2, B2.1 y B2.2) y otra constituida por tres volúmenes (A, B1 y B2) y confiamos en que esta nueva edición, que comparte las bases metodológicas de la anterior pero renovada en su estructura, contenidos, textos y actividades, sea merecedora de la confianza de profesores y estudiantes de español.
Ese ha sido nuestro propósito.

Las autoras

Índice

Tabla de contenidos

UNIDAD 1: *Me gustaría que...*

Contenidos temáticos
- Los sentimientos y la influencia sobre los demás.
- Recomendaciones y prohibiciones.
- Declaraciones de personajes famosos.
- El clima y su influencia sobre la gente.
- El carácter de los jefes.
- El amor y su influencia en el comportamiento de las personas.

Contenidos gramaticales
- Repaso y ampliación de los recursos para expresar influencia, sentimientos o reacción con subjuntivo.
- La concordancia de los tiempos de indicativo y el presente de subjuntivo.
- El pretérito imperfecto de subjuntivo regular e irregular.
- La concordancia de los tiempos de indicativo y el imperfecto de subjuntivo.

Contenidos léxicos
- Recursos para expresar sentimientos.
- Recursos para expresar prohibiciones y sugerencias.
- Léxico para definir el carácter de los jefes.
- Las expresiones propias de los enamorados.
- El prefijo 'súper' y las palabras que forma.
- Conectores: sin embargo; además; por todo lo dicho; sino que; etc.

Contenidos funcionales y socioculturales
- Expresar recomendaciones y prohibiciones.
- Expresar vergüenza.
- Las relaciones con los jefes y el mundo laboral.
- Relaciones personales: el amor.
- El papel del teléfono en las relaciones amorosas.
- Reflexión sobre el uso de los vulgarismos.

Contenidos pragmáticos
- La importancia del tono en la respuesta a una petición.
- Recursos para mostrar resignación / aceptación de algo desagradable.
- El valor de los diminutivos.

Tipología textual
- Texto expositivo:
  • Tonterías que hacemos cuando nos enamoramos.
- Texto dialógico:
  • Interacciones breves.
  • Entrevista sobre las relaciones con los jefes.
- Carta de recomendación.

UNIDAD 2: *Mundo diverso*

Contenidos temáticos
- La globalización.
- Las diferentes culturas y el papel de la enseñanza de lenguas en el mundo.
- El fútbol y la comida como fenómenos globales.
- Costumbres de España y Colombia.

Contenidos gramaticales
- Repaso y ampliación de los verbos de lengua, entendimiento y percepción (de la cabeza).
- Los verbos anteriores en imperativo negativo + indicativo.
- Repaso y ampliación de las construcciones con ser / estar / parecer + sustantivos, adjetivos o adverbios + indicativo y subjuntivo.
- Verbos que se construyen con indicativo y subjuntivo al cambiar de significado.
- El pretérito perfecto de subjuntivo.

Contenidos léxicos
- Léxico relacionado con la globalización.
- Verbos y expresiones de lengua, entendimiento y percepción.
- Conectores: en efecto; en cuanto a; de hecho; es decir.
- Frases hechas: ser unos borregos; un muermo; una pasada; estar hechos/as polvo; tener manía a alguien; etc.
- Sufijos para formar diminutivos.

Contenidos funcionales y socioculturales
- Expresar opiniones negativas usando el subjuntivo.
- Rechazar algo usando el subjuntivo.
- Expresar opiniones.
- Recursos para valorar.
- Expresar falta de certeza y evidencia.
- Algunos refranes.

Contenidos pragmáticos
- Corregir lo que han dicho otros.
- Los valores del diminutivo (ampliación).

Tipología textual
- Texto expositivo:
  • Los comportamientos en las fiestas según las diferentes culturas.
- Texto dialógico:
  • Interacciones breves.
  • Conversación entre amigos sobre las fiestas.
  • Entrevistas periodísticas.
- Viñetas humorísticas.

UNIDAD 3: *¡Qué verde era mi valle!*

Contenidos temáticos
- La naturaleza.
- Las fuentes de energía renovables y no renovables.
- Los animales domésticos, de compañía y los animales en parques zoológicos.
- Pueblos que se van quedando deshabitados.

Contenidos gramaticales
- Repaso y ampliación de los usos del presente de indicativo: presente histórico y conversacional; presente para dar órdenes e instrucciones.
- Repaso y ampliación de los usos del imperfecto de indicativo: imperfecto de fantasía.
- El futuro y el condicional compuesto: formas y usos.

Contenidos léxicos
- Léxico relacionado con la naturaleza, los animales, las energías renovables y no renovables.
- Recursos para dibujar un paisaje.
- Marcadores discursivos: como puede ver, por cierto, como iba diciendo.
- Frases hechas: soltar la charla.
- Algunas abreviaturas.
- Cambios de significado: el huerto / la huerta; el manzano / la manzana, etc.

Contenidos funcionales y socioculturales
- Posponer acciones: ya + futuro.
- Aprobar / desaprobar algo.
- Posicionarse a favor o en contra de algo.
- Señalar imprecisión por medio de los futuros y los condicionales.
- Expresar hipótesis en pasado con el condicional compuesto.

- Fórmulas de cortesía.
- Fórmulas para dar el pésame.

Contenidos pragmáticos
- Mostrar obviedad: ¿cómo no voy a...?
- Mostrar contrariedad: ¡con lo que + imperfecto!
- Enfatizar por medio de sí.

Tipología textual
- Texto expositivo:
  • Leyendas sobre la naturaleza.
  • Los vascos, los mapuches y sus lenguas.
- Texto dialógico:
  • Interacciones breves.
  • Entrevistas.
- Pueblos abandonados.
- Zoológicos.
- Viñetas humorísticas.

REPASO: Unidades 1, 2 y 3

UNIDAD 4: *El placer del arte*

Contenidos temáticos
- *El arte: la pintura, la arquitectura y la escultura.*
- *El arte abstracto.*
- *Los grafitis.*
- *Artistas españoles e hispanoamericanos.*
- *Chistes.*
- *Las becas y las condiciones para solicitarlas.*

Contenidos gramaticales
- *Repasar y ampliar los recursos para expresar causa y consecuencia.*
- *Las consecutivas intensivas y no intensivas.*
- *La negación de la causa.*
- *Los adjetivos y pronombres indefinidos.*
- *Adverbios y locuciones adverbiales temporales.*
- *Interjecciones y exclamaciones:* ¡anda!; ¡ah!; ¡jo!; ¡venga!

Contenidos léxicos
- *Léxico relacionado con el arte.*
- *Recursos para describir obras de arte.*
- *Marcadores discursivos consecutivos y causales.*
- *El sufijo -on / -ona.*
- *Frases hechas:* dar un toque; irse de marcha.

Contenidos funcionales y socioculturales
- *Expresar la causa y la consecuencia.*
- *Comentar chistes gráficos.*
- *Corregir la causa y presentar la verdadera.*
- *Relacionar dos acciones en el pasado.*
- *Conocer artistas españoles e hispanoamericanos.*

Contenidos pragmáticos
- *Mostrar sentimientos a través de la entonación.*
- *Mostrar sentimientos a través de interjecciones y exclamaciones.*

Tipología textual
- *Texto expositivo:*
  • *Diferentes tipos de becas.*
- *Texto informativo:*
  • *Agenda cultural radiofónica.*
- *Texto dialógico:*
  • *Interacciones breves.*
  • *Conversaciones entre amigos.*
- *Formulario de solicitud de beca.*
- *Viñetas humorísticas.*

UNIDAD 5: *La publicidad o el poder de la convicción*

Contenidos temáticos
- *La publicidad.*
- *El consumismo.*
- *Montar una empresa propia.*
- *Los anuncios y su influencia en el consumidor.*
- *Campañas contra la droga.*

Contenidos gramaticales
- *Repasar y ampliar las construcciones pasivas: pasiva impersonal; pasiva refleja.*
- *La expresión de la involuntariedad.*
- *Pasiva de acción:* ser + participio.
- *Pasiva de resultado:* estar + participio.
- *Verbos que se construyen seguidos de preposición.*
- *Repaso de algunas perífrasis.*
- *Distintos valores del gerundio.*

Contenidos léxicos
- *Léxico relacionado con la publicidad y el consumismo.*
- *Recursos para analizar anuncios.*
- *Frases hechas:* ¡qué faena!; caérsele la baba a alguien; ¡qué mala cabeza!; traer de cabeza; no tener ni pies ni cabeza; ir con pies de plomo; meter la nariz; echar una mano; no te cortes; no seas gallina.
- *Marcadores discursivos:* al menos.
- *Denominaciones coloquiales del dinero.*

Contenidos funcionales y socioculturales
- *Recursos para ofrecer.*
- *Recursos para rechazar ofrecimientos.*
- *Argumentar contra el consumismo.*
- *Anuncios famosos.*
- *Campañas contra las drogas.*

Contenidos pragmáticos
- *Contrastar entre varios sujetos.*
- *Indeterminar quién realiza la acción.*
- *Contradecir amablemente al interlocutor:* no sé qué decirte.
- *Introducir un comentario sorprendente:* ¿quieres que te diga la verdad?

Tipología textual
- *Texto expositivo:* • *El buen uso del español en la publicidad.*
- *Texto argumentativo:* • *El consumismo.*
- *Texto dialógico:* • *Interacciones breves.*
  • *Conversaciones entre amigos.*
  • *Entrevista a un publicista.*
- *Anuncios en papel.*
- *Anuncios y avisos orales.*
- *Encuesta sobre cómo influye la publicidad.*
- *Blog.*
- *Viñetas humorísticas.*

UNIDAD 6: *Vivir en español*

Contenidos temáticos
- *Experiencias propias de vivir en un país de habla hispana.*
- *Experiencias propias de vivir en un país donde no se habla español.*
- *Experiencias personales como estudiante de español.*
- *Malentendidos, fiestas o costumbres tradicionales.*
- *Variedades del español.*

Contenidos gramaticales
- *Repasar y ampliar los relativos:* que; quien / quienes; el que / la que / lo que; los / las que.
- *Oraciones de relativo especificativas y explicativas.*
- *Oraciones modales.*
- *El uso del subjuntivo con las oraciones de relativo y las modales.*
- *El artículo de las palabras que empiezan por a- / ha- tónica.*

Contenidos léxicos
- *Léxico relacionado con la expresión de diferencias culturales y costumbres propias de distintos países.*
- *Expresiones del lenguaje juvenil (de España):* andar pillado de tiempo; hacer tiempo; estar mosqueado/a; escaquearse; no te salva ni Blas; el curro; ¿te hace?; pirarse; pillar un taxi.
- *Palabras y giros propios del español de América:* ¡pucha!; chévere; ¡qué fregada es...!; botar; laburo; aventar; portarse del uno; rajarse.
- *Jugar con las palabras y sus significados.*
- *Marcadores discursivos.*

Contenidos funcionales y socioculturales
- *Reencontrarse y las funciones asociadas: reconocerse; mostrar sorpresa, preguntar por la vida del otro, etc.*
- *Analizar y elaborar anuncios.*
- *Hablar de costumbres chilenas y mexicanas.*

Contenidos pragmáticos
- *Dejar la decisión al interlocutor.*
- *Argumentar contra lo que ha dicho el interlocutor.*
- *Enfatizar por medio del sujeto* + sí que + *verbo:* tú sí que estás igual.
- *Pedir acuerdo al interlocutor:* ¿a que + verbo?

Tipología textual
- *Texto expositivo:*
  • *Día de muertos en México.*
- *Texto informativo:*
  • *Breves anécdotas sobre malentendidos.*
- *Texto dialógico:*
  • *Entrevista sobre emigrar.*
  • *Conversaciones entre amigos.*
- *Blog.*
- *Viñetas humorísticas.*

REPASO: Unidades 4, 5 y 6

UNIDAD 7: *Relaciones personales.com*

Contenidos temáticos
- *La lengua española.*
- *Algunas costumbres españolas.*
- *La mejor forma de aprender un idioma.*
- *La importancia del acento en una lengua extranjera.*

Contenidos gramaticales
- *La expresión del deseo. Repaso y ampliación:* que / ojalá + *presente de subjuntivo.*
- *La expresión de la duda. Repaso y ampliación.*
- *Repaso y ampliación de las preposiciones (2).*

Contenidos léxicos
- *Palabras usuales de origen latino, árabe y americano.*
- *Comunidades y ciudades autónomas españolas.*

Contenidos funcionales y socioculturales
- *Pedir cosas que se devuelven y cosas que no se devuelven.*
- *Expresar dudas y deseos.*
- *La España autonómica.*
- *Las lenguas cooficiales en España y América.*

Contenidos pragmáticos
- *Atenuar las afirmaciones: indicativo / subjuntivo.*
- *Desear algo a los demás mostrando empatía.*
- *Reflexión sobre elementos discursivos y gramaticales de la unidad.*

Tipología textual
- *Textos dialógicos:*
  - *Interacciones breves.*
  - *Reacciones y respuestas.*
  - *Debate dirigido.*
- *Texto expositivo:*
  - *Carta.*
- *Texto informativo virtual:*
  - *Consulta a un foro.*
- *Texto informativo:*
  - *Las lenguas de España y América.*

UNIDAD 8: *¿Y si montáramos una empresa?*

Contenidos temáticos
- *El mundo de la empresa.*
- *La riqueza y la pobreza.*
- *Cartas comerciales.*
- *Las supersticiones.*

Contenidos gramaticales
- *Repaso y ampliación de las oraciones condicionales con* si:
  - *El pluscuamperfecto de subjuntivo.*
  - *Oraciones condicionales irreales en pasado.*
  - *Otras conjunciones condicionales:* a condición de que / con tal de que; en caso de que; como; a no ser que / a menos que / excepto que.
- *Repaso y ampliación de verbos con preposición.*
- *Repaso del subjuntivo.*

Contenidos léxicos
- *Recursos relacionados con la empresa.*
- *Recursos relacionados con la riqueza y la pobreza.*
- *Recursos para expresar condiciones.*

- *Términos diferentes en España y Argentina en relación con montar una empresa.*
- *Términos relacionados con la informática*
- *Cambios de significado entre las palabras en singular y en plural.*
- *Expresiones coloquiales:* cabreo; no veas; no andarse con tonterías; echarse para atrás; tirar la toalla; subirse el éxito a la cabeza; parar el carro.
- *Antónimos.*
- *Adjetivos que definen a una emprendedora.*
- *El prefijo* semi- *y las palabras que forma.*
- *Gentilicios.*
- *Viñeta humorística.*

Contenidos funcionales y socioculturales
- *Expresar condiciones reales e irreales.*
- *Ponerse en lugar de un/a empresario/a / de un/a gerente.*
- *Dar consejos para montar una empresa.*
- *Debatir sobre la riqueza y la pobreza.*
- *Definir palabras.*

Contenidos pragmáticos
- *Expresar condiciones de difícil realización.*
- *Expresar condiciones con valor de amenaza.*
- *Valores discursivos del imperativo negativo:* no veas; no me hables; no me vengas con...
- *Expresar reproche.*

Tipología textual
- *Texto informativo:* • *Convocatoria de la III edición del premio* Miguel Zurita a La Empresa solidaria de La Rioja.
- *Texto periodístico:* • *Premio empresario joven.*
- *Textos dialógicos:* • *Interacciones breves.*
  - *Conversación sobre las supersticiones.*
  - *Entrevista periodística.*
    - *Joven empresaria malagueña.*
- *Carta comercial.*
- *Viñeta humorística.*

UNIDAD 9: *¿Escuchas, lees o miras?*

Contenidos temáticos
- *Literatura, música y cine.*
- *Interpretar algunas viñetas.*
- *El significado individual de la música.*
- *La incitación a la lectura.*
- *El libro de papel y el libro virtual.*
- *El idioma como identidad.*

Contenidos gramaticales
- *Palabras que funcionan como sujeto.*
- *El pronombre sujeto: presencia y ausencia.*
- *Repaso y ampliación de las preposiciones* por *y* para: *contrastes y neutralización.*
- *Repaso y ampliación de verbos seguidos de preposición.*

Contenidos léxicos
- *El prefijo* re- *y las palabras que forma.*
- *Recursos para describir canciones, libros o películas.*

- *Recursos relacionados con los temas de las canciones y textos propuestos:* Hablemos el mismo idioma; Ska de la Tierra; Olvidado rey Gudú; Hable con ella; El sueño del celta; Noches de boda; Plenilunio.
- *Frases hechas:* tener por seguro; darle a uno por; ser bien padre; no decir ni pío.
- *Sustantivos correspondientes a los adjetivos.*

Contenidos funcionales y socioculturales
- *Recomendar libros, canciones, películas u otros espectáculos.*
- *Describir y hablar de libros, canciones, películas.*
- *Entrevistar a famosos.*
- *Reaccionar ante canciones y textos literarios*
- *Variedades del español.*
- *Nombres propios de la música, la literatura y el cine en español.*

- *Referencias culturales derivadas de los textos y canciones propuestos.*

Contenidos pragmáticos
- *Evitar la ambigüedad mediante el sujeto.*
- *Expresar énfasis con la presencia del sujeto.*
- *Aceptar parcialmente la opinión del otro.*

Tipología textual
- *Texto expositivo:*
  - *Sentimientos.*
- *Textos dialógicos:*
  - *Interacciones breves.*
  - *Fragmento de un guión cinematográfico.*
- *Textos literarios:*
  - *Fragmentos de novelas.*
  - *Poema.*
- *Viñetas humorísticas.*
- *Escritura creativa a partir de un texto.*

REPASO: Unidades 7, 8 y 9

UNIDAD 10: *A través de la ciencia*

Contenidos temáticos
- La ciencia y la ciencia ficción.
- Falsas creencias sobre la ciencia.
- La investigación y los jóvenes..
- El futuro de la Humanidad
- Las ciencias y las letras: estereotipos.
- La literatura fantástica.

Contenidos gramaticales
- Repaso y ampliación de las oraciones temporales con indicativo y subjuntivo.
- Otras conjunciones temporales: después de (que); hasta (que); tan pronto como / en cuanto / apenas; mientras / a medida que; antes de (que)
- Repaso y ampliación de las construcciones comparativas: oraciones comparativas proporcionales.
- Repaso de las oraciones pasivas con ser.
- Repaso del futuro perfecto y del condicional.

Contenidos léxicos
- Léxico relacionado con la ciencia y la ficción.
- Contraste entre 'apenas' = en cuanto y 'apenas' = casi no.
- Diferentes palabras formadas con el sufijo -dor/a
- El prefijo entre- y las palabras que forma
- Conectores de los textos argumentativos
- Antónimos.

Contenidos funcionales y socioculturales
- Expresar relaciones temporales de presente, pasado y futuro.
- Comparar.
- Dar consejos y expresar deseos.
- Expresar opiniones argumentadas.
- Conocer a una científica y a varios científicos españoles.

Contenidos pragmáticos
- Reconocer el mal humor en las preguntas.
- El valor de la repetición de las preguntas.

Tipología textual
- Textos expositivos:
  - La ciencia y la ficción.
  - Jóvenes científicos.
  - Viajar al futuro.
- Textos diálogicos:
  - Interacciones breves.
  - Conversación entre a.migos / pareja.
  - Entrevista a una científica.
- Texto para Twitter.
- Viñetas humorísticas

UNIDAD 11: *¿A qué dedicas el tiempo libre?*

Contenidos temáticos
- Aficiones y tiempo libre.
- Los tests de autoconocimiento y de conocimiento de los demás.
- Los deportes de riesgo.
- El deporte con la Wii.
- Los viajes: la navegación.
- El Camino de Santiago.

Contenidos gramaticales
- Ampliación del subjuntivo: construcciones reduplicadas.
- Repaso y ampliación de los recursos para expresar duda y probabilidad.
- Repaso de la impersonalidad expresada con la segunda persona: tú.

Contenidos léxicos
- Léxico relacionado con las aficiones y el tiempo libre.
- Léxico relacionado con los viajes y las peregrinaciones.
- Recursos para hablar de aficiones poco frecuentes.
- Sustantivos derivados a partir de adjetivos.
- Frases hechas: a todo correr; ser un/a manitas; ser un/a manazas; ser un/a bocazas; ser un/a pelota.
- Diferentes significados de los verbos caer y sonar.

Contenidos funcionales y socioculturales
- Proponer y rechazar actividades de tiempo libre.
- Expresar deseos.
- Refrán: A lo hecho, pecho.
- El Camino de Santiago.

Contenidos pragmáticos
- Quitar importancia a lo que se dice usando el subjuntivo.
- Rechazar una invitación sin ofender.
- Rectificar ideas previas que se consideran negativas.
- Expresar la imposibilidad de un deseo.

Tipología textual
- Textos expositivos:
  - Del monopatín al skate.
  - Los adolescentes y el tiempo libre.
- Texto narrativo:
  - Un navegante solitario.
- Textos diálogicos:
  - Interacciones breves.
  - Conversaciones entre amigos.
  - Entrevista a un grupo de jóvenes.
- Anuncios de objetos de segunda mano.
- Viñeta humorística.

UNIDAD 12: *Un viaje alrededor de los sentidos*

Contenidos temáticos
- Los sentidos y la lengua.
- La cultura gastronómica, musical, paisajística asociada al español.
- Hacerse vegetariano/a.
- Estados de ánimo.
- Estilos de aprendizaje relacionados con los sentidos.
- El amor, la comida y los sentidos.
- Música típica de tres países de habla hispana.
- Comunicación en la mesa.

Contenidos gramaticales
- Los artículos indeterminados y determinados.
- Ausencia de artículos.
- Repaso y ampliación de los verbos de cambio y sus relaciones con ser y estar.
- Repaso de los tiempos del pasado.

Contenidos léxicos
- Frases hechas: ponerse morado/a; quedarse de piedra; ser un ladrillo; salud de hierro; bodas de oro.
- Fraseología relacionada con los sentidos: (no) entrar por los ojos; oler mal un asunto; tener la mosca detrás de la oreja; oír campanas y no saber dónde; a nadie le amarga un dulce; dar en la nariz; tener tacto; tener mucha vista; saber mal.
- Recursos para expresar sabores.

Contenidos funcionales y socioculturales
- Expresar cambios transitorios y permanentes.
- Transmitir el contenido de un texto a través de dibujos.
- Describir viajes, lugares, sabores...
- Los Tambores de Calanda.
- El aceite de oliva.
- Personajes españoles del mundo del cine.

Contenidos pragmáticos
- Reforzar lo que se acaba de afirmar por medio de no se/te crea(s).
- Enfatizar por medio del artículo indeterminado y la entonación.

Tipología textual
- Texto informativo: • Viaje alrededor de los sentidos.
- Texto expositivo: • La comida nos entra por todos los sentidos.
- Textos diálogicos: • Interacciones breves. • Hacerse vegetariano.
- Textos literarios: • La casa del río verde (novela graduada) • Estados de ánimo (poema) • Abril (poema) • El grillo maestro (cuento) • Escrito en un instante (texto breve descriptivo) • El orden alfabético (novela)
- Canciones
- Viñetas humorísticas

REPASO: Unidades 10, 11 y 12

Me gustaría que...

Al terminar esta unidad, serás capaz de...

- Leer, comprender y hablar sobre diferentes sentimientos.
- Escuchar y hablar sobre saber mandar.
- Usar nuevos recursos discursivos: *sin embargo*, *además*, *por todo lo dicho*, *sino que*, etc.
- Manejar nuevo vocabulario sobre los sentimientos.
- Recomendar, prohibir y mostrar vergüenza.
- Expresar influencia sobre otras personas con imperfecto de subjuntivo.
- Expresar sentimientos con imperfecto de subjuntivo.
- Leer y escribir cartas de recomendación.

1. Pretexto

a Me gustaría viajar por Hispanoamérica y me encantaría que me acompañaras.

b De niña me molestaba levantarme temprano y no me gustaba que los profesores me mandaran muchos deberes.

c El buen tiempo del domingo hizo que la gente fuera a la playa.

d La doctora Dávila me recomendó que paseara una hora cada día.

1 **Escucha, lee y contesta.**

a A la primera persona que habla, ¿le gustaría más viajar sola o acompañada?

b ¿Qué dos cosas le molestaban a la segunda persona?

c ¿Por qué fue mucha gente el domingo a la playa?

d El señor mayor pasea mucho todos los días, ¿por qué?

2 **Ahora, reflexiona.**

a Fíjate en los verbos de las oraciones y di qué expresan cada uno de ellos ¿sentimiento o influencia?

b ¿Recuerdas qué formas verbales son *me gustaría* y *me encantaría*?

c En la primera oración aparece un tiempo verbal que no conoces y que se llama pretérito imperfecto de subjuntivo. Señálalo y haz hipótesis de cuándo se usa.

3 **Habla.**

a ¿Qué te gustaría hacer en el futuro?

b ¿Qué te molestaba hacer de niño/a?

c ¿Qué haces cuando llueve?

d ¿Qué le recomiendas a una persona que hace muy poco ejercicio?

2. Contenidos gramaticales

1 Verbos de influencia y de sentimiento o reacción.

Ya estudiaste en el nivel B1 cuándo era obligatoria la presencia del subjuntivo con este tipo de verbos.

A **Di si estas frases son correctas o no y por qué.**

1 Me gusta que yo visitar muchos países.

2 Preferimos no tener clase por la tarde.

3 ¿Quieres que sacar yo las entradas?

4 He pedido a Luisa que venga con nosotras.

RECORDAMOS

A Los verbos que expresan *la influencia* de un sujeto (sea una persona o no) sobre otro tienen que construirse **con subjuntivo si los sujetos son distintos.** Cuando **el sujeto es el mismo se construyen con infinitivo.**

- *He logrado aprobar* el examen. / *He logrado que me contraten* para tres años.
- *La lluvia hace que* mucha gente *se quede* en casa.
- *Siempre intento llegar* a tiempo. / *Siempre intento que los alumnos lleguen* a tiempo.

Otros verbos de influencia: *aconsejar/recomendar, causar, hacer, mandar, necesitar, pedir, provocar, querer, sugerir, etc.*

ATENCIÓN

Los verbos *permitir, dejar* y *prohibir* admiten la construcción con infinitivo cuando el segundo sujeto queda expresado por un pronombre.

Te permito fumar. / Te permito que fumes. Mis padres me dejan salir hasta muy tarde. / Mis padres me dejan que salga hasta muy tarde.

B Los verbos que expresan *sentimientos* o *reacción* funcionan igual que los del grupo anterior.

Cuando el sentimiento no sale del sujeto: verbo + infinitivo.

Cuando el sentimiento sale del sujeto a otro/s sujeto/s: verbo + *que* + subjuntivo.

- *No soporto trabajar* por la noche. / *No soporto que la gente no sea* respetuosa.
- *Me ha encantado conocerte. / Me ha encantado que nos conozcamos* aquí, en mi casa.

Otros verbos y locuciones verbales de sentimiento o reacción: *aburrir, agradecer, (no) aguantar, alegrarse de, dar igual, dar miedo, dar rabia, dar vergüenza, dudar; disfrutar de/con, divertirse, enfadar, entretener; fastidiar; gustar, hacer ilusión, importar, lamentar, molestar, poner nervioso, sentir; no soportar; tener miedo a/de, etc.*

ATENCIÓN

En verbos como *gustar, dar igual, encantar*, etc., el sujeto es el infinitivo o la oración introducida por *que*, y no los pronombres 'me', 'te', 'les', 'nos', etc.

2 El pretérito imperfecto de subjuntivo.

A En el nivel B1 estudiaste el presente de subjuntivo. Mira este esquema.

Verbo en presente de indicativo, futuro o imperativo	Nexo	Verbo en presente de subjuntivo
Me molesta mucho	**que**	*no seas puntual.*
Te mandaré un mensaje	**cuando**	*llegue al aeropuerto.*
Por favor, llama a Violeta	**para que**	*te cuente lo que pasó ayer.*

B Ahora vas a estudiar el pretérito imperfecto de subjuntivo.

✔ Se forma tomando la 3.ª persona del plural del pretérito indefinido, por ejemplo:
estuvieron, se suprime la terminación **-ron** y se sustituye por las terminaciones propias
de este tiempo: **-ra / -ras / -ra / -ramos / -rais / -ran** o **-se / -ses / -se / -semos / -seis / -sen**.

Estar	
P. indefinido	**P. imperfecto**
Estuve	Estuvie **ra / se**
Estuviste	Estuvie **ras / ses**
Estuvo	Estuvie **ra / se**
Estuvimos	Estuvié **ramos / semos**
Estuvisteis	Estuvie **rais / seis**
Estuvieron	Estuvie **ran / sen**

Ahora, conjuga estos verbos.

1 Hacer: _____

2 Querer: _____

3 Poner: _____

4 Decir: _____

5 Tener: _____

6 Traducir: _____

7 Pedir: _____

8 Oír: _____

9 Poder: _____

✔ Todos los verbos irregulares en
pretérito indefinido, lo son también
en pretérito imperfecto de subjuntivo.

FÍJATE
Las formas de imperfecto de subjuntivo *-se / -ses / -se / -semos / -seis / -sen*, se usan un poco menos.

✔ **¿Cuándo se usa este tiempo?**

Verbo de la oración principal		Verbo de la oración subordinada
− Pretérito imperfecto de indicativo − Pretérito indefinido de indicativo − Condicional	+ Nexo +	**Pretérito imperfecto de subjuntivo**

*A mi abuelo **le encantaba que** sus nietos **fuéramos** cariñosos con él.*

*La doctora le **recomendó que dejara** de fumar e **hiciera** más ejercicio.*

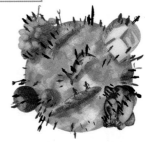

***Sería** estupendo **que** toda la población mundial **estuviera** bien alimentada.*

FÍJATE	
Pretérito imperfecto de indicativo Pretérito indefinido de indicativo *Se* **refieren al pasado.**	+ Nexo + **Pretérito imperfecto de subjuntivo**
Condicional *Se* **refiere al presente o al futuro.**	+ Nexo + **Pretérito imperfecto de subjuntivo**

3. Practicamos los contenidos gramaticales

1 **Completa los espacios con el pretérito imperfecto de subjuntivo y di si los verbos y las alocuciones subrayadas expresan sentimiento o influencia.**

1 ● Pedro me <u>aconsejó</u> que (ver, yo) *viera* Solas. **Verbo** *de influencia.*
  ▼ ¿Y la viste?
  ● Sí, y me pareció una película estupenda.

2 ● De niña, me <u>molestaba</u> que el fin de semana (durar) _____ tan poco. No me gustaba nada ir al colegio. **Verbo de** _____.
  ▼ A mí, sin embargo, me encantaba ir al colegio.

3 ● <u>Necesitaría</u> que me (hacer, usted) _____ un favor. **Verbo de** _____.
  ▼ Ya sabe que, si puedo, lo haré encantado.

4 ● A Juan le <u>daría vergüenza</u> que sus padres (enterarse, ellos) _____ de lo que hizo el sábado pasado en el bar Chao. **Verbo de** _____.
  ▼ Pues sí, lo comprendo.

5 ● A mis compañeros les <u>haría ilusión</u> que (ir, nosotros) _____ de viaje todos juntos en agosto. **Verbo de** _____.
  ▼ Nosotros viajamos juntos el año pasado y lo pasamos muy bien.

6 ● La directora de Recursos Humanos de la empresa me <u>pidió</u> que (escribir, yo) _____ una carta de presentación. **Verbo de** _____.
  ▼ Pues a mí no se me da bien eso de escribir cartas formales.

7 ● Nos <u>daría mucha pena</u> que no (venir, vosotros) _____ a nuestra boda. **Verbo de** _____.
  ▼ Haremos todo lo posible por asistir.

8 ● El exceso de tráfico <u>hizo</u> que no (llegar, ellos) _____ al concierto. **Verbo de** _____.
  ▼ Es que cuando llueve, todo el mundo saca el coche.

9 ● ¿Os <u>sugirió</u> que (visitar, ustedes) _____ otras escuelas? **Verbo de** _____.
  ▼ Sí, pero nosotros le dijimos que esta nos parecía estupenda.

10 ● ¿Te <u>importaría</u> que te (dejar, nosotros) _____ a Lagun una semana? **Verbo de** _____.
  ▼ Sí, sí me importaría, porque no tengo tiempo de cuidar a vuestro perro. Lo siento.

2 **Completa los huecos que aparecen en las siguientes declaraciones usando el presente, el pretérito imperfecto de subjuntivo o el infinitivo.**

1 «No me gustaría que la gente (idealizar) *idealizara* a mi padre; era un ser humano». *(Odile Rodríguez de la Fuente, hija de Félix Rodríguez de la Fuente, ambientalista español)*

3 «No me molesta que me (comparar, ellos) _____ con Penélope Cruz». *(Inma Cuesta, actriz española)*

2 «Comemos muy bien en el País Vasco porque nos encanta (comer, a nosotros) _____ ». *(Karlos Arguiñano, cocinero)*

4 «No me gustaría que me (mandar, ellos) _____ al banquillo». *(Ariel Ortega, futbolista argentino)*

5 «Me emociona (bailar, yo) _____ flamenco con el alma».
(Antonio Canales, bailaor)

8 «Me alegraría que Guti (quedarse, él) _____, pero él sabe lo que tiene que hacer».
(Cristiano Ronaldo, futbolista portugués del Real Madrid)

6 «Lucho Barrios me aconsejó que (cantar, yo) _____ con sentimiento».
(Américo, cantante chileno de música tropical. Habla de lo que le aconsejó Lucho Barrios, el popular cantante peruano de boleros, muerto en 2010)

9 «Mi tío Luis Buñuel me aconsejó que no (hacer, yo) _____ cine».
(Margarita Buñuel, fotógrafa, sobrina nieta de Luis Buñuel, director de cine, muerto en México en 1983)

7 «Me alegro de (trabajar, yo) _____ con Pedro Almodóvar. Me siento muy bien con él».
(Cecilia Roth, actriz argentina; Pedro Almodóvar, director de cine español)

10 «Me gusta (pescar y jugar al golf, a mí) _____ cuando estoy en Mallorca».
(Rafael Nadal, tenista español)

*Si te interesa saber más sobre estas personas, pregunta a tu profesor/a o entra en internet.

3 A **En parejas. Completad estos sentimientos con infinitivo.**

Queremos estar sanos

Nos molesta _____

Nos alegramos de _____

Odiamos _____

Nos da vergüenza _____

No nos importaría _____

Nos encantaría _____

Nos daría miedo _____

No soportamos _____

Desearíamos _____

B En parejas. Completad estos sentimientos con el presente o el pretérito imperfecto de subjuntivo.

Queremos que los gobernantes sean justos.

Nos molesta que los jefes _____

Nos alegramos de que la gente _____

No nos importaría que los futbolistas _____

Odiamos que las actrices _____

Desearíamos que las personas mayores _____

Nos encantaría que la Tierra _____

Nos da vergüenza que algunas personas _____

No soportamos que la Naturaleza _____

Nos daría miedo que los niños _____

4 Completa con el presente o el pretérito imperfecto de subjuntivo, así afianzarás tus conocimientos.

1 ● Lo que más me molesta de esta ciudad es el ruido.
  ▼ Pues a mí, que la gente lo (tirar) *tire* todo al suelo.

2 ● ¡Cuánto me alegré de que (venir, vosotros) _____ a verme!
  ▼ Y nosotros, de que (estar, tú) _____ tan bien.

3 ● Me daría igual que Juan (irse) _____ o (quedarse) _____.
  ▼ Lo comprendo, porque últimamente se comporta de una forma tan extraña...

4 ● Me da rabia que nadie (hacer) _____ nada por *lo de la droga*.
  ▼ ¡Hombre! Hay gente que sí hace cosas.

5 ● Sentí mucho que no (poder, tú) _____ venir.
  ▼ ¡Qué se le va a hacer! Otra vez será.

Para aclarar las cosas:
Lo de la droga: el problema, el asunto de la droga.
Ser un/a pelota: ser amable y adulador /a para conseguir algún beneficio.

6 ● Me pone muy nerviosa que Gonzalo (protestar) _____ únicamente cuando no está la jefa.
  ▼ Y a mí, pero es que Gonzalo *es un pelota*.

7 ● ¿Les molesta que me (sentar, yo) _____ aquí?
  ▼ No nos molesta, pero es que estamos esperando a unos amigos.

8 ● Señora Carrión, ¿le importaría que (retrasar, nosotras) _____ la fecha de la entrevista? Es que me ha surgido un problema.
  ▼ Espere un momento, vamos a ver, ¿le vendría bien el lunes 31 a las cinco y media?
  ● Sí, perfectamente. Muchísimas gracias.

9 ● Nos dio mucha vergüenza que Pedro le (hablar) _____ tan mal a Constanza.
  ▼ Y a mí, ¡qué mal rato pasé!

10 ● ¿Te importaría que (ir, nosotras) _____ al estudio de grabación a pie?
  ▼ No solo no me importaría, sino que me apetecería un montón; necesito estirar las piernas.

5 Recuerda lo que has leído. Reflexiona y contesta.

1 ● *De niña me molestaba que el fin de semana durase tan poco. No me gustaba nada ir al colegio.*
▼ *A mí, **sin embargo**, me encantaba ir al colegio.*

● *¿Os sugirió que visitarais otras escuelas?*
▼ *Sí, **pero** nosotros le dijimos que esta nos parecía estupenda.*

A ¿Crees que *sin embargo* es sinónimo de *pero*? ¿Te parecen intercambiables?

B Ahora, completa con *pero* o *sin embargo*. Puede haber dos posibilidades.

  a He dormido muy poco, _____ no tengo sueño.

  b ● Cuando llueve me encanta pasear.
    ▼ Yo, _____, odio la lluvia.

  c ● Siempre estás ocupada, trabajas demasiado.
    ▼ Es verdad, _____, a cambio, tengo mucho tiempo libre.

  d Nadie nos avisó del cambio de puerta del vuelo, _____ no perdimos el vuelo.

  e ● ¿Les molesta que me siente aquí?
    ▼ No nos molesta, _____ es que estamos esperando a unos amigos.

2 ● *La directora de Recursos Humanos de la empresa me pidió que escribiera una carta de presentación.*
▼ ***Pues a mí no se me da bien eso de escribir cartas formales.***

A ¿Puedes escribir de nuevo la oración en negrita sustituyendo *a mí no se me da bien* por una construcción equivalente?

B Seguro que a ti se te dan mal otras cosas. ¿Cuáles?

C ¿Qué intención comunicativa tiene en el diálogo *eso de escribir cartas formales*? ¿Revela admiración o rechazo? Danos otro ejemplo.

3 ● *Nos daría mucha pena que no vinierais a nuestra boda.*
▼ ***Haremos todo lo posible por asistir.***

A ¿Existe una traducción a tu lengua para lo señalado en negrita?

B ¿Qué crees que significa: que quien contesta tiene mucho interés en asistir o da una respuesta de cortesía?

C En parejas, elaborad tres diálogos en los que la respuesta sea ***Haremos todo lo posible por.***

4 ● *¿Te importaría que te dejáramos a Lagun una semana?*
▼ ***Sí, sí me importaría, porque no tengo tiempo de cuidar a vuestro perro. Lo siento.***

A En parejas, leed este diálogo. ¿En qué tono pregunta la primera persona? ¿Cómo lo sabéis?

B ¿En qué tono responde la segunda? ¿Es amable o desagradable? ¿Qué creéis que le pasa?

C Ahora buscad una respuesta alternativa que transmita otra intención comunicativa.

5 ● *Sentí mucho que no pudieras venir.*
▼ ***¡Qué se le va a hacer! Otra vez será.***

A ¿Qué sentimiento transmite la respuesta? ¿La persona está enfadada? ¿Cómo lo sabes?

B Elige la opción que creas más adecuada como respuesta.

  a ● *Sentí mucho que no pudieras venir.*
    ▼ ***¡Qué rabia me dio! Pero otra vez iré.***

  b ● *Sentí mucho que no pudieras venir.*
    ▼ ***No vale la pena enfadarse. Pero otra vez iré.***

C Y ahora, en parejas, elaborad dos diálogos para usar esas dos expresiones.

6 ● *¿Te importaría que fuéramos al estudio de grabación a pie?*
▼ ***No solo no me importaría, sino que me apetecería un montón, necesito estirar las piernas.***

A Compara la respuesta de este diálogo con la del número 4. ¿Qué diferencias observas?

B ¿Cómo recibe cada persona la petición de su interlocutor/a?

C ¿Cómo dirías con otras palabras *estirar las piernas*?

D Fíjate en esta construcción: *No solo no me importaría, sino que me apetecería un montón.* En ella *sino* equivale a *pero*. Pero no podemos usarlo. Lee estos ejemplos, a ver si deduces la regla.

• *Todavía no ha venido, **pero** sé que vendrá.*
• *No he dicho que cante mal, **sino** que a mí no me gusta.*
• *El autor de ese cuadro no es Picasso **sino** Braque.*
• *Tengo que pensarlo mejor, **pero**, en principio, la idea no me parece mala.*

Tu regla:
Se usa *pero* para _____
_____.

Se usa *sino (que)* cuando _____
_____.

4. De todo un poco

1 Interactúa.

A Uno de vosotros/as lee las preguntas y el/la otro/a contesta. Después cambiáis: quien ha preguntado contesta, y quien ha contestado pregunta.

1 ● ¿Quieres una aspirina para el dolor de cabeza?
▼ Gracias, prefiero _____.

2 ● ¿Qué te mandó el jefe que hicieras el viernes?
▼ Pues me mandó que _____.

3 ● ¿Qué hacías ayer con ese niño?
▼ Es que su madre me había pedido que _____
_____.

4 ● ¿Qué tal le saldría ayer el examen de Anatomía a Fran?
▼ Espero que _____.

5 ● ¿Por qué llegaste tan tarde a la reunión?
Es que la lluvia hizo que _____
_____.

6 ● ¿Te apetecería ir a correr por la playa?
▼ No mucho, preferiría que _____
_____.

7 ● ¡Déjame en paz de una vez!
▼ Oye, oye, no me gusta nada que _____
_____.

8 ● ¿Os molesta el humo?
▼ ¡Hombre! A mí no me gusta que la gente _____,
pero ¡por una vez...!

9 ● ¿De niño te prohibían tus padres hacer muchas cosas?
▼ Algunas. Recuerdo una vez que me prohibieron
_____.

10 ● ¿Qué te dijo el entrenador de baloncesto el sábado pasado al terminar el partido?
▼ Me aconsejó que _____.

11 ● ¿Os permiten usar el móvil durante el trabajo?
▼ No, mi jefe no nos permite _____
_____.

B Uno de vosotros/as dice una oración con uno de los verbos de sentimiento que ya conocéis y el vocabulario que aparece en la maleta y el otro/a le hace una pregunta. Después se cambia el turno hasta terminar todo el vocabulario como en los ejemplos.

madrugar
las novelas
el mar
los estereotipos
la tranquilidad
los insectos
los insultos
las teleseries
el senderismo
los hospitales
la intolerancia
las palabrotas
el tráfico en las horas punta
los viajes   la pobreza
el dinero

● *No soporto la intolerancia.*
▼ **Y la otra persona le pregunta:** *¿Por qué?*
◆ *Porque...*

● *Me encanta el senderismo.*
▼ **Y la otra persona le pregunta:** *¿En qué época del año te gusta practicarlo? ¿Con quién te gusta practicarlo?*
● *Me gusta...*

2 Habla.

A Elige uno de estos dos temas. Tienes unos minutos para prepararte y, cuando ya esté listo, exponlo durante tres minutos. Después, tus compañeros/as te harán preguntas.

En el *Pretexto* has leído lo siguiente: *el buen tiempo del domingo hizo que la gente fuera a la playa.*

- ¿Cómo influye el clima en tu vida?
- ¿Crees que el tiempo atmosférico influye en la vida de las personas?
- ¿Te gusta el calor? ¿Prefieres el frío? ¿Te deprimen los días cortos de invierno? ¿Hace la lluvia que te quedes en casa? Y cuando hace muchísimo calor, ¿qué haces?
- ¿Te dan miedo las tormentas?

¿Crees que, por no expresar lo que sentimos, perdemos la oportunidad de ser felices? Lee lo siguiente:

A veces se reprimen las emociones por vergüenza o porque se supone que exteriorizar los sentimientos es signo de debilidad.

- ¿Estás de acuerdo con el texto?
- ¿Qué opinas de este tema?
- ¿Qué piensas de la gente que lo exterioriza todo?

B Historieta muda.

1 Mira bien las viñetas.

2 Busca en el diccionario las palabras que no sabes.

3 Describe todo lo que ves en las tres viñetas.

4 Tercera viñeta. Entabla un diálogo con otro/a estudiante. Uno hace el papel de marido y otro el de mujer.

(1)

(2)

(3)   © Quino

3 **Escucha e interactúa.**

A Funciones comunicativas. 🗣)) 2

1 Vas a escuchar cinco diálogos. Elige la respuesta correcta y di qué función comunicativa expresa. (Hay tres funciones comunicativas.)

1 Hombre: _____ .

Adolescente: **a** Pues, ¿sabes lo que te digo? Que bienvenido a casa.

b Te he dicho que no.

c Anda, porfa, déjame salir... que te prometo que llegaré pronto y bien.

2 Hombre: _____ .

Mujer: **a** Oye, te aconsejo que hagas planes para el verano. Luego todo se pone carísimo.

b Te sugiero que vayas a un balneario un par de días. Verás cómo te sientes mejor.

c Te recomiendo que tomes palomas al anochecer.

3 Hombre: _____ .

Mujer: **a** Sí, a mí también me pasaría lo mismo.

b Marta es muy activa y realista.

c A Marta le ocurrió algo parecido.

4 Mujer: _____ .

Mujer: **a** Anda, que lío.

b ¡Qué vergüenza!, ¿no?

c Me alegro de tu buen comportamiento.

5 Hombre: _____ .

Mujer: **a** Sí, buena idea.

b Tú siempre tan sincero.

c Ya está bien. Me gustan tus sugerencias.

Diálogo 1: Función comunicativa:

_____ .

Diálogo 2: Función comunicativa:

_____ .

Diálogo 3: Función comunicativa:

_____ .

Diálogo 4: Función comunicativa:

_____ .

Diálogo 5: Función comunicativa:

_____ .

RECURSOS

Prohibir	Aconsejar y sugerir	Expresar vergüenza
• *Te prohíbo que* • *No te permito que* + subjuntivo • *Está prohibido que* • *Te prohíbo* • *No te permito* + infinitivo • *Está prohibido*	• *Te aconsejo que* • *Te sugiero que* + subjuntivo • *¿Puedo hacerte una sugerencia?* • *¿Podría darte un consejo?*	• *Me avergüenzo de* + sustantivo / infinitivo • *Me da vergüenza que* + subjuntivo • *Estoy avergonzado/a de / por* + sustantivo / infinitivo • *Me pongo rojo/a como un tomate / un pimiento cuando* + indicativo • *Paso (mucha) vergüenza porque / cuando* + indicativo

2 Te toca.

● Tu hermano no encuentra trabajo y está muy desanimado. Dale algunos consejos y hazle alguna sugerencia.

● Has metido la pata en una reunión y te has puesto más colorado / rojo que un pimiento. Estás avergonzado/a. Expresa este sentimiento (la vergüenza).

● Tu amiga te dice que se va ahora mismo a la peluquería y que quiere cortarse el pelo muy, muy corto y lo quiere de color azul. A ti te parece que le va a quedar horrible. Coméntaselo.

● Dile a tu compañero de trabajo que te vas unos días de vacaciones, pero que no quieres que abra tu ordenador, ni mire tu correspondencia. En otras ocasiones lo ha hecho y a ti te ha sentado muy mal. Prohíbeselo.

● Los padres de un amigo quieren hacer un viaje por América del Sur, pero todavía no es seguro. Tú ya has estado allí. Dales algunos consejos y hazles algunas sugerencias.

B Entrevista a varias personas que opinan  **3 sobre si los jefes saben mandar.**

1 Poned en común vuestras ideas sobre cómo suele ser un jefe o una jefa. Luego comparad con lo que dicen los entrevistados.

2 Escucha las entrevistas de nuestro reportero de Onda Meridional y luego di si los entrevistados han dicho lo siguiente.

	SÍ	NO
a Si te llevas bien con tu jefe, este será más abierto.		
b La mayoría de la gente querría un jefe poco autoritario.		
c Los jefes, como todo el mundo, unas veces lo hacen bien y otras lo hacen mal.		
d Mandar es algo inútil.		
e Las jefas mandan de forma poco autoritaria.		
f El tercer entrevistado opina que en su trabajo hay buen ambiente.		
g A la cuarta entrevistada no le gustan las personas enérgicas.		
h Los compañeros de trabajo de la cuarta entrevistada no comparten sus primeras impresiones.		

Un paso más

1 La primera persona que ha hablado ha dicho: *Mi jefe y yo nos llevamos superbién.*

1 *Super-* es un elemento compositivo que significa «en un grado muy alto».

Actualmente se abusa de él. Esto es lo que dice el *Diccionario Panhispánico de dudas:* En el español coloquial actual se usa con mucha frecuencia para añadir valor superlativo a los adjetivos o adverbios a los que se une: *superútil, superreservado, superbién.*

2 Sustantivo masculino, acortamiento coloquial de *supermercado. (http://buscon.rae.es/dpdl/)*

Haz dos oraciones usando un adverbio o un adjetivo con el elemento compositivo *super-*.

_____

_____

_____

_____

2 Has oído en el texto los adjetivos *autoritario, abierto*. Aquí tienes una serie de adjetivos relacionados con el carácter. Escribe su contrario o antónimo.

a Seguro/a de sí mismo/a ➔ *inseguro/a*

b Realista: _____

c Creativo/a: _____

d Emprendedor/a: _____

e Trabajador/a: _____

f Abierto/a: _____

g Sociable: _____

h Generoso/a: _____

i Sincero/a: _____

j Ordenado/a: _____

k Valiente: _____

3 Ahora di cuáles son las características propias de un/a buen/a jefe/a.

---

4 Lee.

A lo largo de la unidad, estamos hablando de los sentimientos. Uno de ellos, maravilloso, es el amor. Pero, ¿qué hacemos cuando nos enamoramos? ¿Tonterías? Lee este texto para saberlo.

1 Antes de leer.

a ¿Recuerdas qué es una baja laboral? Pon ejemplos de los casos en que se concede.

b ¿Piensas que hacemos muchas tonterías cuando nos enamoramos? Escribe las que se te ocurran y completa la lista después de leer el texto.

2 Ahora lee el texto en voz alta.

Pon atención a la pronunciación y a la entonación: la sílaba anterior a los puntos suspensivos debe alargarse. Imagina que estás en un teatro dirigiéndote a un público y, en los diálogos, no olvides que ¡¡¡estás enamorado/a!!!

3 Después de leer.
Contesta de forma oral y comenta con tu compañero/a.

a El personaje afirma que las personas enamoradas hablan de cosas muy profundas.

Si esta afirmación es falsa, busca en el texto qué se dice exactamente.

b Explica el papel que desempeña el teléfono en la vida de las personas enamoradas (según el texto).

c Los valores de quien ama se mantienen intactos. Si esta afirmación es falsa, busca en el texto qué se dice exactamente.

d ¿En qué consiste el «juego de las miraditas»?

TONTERÍAS QUE HACEMOS CUANDO NOS ENAMORAMOS

¿Ustedes no creen que debería existir una baja laboral por enamoramiento? ¿Acaso no te dan la baja cuando tienes depresión o estrés?

Cuando te enamoras no solo te comportas como un idiota..., es que además piensas que eres especial, que las cosas que haces no las hace nadie más en el mundo. Aunque en realidad repites las mismas tonterías de todos los enamorados.

El teléfono se convierte en el centro de tu vida, lo descuelgas cada cinco minutos para comprobar que hay línea. Pero, ¿qué crees? ¿Qué te van a cortar la línea justo en el momento en que llama ella? Hombre, los de Telefónica tienen <u>mala leche</u>, pero no tanto.

Cuando por fin te llama, te da un vuelco el corazón y te lanzas a una conversación muy profunda:

– ¿Qué haces?

– Nada...

   Y así dos horas de conversación profunda... y otras dos para colgar:

– Bueno, pues cuelga.

– No, cuelga tú.

– Tú primero.

– No, tú.

– Contamos tres y colgamos los dos a la vez.

– Uno, dos y tres.

   Y si cuelga ella, te quedas <u>jodido</u> y piensas que tú la quieres más. Y vuelves a <u>llamarla</u>.

– Oye, me has colgado...

– ¿Pero no has dicho que contáramos hasta tres?

– Sí, pero no tan rápido.

Todo cambia radicalmente cuando estás enamorado. Tu escala de valores varía totalmente. Por ejemplo, antes el domingo lo dedicabas al fútbol. Ahora te vas a comer con ella, y <u>la sobremesa</u> se prolonga. La miras, te mira, la coges de la mano... la seis de la tarde... Pero, por mucho que la quieras, eres un hombre. Y hay un momento en el que no puedes más y te levantas:

– Voy al servicio, no te vayas, ¿eh?

   Y en cuanto la pierdes de vista, agarras al camarero y le preguntas:

– Eh, ¿cómo va el Madrid, <u>tío</u>?

Cuando estás enamorado te comportas como un idiota. Por ejemplo, si te enamoras de una chica en la biblioteca, pones en marcha inmediatamente el juego de las <u>miraditas</u>. Lees una línea, y la miras, pasas la página, y la miras, buscas un pañuelo, y la miras, te suenas los mocos, y la miras... y, a veces, simplemente la miras...

Y es que no te atreves a acercarte. Te puedes tirar meses buscando esa frase que hará que ella caiga rendida a tus pies. Un día, por fin, la encuentras: «Me acercaré y le diré: Perdona, ¿te importaría no ser tan guapa?». Así que te levantas, vas hacia ella... pero cuando te acercas solo eres capaz de decir:

– ¿Me dejas un boli? Es que se me ha gastado.

Para aclarar las cosas:

Te puedes tirar meses buscando...: puedes pasarte (muchos) meses buscando...
¿Me dejas un boli?: ¿me dejas un bolígrafo?

1

Un paso más

1 *Tío*: apelativo informal para dirigirse a una persona cuyo nombre desconoces o no se quiere decir o bien a un amigo para llamar su atención.

Podrías decírselo a...

- tu abuelo   SÍ ☐   NO ☐
- al director del banco   SÍ ☐   NO ☐
- a un compañero de clase   SÍ ☐   NO ☐
- a un chico de tu edad que acabas de conocer   SÍ ☐   NO ☐
- al portero de tu edificio   SÍ ☐   NO ☐

2 *Tener mala leche*:

Dice el 'DRAE' de esta expresión:

1 f. vulg. Mala intención. *La pregunta del examen está hecha con mala leche.*

2 f. vulg. Mal humor. *Hoy viene de mala leche porque se le ha pinchado una rueda.*
Vulg. = vulgarismo.

En el texto pone: «Hombre, los de Telefónica tienen mala leche, pero no tanto». ¿A cuál de los dos significados pertenece al 1 o al 2? ¿Usas vulgarismos en tu lengua? ¿Cuándo? ¿Dónde?

3 *La sobremesa*: es el tiempo que pasamos las personas juntas alrededor de la mesa después de haber comido.
¿Existe una palabra específica en tu lengua para este tiempo?

4 *Estar jodido/a*: fastidiado/a, mal. Es de uso vulgar en España, pero no así en algunos países de Hispanoamérica.
El personaje del monólogo se queda jodido porque su chica cuelga primero. ¿Puedes añadir otras situaciones en las que podemos estar/quedarnos jodidos/as?

5 *Cuando te enamoras no solo te comportas como un idiota..., es que además piensas que eres especial.*

A ¿Qué intención comunicativa tiene esta segunda persona de singular?

a Pretende incluir a quien escucha en lo que se cuenta.
b Hace una generalización con valor impersonal.

B Ahora, transforma estas oraciones dándoles el mismo valor.

a *Para hacer un viaje con tranquilidad, hay que prepararlo con tiempo.*
b *Aquí se trabaja, pero quienes mandan no lo reconocen.*

6 *Miraditas*.

A ¿Con qué intención comunicativa se usa aquí el diminutivo?

a Para expresar cariño.
b Para ridiculizar la actitud.
c Para disminuir el tamaño.

B ¿Es lo mismo en estos otros casos?

a (Un recién casado a su mujer): *Cariñito, ¿me ayudas a doblar las sábanas?*
b (En un chiringuito de la playa un día de calor): *Por favor, pónganos unas cañitas, que estamos muertos de sed.*
c (La abuela hablando de su nieto recién nacido): *¡Mira qué manitas tiene Fernando!*

5 Escribe.

Carta de recomendación.

En esta unidad hemos trabajado con los verbos de influencia. *Recomendar* es uno de ellos. Ahora vamos a ver qué es y cómo se escribe una carta de recomendación.

Este texto es informativo, por eso no hay preguntas de carácter comprensivo.

¿Qué es una carta de recomendación?
Es un tipo de escrito que se utiliza frecuentemente para decir cómo es una persona — su carácter, su formación, sus objetivos, etc. — que pide un trabajo o una recomendación para estudiar en un determinado lugar, por ejemplo.

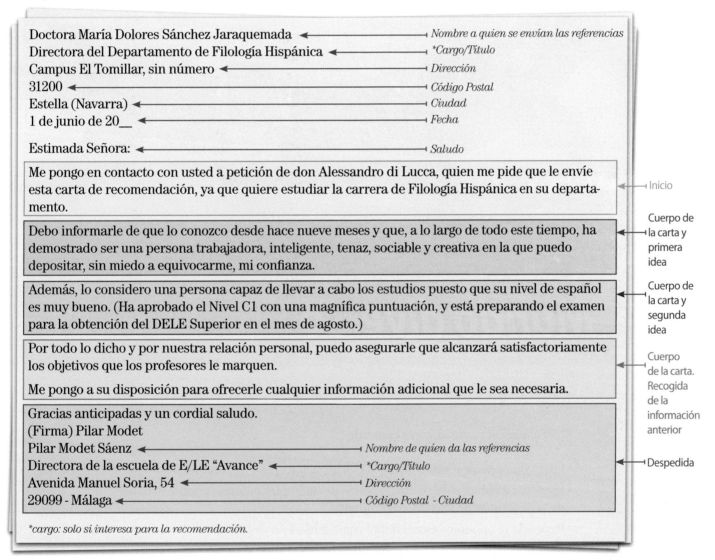

¿Cómo se escribe una carta de recomendación?
Es muy importante seguir los pasos que te ofrecemos:

- En primer lugar, se pone el saludo: *Estimado Señor: / Estimada Señora:*
- Inicio del cuerpo de la carta: *Me pongo en contacto con usted a petición de...*
- Cuerpo de la carta: cada idea debe ir en un párrafo y deben usarse algunos marcadores.

En esta carta aparecen *Además* (con él se añade información) y *Por todo lo dicho* (es un marcador que recoge la exposición anterior). También aparecen dos conectores causales: *ya que* y *puesto que*.

- Despedida: *En espera de sus noticias, Gracias anticipadas* o *Gracias de antemano, Un cordial saludo* o *Reciba un cordial saludo Atentamente le saluda* o *Atentamente.*

Aquí tienes un modelo detallado y simple.

Doctora María Dolores Sánchez Jaraquemada ← *Nombre a quien se envían las referencias*
Directora del Departamento de Filología Hispánica ← **Cargo/Título*
Campus El Tomillar, sin número ← *Dirección*
31200 ← *Código Postal*
Estella (Navarra) ← *Ciudad*
1 de junio de 20__ ← *Fecha*

Estimada Señora: ← *Saludo*

Me pongo en contacto con usted a petición de don Alessandro di Lucca, quien me pide que le envíe esta carta de recomendación, ya que quiere estudiar la carrera de Filología Hispánica en su departamento. → *Inicio*

Debo informarle de que lo conozco desde hace nueve meses y que, a lo largo de todo este tiempo, ha demostrado ser una persona trabajadora, inteligente, tenaz, sociable y creativa en la que puedo depositar, sin miedo a equivocarme, mi confianza. → *Cuerpo de la carta y primera idea*

Además, lo considero una persona capaz de llevar a cabo los estudios puesto que su nivel de español es muy bueno. (Ha aprobado el Nivel C1 con una magnífica puntuación, y está preparando el examen para la obtención del DELE Superior en el mes de agosto.) → *Cuerpo de la carta y segunda idea*

Por todo lo dicho y por nuestra relación personal, puedo asegurarle que alcanzará satisfactoriamente los objetivos que los profesores le marquen.

Me pongo a su disposición para ofrecerle cualquier información adicional que le sea necesaria. → *Cuerpo de la carta. Recogida de la información anterior*

Gracias anticipadas y un cordial saludo.
(Firma) Pilar Modet
Pilar Modet Sáenz ← *Nombre de quien da las referencias*
Directora de la escuela de E/LE "Avance" ← **Cargo/Título*
Avenida Manuel Soria, 54 ← *Dirección*
29099 - Málaga ← *Código Postal - Ciudad* → *Despedida*

*cargo: solo si interesa para la recomendación.

Ahora, escribe tú una carta de recomendación para Marie France, la au-pair que ha estado en tu casa durante seis meses. La carta va dirigida a una familia chilena que la necesita para diez meses. Se llaman señores Terán (Bernardo y Mónica). No olvides ningún detalle. Explica su carácter, sus gustos, todo lo que hace bien. Y tampoco olvides los aspectos formales de la carta. Y una cosa más. Intenta usar los marcadores *además* y *por todo lo dicho*. ¡Suerte, seguro que escribes una carta estupenda!

Mundo diverso

Al terminar esta unidad, serás capaz de...

- Leer, comprender y hablar sobre la globalización.
- Escuchar y hablar sobre características de diferentes culturas y sobre el papel de la enseñanza de lenguas en el mundo.
- Expresar tu opinión sobre el fútbol como fenómeno global.
- Usar nuevos recursos discursivos: *en efecto, en cuanto a, de hecho, es decir.*
- Manejar nueva fraseología.
- Usar un nuevo tiempo verbal: pretérito perfecto de subjuntivo.
- Corregir lo que han dicho otros y expresar opiniones negativas usando el subjuntivo.
- Rechazar algo utilizando el subjuntivo.
- Leer y escribir una entrevista periodística.

1. Pretexto

a **Me parece evidente que** estas costumbres no pueden globalizarse. No **permitamos que** estas tradiciones **desaparezcan** en un mundo uniforme. En Salvador de Bahía **verás**, **oirás**, **olerás** y **sentirás que** el mundo es rico y variado.

b **No creo que sepas** dónde tomé la foto del agua y la sal, pero, ¿no te parece que eso del agua y la sal puede darte pistas? **Imagino que sí sabes** que la otra foto es de una plaza europea muy famosa. Se encuentra en la capital de la Unión Europea.

1 **Escucha, lee y contesta.**

    a Empecemos por el título: haced una lluvia de ideas sobre lo que os sugiere y sobre lo que esperáis encontrar en la unidad.

    b ¿Qué ocurrirá si vas a Salvador de Bahía?

    c Imaginad dónde puede haber sido tomada la foto del agua y la sal y argumenta tu respuesta.

    d En el último texto se critican hechos, ¿cuáles?

    e ¿Compartes las opiniones que aparecen aquí?

2 **Ahora, reflexiona.**

    a Señala las formas de subjuntivo que aparecen en las frases. ¿Puedes decir por qué se usan? (Recuerda todo lo que ya sabes).

    b Busca palabras que expresen actividades de la cabeza: pensar, imaginar, etc., y di si van seguidas de indicativo o subjuntivo. ¿Por qué? ¿Qué significan *sentir* y *decir*?

    c Aparece una forma verbal de subjuntivo nueva. Señálala. ¿Qué crees qué expresa? ¿Qué relación tiene con otros tiempos que ya conoces?

c **Es una lástima** que hasta ahora la globalización no **haya contribuido** al entendimiento de los pueblos. Y que **no nos digan** a los ciudadanos que no **hay** forma de lograr un reparto más justo de los beneficios de la globalización. Esos ciudadanos, es **decir**, la gente normal, queremos decir a los gobernantes **que trabajen** para lograr un mundo mejor.

3 **Por último, llevad a clase vuestras propias fotos o recortes de revistas y escribid textos breves como los nuestros.**

2. Contenidos gramaticales

1 Indicativo o subjuntivo con verbos que expresan entendimiento, percepción o lengua (verbos «de la cabeza»): *creer, pensar, parecer, oír, decir.*

A ¿Recuerdas cuándo se construyen con indicativo o con subjuntivo? Completa para comprobarlo.

1 Marta creía que Alejandro no (ganar) _____ el campeonato de ajedrez.

2 ¿No te parece que (deber, nosotras) _____ hablar primero con ellos?

3 Nadie ha dicho que el medioambiente (mejorar) _____ con la globalización.

4 Te he dicho mil veces que el camino más corto para ir al pueblo no (ser) _____ ese.

5 Al final no creo que (celebrarse) _____ el curso sobre Literatura y Medios de comunicación.

6 ¿De verdad pensaban ustedes que la situación (poder) _____ empeorar aún más?

B Otros verbos de este grupo.

- Verbos de entendimiento: *imaginar, saber, sospechar, suponer, etc.*
- Verbos de lengua: *afirmar, contestar, contar, explicar, opinar, preguntar, etc.*
- Verbos de percepción: *darse cuenta, notar, percibir, sentir, ver, etc.*

D Ahora, escribe aquí tu regla.

El indicativo se usa _____
_____.

El subjuntivo se usa _____
_____.

C Hay verbos como *decir* y *sentir* que pueden tener dos significados.

***Decir*: 1** comunicar algo verbalmente (lengua → indicativo).
     2 aconsejar (influencia → subjuntivo).
***Sentir*:1** lamentar (sentimiento → subjuntivo).
     2 notar (percepción → indicativo).

- *Mi asesor económico **me ha dicho que** la bolsa **va a bajar** (información) y que, de momento, **no invierta** (influencia).*
- ***Siento que no puedas** quedarte unos días más (sentimiento).*
- *Cuando hace sol, **siento que tengo** más energía y **estoy** de mejor humor (percepción).*

E Fíjate en esta nueva estructura y compárala con lo que ya sabes.

- ***No creas que** estoy enfadada por lo que me dijiste.*
- ***No digáis que** no os avisamos del peligro.*
- ***No piensen que** la globalización es la solución, más bien es el problema.*

F Y ahora la regla.

Negación + verbo en indicativo		Verbo en subjuntivo
No creo		***estés*** *enfadada por lo que te dije.*
No he dicho	*que*	*no **sea** difícil salir de la crisis.*
No pienso		*la globalización **sea** la solución.*
No parece		*el precio de los pisos **vaya a bajar** mucho.*

Imperativo negativo		Verbo en indicativo
No creas		***estoy*** *enfadada por lo que me dijiste.*
No piense	*que*	***es*** *fácil salir de la crisis.*
No digáis		*la globalización **es** la solución.*
No piensen		*el precio de los pisos **va a bajar** mucho más.*

2 Indicativo o subjuntivo en construcciones de *ser* o *estar* + adjetivos o sustantivos.

A ¿Recuerdas cuándo se construyen con indicativo o con subjuntivo? Completa para comprobarlo.

1 ¿Es verdad que Antonio y Ana (abrir) _____ un nuevo restaurante?

2 No está demostrado que la globalización (ser) _____ algo positivo.

3 Era lógico que ustedes (creer) _____ esas cosas.

4 Sería una pena que (llover) _____ durante las fiestas del pueblo.

5 Fue estupendo que (poder, tú) _____ quedarte unos días más con nosotros.

B Además de *ser* y *estar*, puedes usar *parecer* seguido de sustantivo, adjetivo o adverbio y las reglas de funcionamiento son las mismas.

- ***Es / Parece evidente que*** *tardaremos un poco más de tiempo en salir de la crisis.*
- ***Es / (Me) parece normal que*** *pidas el pago de las horas extra que has hecho.*
- ***Está / Parece claro que*** *no llegaremos a un acuerdo sin hacer un esfuerzo.*
- ***No es / No parece evidente que*** *las cosas puedan arreglarse por sí solas.*

FÍJATE	
Más vale que, conviene que, basta con que, también se construyen seguidos de subjuntivo.	
Más vale que = es mejor que *Conviene que = es conveniente que* *Basta con que = es suficiente (con) que*	• *Más vale / Es mejor / Es conveniente que te acuestes temprano, si no, mañana no podrás madrugar.* • *Sí, podemos cancelar la reserva. Basta con que nos avise con dos días de antelación.*

C Ahora, escribe aquí tu regla.

El indicativo se usa _____.

El subjuntivo se usa _____.

3 Un tiempo nuevo.

A Recuerda lo que ya sabes.

Verbo de la oración principal en **presente** de indicativo o **futuro** o **imperativo**.	**Nexo**	Verbo de la oración subordinada en **presente de subjuntivo**.

Completa para comprobarlo.

1 **Me encanta que** _____.

2 **Te mandaré** un mensaje **cuando** _____.

3 Por favor, **intenta** ser más amable **para que** _____.

Verbo de la oración principal en pretérito **imperfecto**, pretérito **indefinido** de indicativo o en **condicional simple**.	**Nexo**	Verbo de la oración subordinada **pretérito imperfecto de subjuntivo**.

Completa para comprobarlo.

1 **La tía Carmen quería que** todos _____.

2 **Nos encantó que** _____.

3 Yo le **ayudaría para que** _____.

B El tiempo nuevo es el pretérito perfecto de subjuntivo.

1 Forma.

Presente de subjuntivo de *haber*		Participio invariable
haya		aprobado
hayas		entendido
haya	+	vuelto
hayamos		venido
hayáis		
hayan		

2 Significado y correspondencia con otros tiempos.

Recoge los significados temporales del pretérito perfecto de indicativo y del futuro compuesto de indicativo (ver Unidad 3).

Indicativo	Subjuntivo
Ha dejado su trabajo. **Sé** que **ha dejado** su trabajo.	**Me parece bien** que haya dejado su trabajo.
A esa hora ya **habremos terminado**.	Me parece estupendo que a esa hora ya **hayamos terminado**.

Aparece en los mismos casos que cualquier otro tiempo del subjuntivo (presente, imperfecto, etc.) para expresar deseos, sentimientos, opiniones (en forma negativa), etc.

- *Lola ha leído la tesis. Todos **nos alegramos**. → **Nos alegramos de que** Lola haya leído la tesis.*
- *¿Ha llegado tarde? **Es normal**. → **Es normal que** haya llegado tarde, hay mucho tráfico.*

ATENCIÓN

No puede usarse con verbos de influencia.

- *Queremos que nos ~~haya ayudado~~.*
  *Queremos que **nos ayudes**.*

En las oraciones temporales el presente y el perfecto de subjuntivo alternan cuando no se produce ambigüedad en la información.

- *Iremos de vacaciones **cuando nos hayas dicho** / **nos digas** las fechas en las que estés libre.*
- *Te devolveré la novela **cuando** la **termine** / la **haya terminado**.*

Este resumen puede ayudarte.

Con indicativo	Con subjuntivo
Creo / Opino / Veo que la globalización tiene sus ventajas y desventajas.	*No creo / No digo / No veo* que la crisis nos afecte a todos.
No creas / No pienses que todo es tan difícil.	*Es / Parece posible / probable / necesario* que pronto empecemos a notar los cambios.
Es / Parece verdad / evidente / seguro que la crisis nos afecta a todos.	*Más vale / Es mejor / Conviene* que todo el mundo esté dispuesto a colaborar.
Hemos dicho (= informado) que los jueves no habrá clase.	*Hemos dicho* (= pedido) que se queden en su sitio y no salgan.
Siento (= noto) que no progresamos tanto como esperábamos.	*Siento* (= lamento) que no estén contentos con los resultados.

3. Practicamos los contenidos gramaticales

1 **Completa con la forma adecuada de indicativo o subjuntivo.**

1 ● Perdona, ¿qué has dicho? Es que no te he oído, con este ruido...
   ▼ Que me (ir) _____, que (ser) _____ muy tarde.
   ● ¿Tarde? ¡Qué va! No me digas que no te (gustar) _____ estar aquí con los amigos.

2 ● ¿Van a venir tus compañeros de trabajo?
   ▼ No, no creo que (venir) _____, estas reuniones formales no les gustan.

3 ● Voy a sustituir a Alejandro.
   ▼ ¿Otra vez? Me parece a mí que ese chico (estar) _____ riéndose de ti.
   ● Otras veces me sustituye él a mí.
   ▼ ¿Ah, sí? Pues yo no he visto nunca que Alejandro (sustituir) _____ a nadie.

4 ● Imagino que a estas horas ya no nos (dar) _____ nada de cenar.
   ▼ Vamos a ver si hay suerte, aunque no creo que (estar) _____ la cocina abierta. Aquí los restaurantes cierran antes que en España.

5 ● Opino que este coche (ser) _____ el mejor del mundo.
   ▼ No exageres, lo que pasa es que resulta muy llamativo.

6 ● Suponemos que ya (saber, ustedes) _____ las últimas noticias.
   ▼ No, todavía no sabemos nada.
   ● Pues más vale que (prepararse) _____ para oír cosas que nos les van a gustar.

7 ● ¿No te parece que (ser) _____ mejor leer que jugar con la videoconsola?
   ▼ ¿Qué quieres que te diga? Depende del momento.

8 ● ¿Te he contado que me (tocar) _____ cinco mil euros a la lotería?
   ▼ ¿En serio? ¡Qué suerte! A ver si invitas a algo, ¿no?

9 ● No me parecería correcto que (venir, ellos) _____ a la reunión sin haber sido convocados.
   ▼ Y a mí me parecería fatal que no los (incluir, vosotros) _____ entre la gente que debería estar aquí.

10 ● Estoy harto: basta con que yo (decir) _____ algo para que todo el mundo me ataque.
   ▼ No digas que todo el mundo te (atacar) _____, no creo que tus compañeros (tener) _____ nada contra ti; solo opinan de forma distinta.

Y ahora, completa este cuadro.

He usado el indicativo porque	He usado el subjuntivo porque

2 **A** **Escucha una vez y toma nota.**

1 ¿Cuántas personas hablan?
2 ¿Crees que están contentas o enfadadas?
3 ¿De qué temas hablan?

B **Vuelve a escuchar y completa.**

Pedro: *Estoy seguro de* que no (1) _____ de acuerdo, pero a mí me parece que las fiestas
(2) _____ todas iguales. La gente bebe y baila hasta muy tarde. Después, todo el mundo
(3) _____ borracho. Al día siguiente no pueden hacer nada porque (4) _____
hechos polvo. ¿De verdad te parece que esto (5) _____ algo bueno? A mí, no. Y no creas que
(6) _____ en contra de pasarlo bien, pero no así.

Ángel: Y, entonces, tú ¿qué haces para divertirte?

Pedro: ¿Yo? Leer, pasear por el campo o la playa, ir al cine o al teatro... También ir de fiesta... No creo que
(7) _____ a más
de dos o tres macrofiestas en mi vida.

Ángel: No me digas que no te (8) _____ las macrofiestas, ¡si *son una pasada*!

Pedro: ¡Eso es! Son una pasada.

Ángel: Entonces, ¿qué pasa con las fiestas populares y las tradiciones? ¿Tampoco te gustan?

Pedro: No he dicho que no me (9) _____ esas otras fiestas. Antes me refería a esos grupos de *borregos*
que salen a divertirse por obligación, porque (10) _____ fin de semana.

Ángel: Bueno, pues, ¿sabes lo que te digo, tío? Que (11) _____ *un muermo*. ¡Julia! ¡Qué bien que
(12) _____! A ver si entre los dos nos llevamos a este chico de marcha.

Julia: Hola, chavos. No puedo creer que (13) _____ peleando otra vez. ¿Les parece bonito
que siempre que los encuentro (14) _____ que poner paz entre ustedes?

Ángel: Julita, no te enfades, pero dile a Pedro que las fiestas (15) _____ algo genial.

Julia: Eso le digo y también le digo que (16) _____ con nosotros a celebrar mi cumpleaños
haciendo algo divertido. Y no me digas, Pedrito, que no (17) _____ venir porque no te creeré.

Pedro: Pues claro que puedo y, además, me apetece un montón que (18) _____ juntos. Es verdad
que (19) _____ esas fiestas, pero eso no quiere decir que también (20) _____ salir con
mis amigos, así que, ¡andando!

Para aclarar las cosas:
Estar hechos/as polvo: estar muy cansado/a, agotado/a (coloquial).
Ser una pasada: expresión coloquial que significa que algo es estupendo, maravilloso.
Borregos: los que hacen lo mismo que la mayoría.
Ser un muermo: ser aburrido/a.

C Y ahora, lee el texto completo, piensa un poco y completa.

1 Pedro no cree que _____.

2 Y opina que la gente _____.

3 A Ángel le sorprende que _____.

4 Pedro informa de que _____.

5 Julia le dice a Pedro que _____ y que _____.

6 Al final, los tres están de acuerdo en que _____.

3 Completa las reacciones que aparecen tras la información.

1 Se han quedado sin trabajo. ¡Qué pena!
   ¡Qué pena que se hayan quedado sin trabajo!

2 La globalización ha provocado esta crisis.
   No creo que _____
   _____.

3 Han detenido a Lorenzo por tráfico de drogas.
   ¡No me digas que _____
   _____!

4 He aprobado el DELE.
   Me alegro mucho de que _____
   _____.

5 He suspendido porque el profe *me tiene manía*.
   No me cuentes que _____
   _____.

6 ¿Ya te has leído los tres tomos de *Milenium*?
   Me parece increíble que _____
   _____.

7 ¿No has estudiado para el examen?
   No he dicho que _____
   _____.

8 He hablado con ellas y no les ha pasado nada.
   ¡Qué alegría! _____
   _____.

9 No sé si han quedado finalistas en la Copa del mundo de fútbol.
   Pues más vale que _____
   _____.

10 Ha sido fácil convencerlos.
   No pienses que _____
   _____.

> **Para aclarar las cosas:**
> *Tener manía a alguien:* no sentir simpatía por esa persona; pensar que todo lo hace mal y que vale poco.

4 En parejas, mirad la foto y escribid los bocadillos de algunos de los chicos y chicas con los siguientes recursos: *es increíble que; no creáis que; a mí me parece muy claro que; no me digas que; ¿no crees que?; no creo que* **+ pretérito perfecto de subjuntivo.**

Oye, no he dicho que haya poca comida.

5 **Recuerda lo que has leído. Reflexiona y contesta.**

1 *En Salvador de Bahía verás, oirás, olerás y* **sentirás que** *el mundo es rico y variado.*

A Ya sabes que el verbo *sentir* tiene dos significados. Completa usando uno u otro según el contexto y di que valor tiene.

    a No te quedes en casa; es verdad que hace frío, pero si sales a la calle _____ que el aire te despierta, te vivifica. (_____)

    b Hablando con la gente, (yo) _____ que está muy descontenta con la situación actual. (_____)

    c (Nosotros) _____ que no le gustara nuestro proyecto, pero ahora ya es tarde para cambiarlo. (_____)

2 **Más vale que** *te acuestes temprano, si no mañana no podrás madrugar.*

Cuando usamos *más vale que*, damos un consejo, advertimos. En parejas, escribid dos consejos o advertencias.

_____
_____
_____
_____.

3 *Y que* **no nos digan** *a los ciudadanos* **que** *no* **hay forma** *de lograr un reparto más justo de los beneficios de la globalización.*

Cuando usamos la estructura 'no + imperativo negativo de un verbo de «la cabeza» + que', retomamos algo que han dicho los demás y lo rechazamos mostrando nuestro desacuerdo.

A Reacciona ante estas afirmaciones.

    a ● *La única solución es cerrar la empresa.*
      ▼ **No nos cuenten que** _____
      _____.

    b ● *La globalización es algo inevitable.*
      ▼ **No crean que** _____
      _____.

    c ● *Las cosas pueden mejorar si todos nos esforzamos.*
      ▼ **No pienses que** _____
      _____.

4 *Esos ciudadanos, es decir, la gente normal queremos* **decir** *a los gobernantes* **que trabajen** *para lograr un mundo mejor.*

Decir puede tener dos significados. Cuando va seguido de subjuntivo, retomamos una orden previa y la contamos usando este verbo. ¿Cuál sería la orden que los ciudadanos han dado previamente a los gobernantes?
Ahora, escribid dos órdenes y transmitidlas después con el verbo *decir*.

_____
_____
_____
_____.

5 **Elige la expresión adecuada en cada caso.**

    a Hoy hay partido y todos tus amigos se van a verlo dejándote solo porque a ti no te gusta el fútbol. ¿Crees que te tienen manía o que son unos borregos?

    b Estás escuchando una conferencia y no haces más que bostezar a pesar de tu interés inicial. ¿Tienes manía al conferenciante o la conferencia es un muermo?

    c Si piensas: «¡Qué pesado es Félix! No sabe hablar más que de sus coches» cuando el pobre solo ha contado que se le ha pinchado una rueda... ¿Tienes manía a Félix o estás hecho polvo?

    d Has trabajado delante de la pantalla del ordenador más de diez horas. Ahora, ¿estás hecho polvo o eres un borrego?

    e Mira la foto. ¿Qué crees que piensan? ¿Esto es una pasada o esto es un muermo?

4. De todo un poco

1 Interactúa.

A Os proponemos un debate a partir de estas declaraciones.

a Primero, individualmente, pensad en si estáis de acuerdo o en contra de estas opiniones.

b Segundo, haced un resumen muy breve de cada una de las opiniones presentadas.

c Tercero, pensad si hay otros puntos de vista que no han tenido en cuenta. Para ello, podéis leer la entrevista a Amartya Sen, que aparece en el LEE.

d Cuarto, debatid moderadamente argumentando y usando los recursos que habéis aprendido. Nombrad un moderador o una moderadora.

e En otro momento, explicad por qué aparece el indicativo y el subjuntivo en las declaraciones de estos personajes.

Ignacio Ramonet

¿La globalización? No creo que la globalización **sea** una cosa buena. Al menos no como se está entendiendo. Parece evidente que la sociedad **se ha dividido** entre los que tienen y los que no tienen. Para el mercado sería bueno que el Estado **fuera** cada vez más pequeño, que **manejara** menos presupuesto. Así, cada vez se crearían menos hospitales, escuelas y, en general, infraestructuras para quienes no tienen nada. Es una lástima que hasta ahora la globalización no **haya contribuido** al crecimiento de los países más pobres.

No creo que **exista** un mundo globalizado. La globalización solo pertenece a la clase alta. Un hotel de lujo en Bruselas no se distingue de otro en Nueva York, en São Paulo o en Kinshasa. Los ricos vuelan en los mismos aviones, leen los mismos libros, visten la misma ropa y llevan las mismas corbatas. No pienso que eso **sea** el futuro. ¿La solución? La educación, no para que todo el mundo **tenga** el mismo coche, sino para que todos **tengan** las mismas oportunidades.

Cristovam Buarque

Vandana Shiva

Me parece evidente que todo **está integrado** en nuestra vida diaria. En relación con los alimentos, hay que potenciar lo local. Comprar en el súper cualquier cosa significa que ha tenido que viajar en algún medio de transporte y esto agrava el cambio climático. No me digan que no **hay** forma de llevar a los mercados los productos de cada tierra. La globalización es la principal causa del cambio climático y es lamentable que los poderosos no **hayan hecho** ni **hagan** nada para evitarlo.

Estoy completamente de acuerdo. No me parece normal que para muchos dirigentes el desarrollo **sea** sinónimo de cultivos comerciales extensivos, presas hidroeléctricas, hoteles, supermercados y artículos de lujo. Y que no digan que con eso **se atenderán** las necesidades básicas de la población —alimentación adecuada, agua potable, vivienda, atención hospitalaria, información y libertad— porque no es cierto. Y no creo que ese **sea** el camino. Las mujeres podemos proponer otro modelo.

Wangari Maathai

B **Hay cosas que ya están «globalizadas»: comer es algo común a los seres humanos, pero no todos lo hacemos igual. Lee el texto, coméntalo con tus compañeros/as y luego buscad otras costumbres que nos distingan o nos puedan identificar como «groseros culturales».**

Mesa y mantel son el escenario perfecto para demostrar los conocimientos sobre cualquier país o, por el contrario…, para meter la pata. No rellene su vaso si le ha invitado a comer un japonés: ofenderá su hospitalidad. Tampoco debe probar bocado hasta haber brindado. No rechace nunca un plato de comida y dé las gracias al acabar de degustar los manjares servidos.

Si va por el norte de África, Malasia o islas del Pacífico sus dedos serán los cubiertos que deberá emplear. En los países árabes, además, solo debe usar la mano derecha por considerarse impura la izquierda. Y no se sienta incómodo por eructar o chuparse literalmente los dedos: demostrará que la comida le ha gustado.

2 **Habla.**

A El que avisa no es traidor.

a Mira bien las viñetas.

b Busca en el diccionario las palabras que no sabes.

c Describe lo que ves.

d Elige un personaje e imagina un diálogo con otro/a estudiante.

B Elige uno de estos dos temas. Tienes unos minutos para prepararte y, cuando ya estés listo, exponlo durante tres minutos. Después, tus compañeros/as te harán preguntas.

> **El fútbol es un deporte global.**
> - Se practica en todo el mundo: lo juegan ricos y pobres.
> - Une a las personas.
> - Cuando hay mundiales de fútbol, todo se paraliza o se olvida temporalmente.
> - Desata pasiones.
>   ¿Qué opinas? ¿Cuál es tu punto de vista?

> **¿Qué es mejor, conservar las peculiaridades de cada país o región o vivir en un mundo global donde las diferencias sean menores?**
> - Las diferencias separan, pero también enriquecen.
> - La homogeneidad destruye la creatividad.
> - Algunas personas solo piensan en su pueblo, su comida... No tienen una visión amplia.
>   ¿Qué opinas? ¿Cuál es tu punto de vista?

3 Escucha e interactúa.

A Las diferencias no son malas. ⁶

1 Antes de oír.

Recuerda que hay zonas en Hispanoamérica que usan el voseo. Hablar de *vos* es amistoso, cercano. El plural de la forma *vos* es *ustedes*.

2 Durante la audición.

a Las formas verbales correspondientes a *vos* son distintas a las de *tú*. Aquí tienes varias. Subraya las que aparecen en la audición.

> comprendés · vivís · sos · hablás · entendés · tenés

b Ahora escucha a estas dos chicas, colombiana una, española la otra, y toma nota de lo siguiente.

  a ¿De qué temas están hablando?
  b ¿Por qué se pone triste Alba Lucía?
  c ¿Cómo consigue sentirse menos sola?
  d ¿Qué usa Ana para animar a su amiga?
  e ¿Qué diferencias culturales aparecen en la conversación?
  f ¿A qué se refiere la reflexión final?

3 Después de oír.

  a Comenta con tu compañero/a lo que te ha parecido la conversación.
  b ¿Qué opinas de la reflexión final?
  c ¿Cómo se celebran los cumpleaños en tu país?

Un paso más

1 En el texto aparecen varios diminutivos: *Anita, vos sos una persona dulce; como decía mi abuelita; ahorré un poquito; y eso es solo un pedacito de Colombia; y tomar cafecito caliente.*

En **la unidad 1**, vimos que el diminutivo puede servir para:

Expresar cariño

Ridiculizar una actitud

Disminuir el tamaño

A Escribe en la columna correspondiente los diminutivos de este diálogo. OJO, puedes colocarlos en más de una.

> Para formar los diminutivos añadimos a los nombres concretos las terminaciones *–ito/-ita; -cito/-cita; -ecito/-ecita*, entre otros.
> Palabras terminadas en consonante: *reloj* ➜ *relojito; doctor* ➜ *doctorcito; pan* ➜ *panecito; pez* ➜ *pececito.*
> Palabras terminadas en vocal *–e*: *traje>trajecito*; en *–a. cama* ➜ *camita*; en *–o*: *piso* ➜ *pisito.*
> Palabras terminadas en *–é*: *café* ➜ *cafecito.*

B Y ahora, forma el diminutivo de estas palabras.

a El pie _____
b El ángel _____
c El agua _____
d El coche _____
e El árbol _____
f El camión _____
g La madre _____
h El libro _____
i La flor _____
j El corazón _____

2 *Me estoy poniendo triste.* Ya conoces el verbo *ponerse* cuando se usa para expresar un cambio de estado (Unidad 4 de *Nuevo Avance B1.1*). ¿Recuerdas con qué adjetivos se usa? De la lista que te damos a continuación, elige los que sí pueden construirse con él.

> rojo/a • importante • alegre • nervioso/a • rico/a famoso/a • morado/a

Y ahora, con los seleccionados, pregunta a tu compañero/a: *¿Por qué? / ¿Cuándo te pones _____? Y en ese momento, ¿qué haces?*

3 *Abren sus casas tan* **solo con que les ofrezcas** *unas cuantas historias bien contadas.*

A ¿Cuál de estas oraciones podría sustituir la parte resaltada?

a ***Basta con que*** *les ofrezcas unas cuantas historias para que te abran sus casas.*
b ***Más vale que*** *les ofrezcas unas cuantas historias para que te abran sus casas.*

B Ahora, usa *solo con que* o una estructura sinónima donde sea posible.

a Hacer una buena entrevista no es fácil, no _____ tengamos un personaje famoso.
b Si no quieres equivocarte, _____ no hables sin haber oído las opiniones de los demás.
c La abuela se pone contentísima _____ la llames por teléfono.
d _____ lleguen cinco minutos antes de la reunión, será suficiente.
e _____ lo tengamos todo planeado, si no, nos acusarán de improvisar.

4 *Donde fueres, haz lo que vieres,* es un refrán que, sin duda, tiene un equivalente en tu idioma, ¿cuál es?
Una aclaración: *fueres* y *vieres* son formas del futuro de subjuntivo que no se usan más que en el lenguaje jurídico o en refranes como este.

5 ¿Podrías explicar qué quiere decir *aterrízame* en el texto? Piensa que tiene que ver con la palabra tierra.

B Funciones comunicativas.

1 Vas a escuchar tres diálogos. Elige la respuesta correcta.

1 La mujer...

a está segura de que la edad de aprendizaje es esencial.

b está completamente segura de que el chino tendría que enseñarse en los colegios.

c está segura de que las dos lenguas se enseñan muy bien en los colegios.

2 El chico joven dice que...

a gracias a su modestia aprobará el examen.

b el aprendizaje del inglés debe ser *on line*.

c en España se puede aprender inglés muy bien sin pagar mucho dinero.

3 El padre dice que...

a su hija estudia inglés.

b los niños de hoy deberían hablar tres lenguas.

c encontraron a la profesora de chino de sus hijas en internet.

2 Vuelve a escuchar la grabación y di qué función o funciones comunicativa(s) aparece(n) en cada diálogo.

En cada uno puede haber más de una función comunicativa. Te presentamos seis, tres son válidas y tres no.

> Dar una opinión • Expresar obligación
> Expresar sentimientos • Expresar acuerdo
> Expresar indiferencia • Expresar desacuerdo parcial

Diálogo 1: Función comunicativa:_____

_____.

Diálogo 2: Función comunicativa: _____

_____.

Diálogo 3: Función comunicativa: _____

_____.

RECURSOS

Expresar opinión	Expresar falta de certeza y evidencia	Valorar
• *A mi modo de ver* • *Según* • *Para mí* • *Opino que* + indicativo • *No creo / No pienso / No veo / No digo / (A mí) No me parece que* + subjuntivo	• *No estoy del todo seguro / convencido de que* + subjuntivo • *Tengo la sensación / la impresión de que* + indicativo • *Tengo mis dudas acerca de / sobre* • *Es dudoso que* + subjuntivo	• *Me parece / Veo / Encuentro / Es* + adjetivo + *que* {+ subjuntivo / + lo de • *Está bien / mal / genial / fatal + que* {+ subjuntivo / + lo de • *¡Qué buena / mala idea! // ¡Qué bien / mal + que* {+ subjuntivo / + lo de

3 Te toca.

Expón tu opinión, expresa falta de certeza y evidencia o valora las siguientes afirmaciones.

• Sin internet no existiría la globalización.

• Sería mejor que el mundo no estuviera globalizado.

• La televisión fue el primer paso para la globalización.

• De aquí a unos años habrá cuatro lenguas de uso internacional: el inglés, el español, el chino y el árabe.

• El término «globalización» va a desaparecer en poco tiempo.

4 Lee.

1 Antes de leer.

a Poned en común todas las ideas que han salido en esta unidad sobre la globalización.

b Recoged el lado positivo de este fenómeno.

c ¿Qué creéis que le debe Occidente a Oriente?

2 Durante la lectura.

a Subraya las ideas que coinciden con la lluvia de ideas previa.

b Apunta lo que más te ha llamado la atención.

3 Después de leer.

Contesta de forma oral:

a La actitud de Amartya Sen, ¿es positiva o negativa? Justifica tu respuesta con lo que se dice en el texto.

b Según el profesor Sen, ¿por qué es injusta la globalización?

c ¿La globalización es un fenómeno «moderno»? Justifica tu respuesta.

Si queréis saber un poco más de Amartya Sen, entrad en:

http://eumed.net/cursecon/economistas/sen.htm

Hoy, en nuestra revista, entrevistamos al profesor de las universidades de Calcuta, Oxford y Harvard, Amartya Sen, premio Nobel de Economía, pero probablemente más conocido por sus reflexiones sobre el comercio, la justicia y las desigualdades en el comercio mundial.

Profesor Sen, buenas tardes y gracias por acceder a esta entrevista.

Buenas tardes. Es un placer estar de nuevo en España.

Profesor, parece evidente que salir de esta crisis costará un gran esfuerzo en todo el mundo. ¿La culpa es de la globalización occidental?

Sí, en efecto, va a exigir que se realicen ciertos cambios en las mentalidades. En cuanto a su pregunta, permítame hacer una puntualización: la idea de la globalización tiene tantos detractores como defensores. Quienes tienen de ella una visión optimista la ven como una contribución de los logros de Occidente al desarrollo de otras naciones. Para quienes están en contra, es una neocolonización, basada en el capitalismo salvaje de Europa y América del Norte y más recientemente de China.

¿Cuál es su postura al respecto? ¿Es la globalización realmente una maldición?

No he dicho que lo sea; durante siglos la globalización se ha hecho de manera natural, no es un concepto nuevo ni necesariamente occidental. De hecho, los movimientos migratorios, el comercio, la difusión del conocimiento han sido esenciales para el desarrollo de los países. Y si miramos hacia el principio del milenio, observaremos un movimiento de globalización de las ciencias, la tecnología o las matemáticas, no desde Europa o el mundo occidental, sino hacia ellos. El papel, la imprenta, el arco, la suspensión de puentes con cadenas de acero, la brújula magnética o la rueda de molino eran comunes en China y prácticamente desconocidos en otras partes del mundo. Oriente influyó en las matemáticas occidentales. El sistema decimal surgió en la India y fue utilizado por los árabes. ¡No pensemos, por lo tanto, que hemos descubierto la pólvora!

Jajaja, ¡nunca mejor dicho! Ni los logaritmos. Cuando una profesora de universidad explica un tema complicado de computación, probablemente no sea consciente de que está recordando a un matemático del siglo IX, Ibn Musaal-Kwarizmi; precisamente la palabra 'logaritmo' procede de su nombre. Pensadores como él influyeron considerablemente en la cultura occidental, en el Renacimiento, la Ilustración y la Revolución industrial. No parece evidente, por lo tanto, que se pueda hablar de una cultura puramente occidental. La «tecnología» para imprimir el primer libro en el mundo fue un invento enteramente chino, pero los contenidos provinieron de otros lugares. No está de más recordar que el primer libro impreso fue un tratado hindú, escrito en sánscrito, traducido al chino por un hombre turco. Ese proceso de globalización ocurrido en el año 468 d. C. no tuvo en cuenta a Europa.

¿Quiere usted decir que las naciones están condenadas a llevarse bien?

Es una manera sencilla de decirlo, sí. El mal llamado choque de civilizaciones no existe. El desarrollo de las naciones debe basarse en un sistema de interdependencia. Rechazar la tecnología occidental en nombre de la preservación de las culturas sería tan absurdo como haberse cerrado a la influencia oriental de principios del milenio.

El debate sobre la globalización, entonces, ¿no existe?

No crean ustedes que la cosa es tan sencilla. En el debate sobre la globalización, existen muchos factores. No parece evidente que los beneficios globales supongan un enriquecimiento global… Es decir, que los grandes avances tecnológicos no garantizan el bienestar de todos los pueblos. Se trata de una cuestión de justicia en el reparto de la riqueza. La globalización tiene mucho que ofrecer si se sabe repensar.

¿Qué quiere decir con esto?

Está claro que si seguimos como ahora, vamos mal. A las grandes potencias económicas les interesa más la expansión de los mercados que, por ejemplo, el desarrollo de las democracias, la educación elemental o la salud pública. La globalización económica debería ir acompañada de políticas globales de desarrollo. No se puede permitir que el sistema de patentes impida la llegada de las medicinas necesarias contra la malaria, por ejemplo. Y no hablemos del comercio mundial de armas.

¿Tiene usted una solución-milagro?

¡Ya me gustaría! Solo sé que la globalización no es el problema en sí, sino las decisiones que permiten un reparto injusto de los beneficios generados. Se extraen riquezas de los llamados países pobres que no vuelven a ellos y eso es lo que habría que cambiar. Me parecería normal, por ejemplo, que se revisaran los acuerdos institucionales que favorecen esa injusticia. La globalización merece una defensa razonada, pero también requiere una reforma razonable.

Profesor Amartya Sen, una vez más ha sido un placer charlar con usted. Ojalá sepamos actuar con sentido común. Gracias y hasta otra ocasión.

Gracias a ustedes.

(Entrevista elaborada a partir de la revista trimestral FRACTAL, *http://www.fractal.com.mx/F22sen.html*)

Un paso más

1 Fíjate en estos conectores textuales: *en efecto; en cuanto a; de hecho; es decir.* Vuelve a leer el texto y dinos:

a ¿Cuál de ellos se usa para expresar lo mismo con otras palabras? _____.

b ¿Con cuál se expresa acuerdo con lo dicho por el interlocutor? _____.

c ¿Con cuál se introduce un tema o una nueva opinión? _____.

d ¿Cuál de ellos introduce un hecho probado para reforzar la opinión dada previamente?
_____.

2 Subraya en el texto los casos de subjuntivo y explica la razón de que aparezcan.

3 Elabora tu propio glosario con las palabras relacionadas con la globalización y divídelas en palabras productivas: las que vas a usar en el futuro y palabras receptivas: las que necesitas comprender, pero que no vas a usar.

---

5 Escribe.

En parejas, siguiendo el modelo del LEE, elaborad una entrevista a un personaje conocido, real o imaginario. Para realizarla debéis tener en cuenta lo siguiente.

- Una entrevista periodística es el desarrollo de un cuestionario planificado, organizado, coherente para conseguir material de interés periodístico, por medio de preguntas que el/la periodista formula a otras personas.

- Como es un diálogo basado en preguntas y respuestas, la entrevista debe resultar dinámica y amena en su objetivo de dar a conocer una información o de profundizar en el conocimiento. Tiene la fuerza testimonial de la persona entrevistada, de ahí la importancia de la elaboración de las preguntas.

¡Qué verde era mi valle!

Al terminar esta unidad, serás capaz de...

- Hablar de la naturaleza, de las fuentes de energía renovables y no renovables.
- Hablar sobre animales domésticos, animales de compañía y animales en parques zoológicos.
- Escuchar y hablar sobre pueblos que se van quedando deshabitados.
- Usar marcadores discursivos conversacionales: *como puede ver, por cierto, como iba diciendo*.
- Hablar sobre la cortesía y las fórmulas de pésame.
- Leer y escribir sobre leyendas de la naturaleza.
- Usar el pretérito imperfecto de fantasía.
- Utilizar el presente para narrar hechos históricos, para dar órdenes e instrucciones.
- Marcar imprecisión y posponer con el futuro simple.
- Marcar la anterioridad de una acción futura con el futuro compuesto.
- Expresar hipótesis en pasado con el condicional compuesto.
- Marcar la probabilidad de una acción en relación con los pretéritos perfecto y pluscuamperfecto, por medio del futuro y del condicional compuesto.

1. Pretexto

¡Qué verde era mi valle!
...Y afortunadamente sigue siéndolo.

- Mira esta foto de cuando éramos niños. ¿Te acuerdas? Yo decía: «Jugamos a que éramos exploradores». Y tú, cuando íbamos a la laguna, decías: «Jugamos a que éramos piratas».
- ▼ ¿Cómo no voy a acordarme? En esta foto estamos con Julián. Desde que se fue con su familia a Chile, no hemos tenido noticias suyas. ¿Qué **habrá sido** de él?
- ¿Te imaginas cómo **habría sido** nuestra infancia fuera del valle?
- ▼ No, no puedo imaginarlo. Espero que este lugar siga siempre así, verde, lleno de árboles, de agua y de vida.
- Espero que sí, pero el tiempo lo dirá. Ya **veremos**...

1 Escucha, lee y contesta. 🎧8
   a Observa la primera foto y di cómo es el valle actualmente.
   b ¿Qué están haciendo Jaime e Isabel?
   c ¿Qué elementos de la naturaleza aparecen mencionados en el texto?

2 Ahora, reflexiona.
   a ¿Qué tiempos o perífrasis verbales aparecen en el texto para referirse al valle?
   b En español, para hablar de juegos y situaciones imaginarias, usamos el pretérito imperfecto. En el texto aparece el pretérito imperfecto con valor lúdico (o de fantasía). Señálalo.
   c En el texto aparecen dos tiempos compuestos nuevos. Son el futuro compuesto y el condicional compuesto. Di cuál es cuál.

3 Y ahora di.
   a ¿Cómo crees que será el valle en el futuro?
   b ¿A qué jugabas en el campo tú de niño/a?

2. Contenidos gramaticales

A **Presente de indicativo / Pretérito imperfecto de indicativo / Futuro simple.**
Otros usos.

Presente de indicativo	Pretérito imperfecto de indicativo
Desde el nivel A1 has ido estudiando el presente. Aquí tienes otros valores:	Desde el nivel A2 has ido estudiando el imperfecto. Ahora te ofrecemos otro valor de este tiempo:

Presente de indicativo

1 Para referirnos al **pasado**. Va, casi siempre, acompañado de marcadores temporales.
   a Presente histórico:
   - *En 1985 España **entra** en la Comunidad Económica Europea, actualmente UE (Unión Europea).*
   b Conversacional:

   - *Ayer Jaime **pone** el riego sin avisarme y me mojé entera.*
   - *Estábamos en medio de la reunión y de repente **dice** que **se va** y lo **deja** todo.*

2 En lenguaje familiar para **dar órdenes e instrucciones**.

   - *Ahora mismo **sales** del agua y **te vas** a casa a ayudar a tu padre en el jardín.*
   - *¿Que necesitas una cita con ella? Pues me **llamas**, me **dices** para cuándo y yo te lo resuelvo.*

Recuerda que con ***casi*** y con ***por poco*** solemos usar el presente cuando hablamos del pasado.
- *Ayer me subí a un manzano a coger fruta y **casi me caigo**.*

Pretérito imperfecto de indicativo

1 El pretérito imperfecto **con valor lúdico** (o **de fantasía**).
   (Gonzalo de cinco años y Sofía de cuatro están jugando).
   Gonzalo: *Vale, jugamos a que tú **tenías** ocho años y yo **tenía** nueve y **podíamos** bajar solos a jugar al patio.*
   Sofía: *Vale.*

Futuro simple

Aquí tienes otro uso del futuro.
Para **marcar imprecisión**, o para **posponer**:
- *Ya nos **llamará**, tranquila.*
- *Ya lo **hará**.*
- *El tiempo lo **dirá**.*
- *Ya **veremos**.*

B Futuro compuesto / Condicional compuesto.

Futuro compuesto	Condicional compuesto
1 ¿Cómo se forma el futuro perfecto o compuesto?	**1 ¿Cómo se forma el condicional perfecto o compuesto?**

<table>
<tr><td>
habré
habrás
habrá   + participio
habremos
habréis
habrán
</td><td>
habría
habrías
habría   + participio
habríamos
habríais
habrían
</td></tr>
</table>

2 Lo usamos para:

a Marcar la anterioridad de una acción futura.

- *Cuando termine este curso* (hecho futuro), *ya* **habré trabajado** *veinte años en este centro* (hecho también futuro y anterior al primero).

b Marcar la probabilidad de una acción en relación con el pretérito perfecto.

- *El suelo está mojado.*
  Seguridad: *Es que ha llovido.*
  Probabilidad: *Seguramente* **habrá llovido**.

2 Lo usamos para:

a Expresar hipótesis en pasado.

- *¿Imaginas cómo* **habría sido** *nuestra infancia fuera del valle?*
- *Yo te lo* **habría contado**, *pero me dijeron que no hablara con nadie.*

b Expresar la probabilidad de una acción en relación con el pretérito pluscuamperfecto.

- *No nos dijo por qué no venía con nosotros al cine.*
  Seguridad: *Es que ya* **había visto** *la película.*
  Probabilidad: *Supongo que ya* **habría visto** *la película.*

C La probabilidad.

		SEGURIDAD	PROBABILIDAD
1 ¿Dónde está Luisa?		**Presente** *Luisa está en el bosque.*	**Futuro simple** *Estará en el bosque.*
2 ¡Qué frío hace!		**Pretérito perfecto** *Ha helado esta noche.*	**Futuro compuesto** *Habrá helado esta noche.*
3 ¿Cuándo llamó Jaime?		**Pretérito indefinido** *Llamó el jueves.*	**Condicional simple** *Llamaría el jueves.*
4 ¿Quién era ese hombre?		**Pretérito imperfecto** *Era el padre de Marta.*	**Condicional simple** *Sería el padre de Marta.*
5 ¿Por qué lo sabía?		**Pretérito pluscuamperfecto** *Se lo habían dicho.*	**Condicional compuesto** *Se lo habrían dicho.*

3. Practicamos los contenidos gramaticales

1 Completa los siguientes textos con el *presente*, el *pretérito imperfecto* de indicativo o el *futuro simple* y di qué valor tienen.

A

- Quiero plantar frutales en la parte del jardín que está detrás de la casa. Como (1) (saber, yo) *sé* que (2) (ser, tú) _____ una especialista, (3) (necesitar, yo) _____ tus enseñanzas y consejos.
- ▼ Vale, vale... Dime qué frutales (4) (querer) _____ plantar.
- Pues (5) (querer, yo) _____ plantar un cerezo, un manzano, un ciruelo, un melocotonero, un peral... ¡Ah! Y una higuera.
- ▼ Bien, entonces, primero (6) (comprar, tú) _____ los frutales en viveros especializados en este tipo de árboles. Normalmente te (7) (asesorar, ellos) _____ mejor que en los viveros «generalistas». Antes de decidirte, (8) (examinar, tú) _____ el frutal cuidadosamente, que esté sano, sin enfermedades.

B

- ¡Otra vez has tirado la basura sin separar! Esto no (1) (poder) *puede* seguir así. ¿Por qué no (2) (jugar, nosotros) _____ a que (3) (ser, nosotros) _____ un poco más ecologistas y a que (4) (respetar, nosotros) _____ y (5) (cuidar, nosotros) _____ un poco más la naturaleza?
- ▼ Vale, vale, vale. Ya (6) (estar, tú) _____ soltándome la charla. Te (7) (prometer, yo) _____ que no (8) (volver, yo) _____ a hacerlo. De verdad, prometido.
- Te (9) (creer, yo) _____, te (10) (creer, yo) _____.

C

Cuando (1) (morir) *muere* Franco, el Rey Juan Carlos I (2) (subir) _____ al trono y, poco tiempo después, se (3) (legalizar) _____ los partidos políticos y (4) (empezar) _____ la democracia. Muchos intelectuales (5) (volver) _____ a España después de años de exilio.

D

Ayer (1) (hablar) *estábamos hablando* tranquilamente y de pronto Antonia (2) (echarse) _____ a llorar y va y nos (3) (contar, ella) _____ que su jefe le (4) (exigir) _____ demasiado y que el otro día casi (5) (pelearse, ellos) _____ y que ella no (6) (poder) _____ seguir así.

2 Contesta a las preguntas; no estás seguro/a de la información. Es decir, usa los tiempos verbales propios de la probabilidad.

1 ● ¿Por qué tiene *esa cara*?

▼ _____

_____.

2 ● ¿Quién llamó anoche tan tarde?

▼ _____

_____.

3 ● ¿Por qué hay tanto tráfico? ¿Qué ha pasado?

▼ _____

_____.

4 ● ¿Dónde estabas anoche a las once?

▼ _____

_____.

5 ● ¿Está lejos esa ciudad?

▼ _____

_____.

6 ● ¿Quién es ese tipo tan raro que viene con Elena?

▼ _____

_____.

7 ● ¿Por qué sabía Pedro que por fin no había reunión?

▼ _____

_____.

8 ● ¿Por qué están en huelga?

▼ _____

_____.

9 ● ¿Por qué se han separado Ana y Miguel?

▼ _____

_____.

10 ● Carlos, tienes un regalo encima de la mesa.

▼ _____

_____.

Para aclarar las cosas:
Esa cara: en este caso el demostrativo no señala el lugar. Hace referencia a un gesto especial de la cara que ha sorprendido a quien habla.

---

3 Completa con el *futuro simple* o el *futuro compuesto* o con el *condicional simple* o con el *condicional compuesto*.

1 ● Acabo de oír en la radio que el próximo fin de semana (bajar) *bajarán* las temperaturas y (llover) _____.

▼ Pues ¡qué faena! ¡Con lo que me apetecía hacer senderismo!

2 ● ¿Sabes? Anoche no me atreví a contarle a mi madre lo de la multa.

▼ Pues yo, en tu caso, se lo (decir) _____.

3 ● ¿Cómo (ser) _____ mi infancia en una ciudad tan grande como Madrid?

▼ Pues no tengo ni idea de cómo (ser) _____ pero no creo que mejor ni peor, simplemente distinta.

4 ● Me (encantar) _____ vivir en la Edad Media.

▼ ¿Estás loca? ¡Si en aquella época solo vivían bien las clases privilegiadas!

5 ● Para las vacaciones de verano ya (acabar, nosotras) _____ otro libro.

▼ ¡Menos mal! Porque necesitamos un buen descanso.

6 ● (Deber, tú) _____ salir más y trabajar menos.

▼ Ya lo sé, pero es que últimamente tengo poco tiempo, pero, para que te enteres, me voy dos días a Cádiz. ¿A que no lo sabías? Pues sí, pues sí.

7 ● ¿Cómo sabía Pedro que al final no me habían concedido la beca?

▼ Pues... no estoy nada segura, se lo (contar) _____ José, no sé...

8 ● Leti, ¿cuándo vamos a comprar los paneles solares?

▼ Ya (ver, nosotros) _____, ahora no es buen momento.

9 ● Buenos días, ¿(poder, yo) _____ hablar con el señor Trujillo, por favor?

▼ Lo siento, en este momento está ocupado ¿Le (importar, a usted) _____ llamar más tarde?

10 ● ¡Qué raro! No nos ha llamado todavía. ¿No (llegar, él) _____ aún a la estación?

▼ Puede ser que no.

4 **A** **En parejas. Describid un animal. Podéis usar el diccionario, una enciclopedia, internet...**
Os presentamos un modelo previo para que lo completéis.

El toro (1) (pertenecer) *pertenece* al grupo de los mamíferos rumiantes bóvidos. (2) (Medir) _____ un metro y medio de largo y medio de alto. (3) (Poseer) _____ una cabeza gruesa, de la que (4) (salir) _____ dos cuernos. (5) (Tener) _____ la piel dura. Su pelo (5) (ser) _____ generalmente negro y su cola larga.

B **En los *Contenidos gramaticales* hemos explicado que, en el lenguaje familiar, las instrucciones pueden darse en presente. Ahora, daos instrucciones en presente para:**

Nadar rápidamente y bien.
Lo primero, te pones un traje de baño o un bañador, luego...

Trepar a un árbol.
Te pones unos zapatos cómodos, después...

Hacer una ensalada buenísima con verduras ecológicas.
Si no tienes tus propias verduras ecológicas, vas a una tienda...

C **Volved a la infancia. Tenéis cinco y seis años. Usad el pretérito imperfecto de fantasía para hablar de vuestros juegos infantiles. En el *Pretexto* y en los *Contenidos gramaticales* encontraréis ejemplos.**

Jugamos a que...

D **Vuestro amigo Julián se marchó hace dos meses a Chile. No sabéis nada de él. Imaginad qué será de él. Usad la probabilidad en los tiempos estudiados.**

¿Habrá encontrado trabajo? ¿Tendrá novia?

Si queréis, podéis pedir instrucciones a vuestro/a compañero/a sobre otras acciones que se os ocurran.

5 **Recuerda lo que has leído. Reflexiona y contesta.**

1 ● *¿Te acuerdas?*
▼ *¿Cómo no voy a acordarme?*

Cuando usamos *cómo no* + *ir* (en presente de indicativo) *a* + infinitivo en forma interrogativa, mostramos que la respuesta a la pregunta que nos han hecho es obvia. La respuesta 'cómo no', que sirve para aceptar lo que dice nuestro interlocutor, se basa en esta estructura.

Completa usando *cómo no* + *ir a* en presente de indicativo donde sea posible.

a ● ¿Crees que vendrán a la inauguración?
   ▼ ¿_____ si es la exposición de su hija?

b ● ¿Quieres ver la exposición de pintura hiperrealista que hay en Caixa Fórum?
   ▼ ¿_____? Es que solo tengo libres las tardes a partir de las seis.

c ● ¿Tiene muchos libros en su casa?
   ▼ ¿_____? Es profesora y las profesoras los necesitan, ¿no?

d ● ¿Nos iremos de vacaciones en la fecha prevista?
   ▼ ¿_____? ¿Crees que pueden ponernos alguna pega?

e ● Mañana es viernes, ¿no?
   ▼ ¿_____? Parece que no sabes en qué día vives.

2 *Espero que sí, pero el tiempo lo dirá.* **Ya veremos...**

La construcción *ya* + *futuro* sirve para posponer una petición que hace nuestro interlocutor.

Ahora, responde posponiendo.

a ● Papá, ¿vamos a ir juntos al cine?
   ▼ _____, hijo, ahora no tengo tiempo.

b ● ¿Cuándo piensas dejar de fumar? ¿No ves cómo toses?
   ▼ _____, es que ahora tengo mucho estrés.

c ● Tenemos que hablar de la nueva web para nuestro departamento comercial.
   ▼ Tranquila, _____. Al volver de vacaciones, nos ponemos a ello.

3 ● *Acabo de oír en la radio que el próximo fin de semana bajarán las temperaturas y lloverá.*
▼ *Pues, ¡qué faena!* **¡Con lo que me apetecía hacer senderismo!**

A ¿Qué crees que significa la oración en negrita?
   a Sirve para contar lo que hizo y que le apetecía mucho.
   b Muestra contrariedad porque no podrá hacer lo que le apetecía.

Fíjate en cómo se construye:

Con lo que + verbo:
● *Con lo que me apetecía* hacer senderismo.

Con lo + adjetivo + *que* + verbo:
● *No les han concedido la beca.*
▼ *¡Qué pena! ¡Con lo importante que era para ellos!*

Con + artículo + sustantivo + *que* + verbo:
● *Nos ha dicho Fernando que este verano no vendrá a España.*
▼ *¡Vaya! ¡Con las ganas que tenía de volver a verlo!*

B Reacciona usando una de ellas.
   a ¿Que no hay chocolate en casa? ¡Qué rabia!
      ¡_____!
   b ● No puedes irte este fin de semana a la playa.
      ▼ ¿Que no? ¡_____
      _____!
   c ● No quedan entradas para el concierto de Juanes.
      ▼ ¡No me digas! ¡_____
      _____!
   d ¿Que se ha ido sin hablar conmigo? ¡Qué faena!
      ¡_____!
      ● Aquí no hay cobertura. No podemos usar el móvil.
      ▼ Pues vaya. ¡_____
      _____!

4 ● *Me habría encantado vivir en la Edad Media.*
  ▼ *¿Estás loca? ¡Si en aquella época solo vivían bien las clases privilegiadas!*

A ¿Qué función crees que tiene *si*?
  a Enfatizadora.
  b Condicional.

B Lee estas oraciones y decide el valor que tiene *si* en cada una.

  1 Si no limpio yo, aquí no limpia nadie.
  _____.

  2 Si nadie te había pedido que limpiaras.
  _____.

  3 ¡Anda! Si eres tú. No te esperaba.
  _____.

  4 Si eres tú quien lo dice, todos te escuchan.
  _____.

  5 Venir aquí de vacaciones, ¡Vaya idea! Si esto está lleno de gente a todas horas.
  _____.

5 *Vale, vale, vale.* **Ya estás soltándome la charla**.

A La persona que responde así, ¿está enfadada o contenta?

B ¿De qué otra forma podría decir lo mismo? Elige la que te parezca más adecuada.
  a Ya estás explicándome el tema.
  b Ya estás liberándome de la conferencia.
  c Ya estás riñéndome.

C Ahora elige con tu compañero/a una situación adecuada para usarla.

---

4. De todo un poco

1 Interactúa.

A Fuentes de energía renovables y no renovables.

Os proponemos que leáis el texto y que hagáis un debate sobre la utilización de estos tipos de energía, pero antes tenéis unos minutos para buscar el vocabulario necesario con ayuda del diccionario o de vuestro/a profesor/a, o bien haciendo el ejercicio *B* de *Otras actividades* de esta unidad.

a Primero, individualmente, pensad en si estáis a favor de unas y en contra de otras. Si no estáis muy seguros/as, escuchad primero a vuestros/as compañeros/as que sí lo están.

b Segundo, debatid argumentando y usando los recursos que habéis aprendido. Nombrad un moderador o una moderadora para el debate.

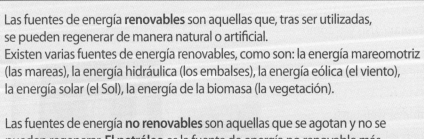

Las fuentes de energía **renovables** son aquellas que, tras ser utilizadas, se pueden regenerar de manera natural o artificial.
Existen varias fuentes de energía renovables, como son: la energía mareomotriz (las mareas), la energía hidráulica (los embalses), la energía eólica (el viento), la energía solar (el Sol), la energía de la biomasa (la vegetación).

Las fuentes de energía **no renovables** son aquellas que se agotan y no se pueden regenerar. **El petróleo** es la fuente de energía no renovable más importante en la actualidad; además es materia prima en numerosos procesos de la industria química. El origen del petróleo es similar al del carbón.
La energía nuclear es la que se libera espontánea o artificialmente en las reacciones nucleares.

B Dibujar un paisaje.

Este poema que vais a leer lo escribió Federico García Lorca. Jugamos a que éramos niños de 8 años y estábamos en la escuela primaria. Tomad papel, una goma y lápices de colores y dibujad lo que se describe. Quizá no conozcáis algunas palabras. Buscadlas antes de empezar. ¡Ah! Sed creativos/as porque es un concurso y gana quien mejor lo haga. Y, por supuesto, tenéis que colgar vuestros dibujos en las paredes de las aulas para elegir el mejor.

Paisaje de Lorca.

La tarde equivocada
se vistió de frío.

Detrás de los cristales
turbios, todos los niños
ven convertirse en pájaros
un árbol amarillo.

La tarde está tendida
a lo largo del río.
Y un rubor de manzana
tiembla en los tejadillos.

Un paisaje que tenga de todo,
se dibuja de este modo:
Unas montañas,
un pino,
arriba el sol,
abajo un camino,
una vaca,
un campesino,
unas flores,
un molino,
la gallina y un conejo,
y cerca un lago como un espejo.
Ahora tú pon los colores;
la montaña de marrón,
el astro sol amarillo,
colorado el campesino,
el pino verde,
el lago azul
-porque es espejo del cielo como tú-,
la vaca de color vaca,
de color gris el conejo,
las flores...
como tú quieras las flores,
de tu caja de pinturas.
¡Usa todos los colores!

Gloria Fuertes. *La oca loca. Editorial Escuela Española.*

2 Habla.

A Elige uno de estos dos temas.

- **Animales domésticos y animales de compañía.**
  La gente de campo tiene animales domésticos para su provecho, por ejemplo las gallinas, los conejos, los cerdos, las vacas. Normalmente tienen perros que sirven para el cuidado de la casa y el campo, el rebaño y, a veces, también para la caza. Sin embargo, en las ciudades las personas tienen animales de compañía.
  Expresa tu opinión sobre el hecho de tener animales. Cuenta si tienes o has tenido algún animal. Explica cuál es o era tu relación con él.

- **Dietas vegetarianas, crudívoras y macrobióticas.**
  Te ofrecemos unas ideas para que las desarrolles.
  - ¿Se trata de modas pasajeras? ¿Son saludables? ¿En todas las edades?
  - ¿Son los productos ecológicos tan buenos o hay mucho fraude o engaño?
  - ¿Por qué son tan caros los productos ecológicos?
  - ¿Y qué opinas de los productos transgénicos?

Recuerda que tienes que hablar tres minutos y que tus compañeros/as te harán preguntas al terminar tu presentación.

B Un día de campo.

a Mira bien las viñetas.

b Describe y narra todo lo que ves en cada una de ellas.

c Busca en el diccionario las palabras que no sabes.

d Cuarta viñeta. Primero, decide cuál de los personajes eres, entabla un diálogo con otros/as estudiantes.

3 Escucha e interactúa.

A Pueblos que se han ido quedando con pocos habitantes.

En España, como en otros muchos países, hay pueblos que van perdiendo población. Nuestro periodista de Onda Meridional se ha trasladado a un pequeño valle navarro formado por siete pueblos en los que vive muy poca gente, y ha entrevistado, en el más pequeño de ellos, a Mario Esparza, agricultor jubilado de 89 años.

1 **Antes de escuchar. ¿Sabes dónde está Navarra? Sitúala en este mapa.**

2 **Tras escuchar la grabación, contesta a las siguientes preguntas.**

a ¿Cuántos habitantes había en el pueblo hace cinco años?

b ¿Cuántos hay ahora y de cuántas nacionalidades?

c ¿Qué opina Mario de los nuevos habitantes?

d ¿Cuál fue la causa por la que los jóvenes abandonaron el campo?

e ¿A qué ciudades se marcharon?

f ¿Qué opinaron Mario y su mujer de la ciudad?

g ¿Están contentos en el pueblo? ¿Por qué?

h ¿Cree Mario que los jóvenes volverán al pueblo? ¿Por qué?

i ¿Permite Mario que el periodista de Onda Meridional se marche sin pasar por su casa? ¿Qué le dice?

Un paso más

1 **Abreviaturas.**
Cuando Mario habla de Pilar añade «Que en paz descanse». Esta es una fórmula para referirse a las personas muertas. Cuando se escribe, se hace de manera abreviada: q.e.p.d.
Hoy esta fórmula se utiliza menos que, por ejemplo, hace treinta años. Actualmente la dicen las personas mayores y especialmente si son de pueblo.

¿Existe en tu país una fórmula para referirse a las personas muertas? ¿Se usa mucho?
Cuando muere una persona damos el pésame a sus familiares. Hasta no hace mucho tiempo se usaba la fórmula «Le/Te acompaño en el sentimiento», pero actualmente la gente prefiere decir: «Lo siento mucho».
¿Existe en tu idioma una fórmula para dar el pésame? ¿Puedes traducirla?

2 Marcadores discursivos conversacionales.

Mario usa varios marcadores discursivos conversacionales durante la entrevista. Te presentamos tres de ellos.

- *Como usted puede ver:* Mario lo dice para asegurar al periodista que lo que dice es verdad y que él mismo puede comprobarlo.
- *Por cierto:* significa 'a propósito'. Con este marcador se interrumpe el discurso para introducir algo que está relacionado con lo que se está diciendo.
- *Como le iba diciendo:* Mario ha empezado a salirse del tema y se ha dado cuenta, por eso quiere volver a él y para ello usa esta fórmula.

Ahora, completa las siguientes oraciones usándolos.

a El fin de semana pasado fuimos a hacer senderismo, _____, hacía mucho calor y volvimos muy cansados.

b Esta casa rural, _____, está rehabilitada. Solo había un cuarto de baño y nosotros hemos hecho tres más.

c Siempre que existe un problema, hay que intentar buscarle una solución; al menos eso decía mi padre, que en paz descanse... Bueno, pues _____ algunos de los asistentes a la reunión se enfadaron mucho y se creó un ambiente horrible.

3 Masculino y femenino.

Mario habla de que tienen **una huerta** muy *maja*. (Por cierto, *maja* es un adjetivo coloquial que se usa mucho en Navarra y significa *buena, bonita, hermosa*).

En español tenemos: **el huerto, la huerta**. La diferencia entre ambas palabras es muy pequeña.
Huerto: terreno de poca extensión, generalmente cercado de pared, en que se plantan verduras, legumbres y a veces árboles frutales.
Huerta: terreno de mayor extensión que el huerto, destinado al cultivo de legumbres y árboles frutales.

En español hay otras diferencias, por ejemplo, el masculino es el árbol: *el manzano*. El femenino es la fruta: *la manzana*.

En parejas, haced una lista de árboles y frutas.

4 Fórmulas de cortesía.

La cortesía se manifiesta, a veces, de forma distinta en grandes ciudades y en pueblos pequeños. También hay diferencias entre los países.

A Piensa un poco y dinos si en tu idioma se da mucha importancia a las fórmulas de cortesía y señala las más habituales.

B Ve ahora a la transcripción y señala todas las fórmulas de cortesía que aparecen.

Buenos días. Me llamo Mario Esparza y me alegro de su visita a este valle.

B ¿Qué opinas de los zoológicos?)) 10

1 Escucha a cinco personas expresar su opinión sobre los zoológicos.

2 Te presentamos una serie de funciones comunicativas. Subraya las que escuches en la grabación.

Disculparse · Expresar acuerdo · Agradecer · Expresar aprobación
Hacer una petición · Expresar tristeza · Expresar desacuerdo
Expresar desaprobación · Prohibir · Expresar alegría

3 Lee el texto.

Entrevistador: Perdonen, ¿qué les parecen los zoológicos?

Hombre: A mí no me gustan. No estoy de acuerdo con encerrar a los animales. Es mejor que estén en su hábitat natural. Mucho mejor... ¡Me dan una pena...! Animales que tenían que estar corriendo o saltando o trepando...

Chica: Pues... depende... hay animales que están mejor en los zoos, ya que en su hábitat natural morirían. Esos zoológicos se encargan de conservar las especies en extinción.

Mujer: Yo sí que estoy de acuerdo con que existan los zoos. Nos dan la oportunidad de conocer animales que solo veríamos en otros continentes como el oso panda, las jirafas, los elefantes, y tantos otros. Además creo que ahora existe una legislación muy dura para las condiciones de estos lugares.

Chico: Depende. Algunos zoos no reunían las características mínimas para los pobres animales.

Chica: Creo que esto ya no pasa. ¡Menos mal! ¡Pobrecitos!

Chico: Pero hay un zoo, el de Santillana del Mar, en Cantabria, que es una pasada.

Chica: Desde luego. Es increíble. Hay espacio, y cuando digo espacio, hablo de metros y metros y metros, para todos los animales. Notas que se sienten bien, que están sanos, que son felices, que están como Pedro por su casa. ¿Lo conoces?

Entrevistador: No, no lo conozco.

Chica: ¿Ah, no? Pues tienes que ir, te encantará. Precisamente acabo de leer que desde hace años, en ese zoo se desarrollan con éxito treinta y tantos programas de cría en cautividad de especies en peligro de extinción como las panteras de las nieves, los leones asiáticos, el lobo ibérico, el bisonte europeo, los tigres no sé qué... y ya no recuerdo ninguno más...

Entrevistador: Veo que estáis bien informados. Os doy las gracias por responder a mis preguntas y por la información extra.

Visita la página del Zoológico de Santillana del Mar, *http://www.zoosantillanadelmar.com/* y verás un zoológico que merece la pena.

RECURSOS

Expresar aprobación y desaprobación	Posicionarse a favor o en contra de algo
• *Me parece* • *Me parece(n)* $+$ $\left\{\begin{array}{l} bien \\ muy\ bien \\ estupendo \\ genial \\ mal \\ muy\ mal \\ fatal \\ horrible \end{array}\right\}$ $+$ $\left\{\begin{array}{l} que + subjuntivo \\ sustantivo \end{array}\right\}$	• *(No) estoy a favor / en contra de* $+$ $\left\{\begin{array}{l} que + subjuntivo \\ infinitivo \end{array}\right\}$ • *¡Bien hecho!* • *¡Bien dicho!*

4 Te toca.

Expresa aprobación, desaprobación, tristeza..., y posiciónate a favor o en contra de los siguientes asuntos:

- Los parques zoológicos.
- Los productos alimenticios transgénicos.
- El precio de los productos ecológicos.
- El cultivo de las fresas y las verduras en invernaderos.
- El cambio climático.

4 Lee.
Leyendas sobre la naturaleza.

¿Sabes qué es una leyenda? ¿Y cuáles son sus características? Por si acaso no lo sabes, vamos a aclarártelo.

Las leyendas son narraciones de carácter fantástico, que tratan generalmente sobre: el origen de los pueblos; algunos fenómenos naturales (la lluvia, los relámpagos, los truenos); las características de ciertos animales y plantas; el surgimiento de montañas, ríos u otros accidentes geográficos.

Las leyendas son, generalmente, anónimas. Se transmiten a través del tiempo oralmente y se dice que son de creación colectiva porque cada narrador, al contarlas, las va modificando. En algunas ocasiones tienen un autor conocido.

Las dos que os presentamos tratan sobre la naturaleza y son anónimas.

A La Leyenda de la araucaria. Una leyenda mapuche.

Esto ocurrió hace mucho tiempo, en la época en que los españoles empezaron la conquista de estas tierras de América.

Un día, los indios mapuches, muy asustados, vieron que unos hombres de piel blanca, cargados de armas avanzaban hacia ellos. Venciendo su temor, los hombres del cacique mapuche Mallaucán lucharon contra los hombres blancos.

La lucha fue larga, el hambre y el cansancio iban debilitando a los mapuches. Mallaucán condujo a su pueblo hacia un bosque de araucarias, (son grandes árboles rústicos, espinosos, como pinos; los mapuches los llaman pehuén), y allí rogó a los dioses que protegieran a sus mujeres e hijos.

Cuando todo parecía perdido, sucedió lo inesperado: las ramas de las araucarias comenzaron a moverse y cayó una lluvia de frutos que se abrieron y dejaron ver sus semillas llamadas piñones.

Estos piñones fueron el mejor alimento para estas personas que comieron hasta hartarse y después, una vez que se sintieron más fuertes, volvieron a la batalla y vencieron a los españoles. El fruto del pehuén o araucaria, había salvado a los habitantes de estas tierras.

(Texto adaptado de: *http://educar.sc.usp.br/ cordoba/gob_bispo/leyendas.html#araucaria*)

Ahora contesta con tus propias palabras.

a ¿Por qué se asustaron tanto los mapuches?
b ¿Cómo consiguieron los piñones?
c ¿Qué efecto produjeron los piñones en los mapuches?

B La creación del Sol, de la Luna y de la *Eguzkilorea. Una leyenda vasca.
   Antes de leerla, te aclaramos una serie de términos vascos.

Sorguiña, bruja.

Basajaun, el señor de los bosques.

Esta leyenda cuenta que hace mucho, mucho tiempo, cuando el Sol y la Luna no existían, los hombres vivían en una oscuridad perpetua y los seres malignos pasaban largos ratos atemorizando a todos los habitantes. La roja mirada de *Basajaun brillaba en el bosque y los cánticos de las *sorguiñas causaban una ola de terror imposible de controlar. Los hombres y las mujeres se quedaban en las entradas de sus cuevas temblando.

Así fue como los habitantes decidieron ir a Amalur, la Madre Tierra, para pedirle ayuda para acabar con el terror. Amalur accedió a su petición: «Crearé un ser brillante que flotará en el cielo y dará luz, así los seres malignos permanecerán escondidos».

Y Amalur creó la Luna, que con su tenue luz iluminó la Tierra. La gente lo celebró y la maldad se ocultó por un tiempo. Cuando todos se acostumbraron a la luz volvieron a la situación anterior y los hombres fueron nuevamente a pedir ayuda.

La Madre Tierra, viendo que la Luna no conseguía echar a los malos espíritus, creó el Sol, que fue recibido con mayor alegría y celebración. Pasado un tiempo, no volvieron todos los malos espíritus, sino solo una pequeña parte de ellos y fue entonces cuando Amalur creó la flor del Sol, llamada Eguzkilorea, ante la cual todo villano retrocedería.

Desde entonces, los humanos cuentan con ella como amuleto para protegerse, colocándola en las puertas de sus casas para ahuyentar la maldad.

(Texto adaptado de: *http://www.lointeresante.com/leyenda-vasca-de-la-creacin-del-sol-la-luna-la-eguzkilorea*)

Eguzkilorea:
Eguzki significa Sol y *Lorea*, flor.
Es decir, la flor del Sol.

Ahora contesta con tus propias palabras.

a ¿Por qué se quedaban los habitantes temblando a la entrada de sus cuevas?

b ¿Por qué tuvo que crear Amalur el Sol?

c ¿Qué poder tiene Eguzkilorea?

d Y ahora busca en las leyendas qué palabras se usan para expresar el miedo.

Un paso más

1 Te ofrecemos información sobre los vascos y su lengua y los mapuches y la suya.

Los vascos son un pueblo de origen no indo-europeo que vive actualmente en el sudoeste de Francia, (en el País vasco francés) y en el norte de España, en la actual Comunidad Autónoma Vasca y en el norte de la Comunidad Foral de Navarra. Su lengua es **el vasco o euskera**, tiene unos 775 000 hablantes, es una lengua aislada (sin relación con ninguna familia de lenguas del mundo) y se considera la única lengua preindoeuropea superviviente en Europa occidental, y por tanto, la de raíces más antiguas en esta región.

Los mapuches o «**mapudungun**» son una población indígena que se encontraba en el centro y el sur de Chile así como en el sudoeste de Argentina. El significado de la palabra mapuche alude a «personas de la tierra». **El mapundungun** o **mapuche** tiene alrededor de 440 000 hablantes con diversos grados de competencia lingüística. Ha influido en el léxico del español en su área de distribución y, a su vez, el suyo ha incorporado palabras del español y del quechua. No ha sido clasificada satisfactoriamente y por el momento se la considera una lengua aislada.

Te proponemos, que, en parejas, busquéis información sobre alguna otra lengua propia de Hispanoamérica y lo expongáis en clase.

2 En la segunda leyenda aparecen seres mitológicos:

Amalur, la Madre Tierra, un ser benigno; Basajaun, el señor de los bosques, un ser maligno; las sorguiñas, las brujas, otros seres malignos.

Con ayuda del diccionario, busca el nombre de otros seres fantásticos o mitológicos y explica quiénes eran. Cuando todos/as hayáis terminado vuestras listas, poned todos los nombres en común y veréis que habéis conseguido reunir un buen número. A ver si conseguís recordar cuentos y leyendas donde aparezcan. Por ejemplo:

Las hadas. Seres fantásticos que se representaban bajo la forma de mujer, a quienes se atribuía poder mágico y el don de adivinar el futuro. Aparecen en el cuento de la Cenicienta y en el de la Bella durmiente entre otros.

3 **Como cualquier narración, la leyenda consta de: introducción, desarrollo y desenlace. ¿Puedes marcar estos tres pasos en las dos leyendas? ¿Qué tiempo verbal aparece con mayor frecuencia? ¿Puedes explicar por qué?**

---

5 Escribe.

A Ya sabes qué es una leyenda, de qué partes consta y también te hemos ofrecido dos como modelo. Ahora busca una leyenda de tu país. Escríbela en un papel bonito e ilústrala con dibujos o con fotos. Podéis escribirla en parejas. ¡Suerte!

B Lee esta historieta y escribe un comentario a la reacción de Mafalda. Y tú, ¿qué le reclamarías al creador de nuestro mundo? Procura hacerlo con humor y, si puedes, incluye dibujos que arranquen una sonrisa al leerlo.

Repaso

1 Interactúa.

En grupo. Aquí tenéis una serie de afirmaciones que debéis argumentar.
Recordad que ya conocéis las estructuras necesarias para expresar
opinión, estar de acuerdo y no estar de acuerdo.

1 Una persona sin amigos es como un libro que nadie lee.

2 Nuestros pensamientos más importantes son los que contradicen nuestros sentimientos.

3 Pueden amar los pobres, los locos y hasta los falsos,
pero no los hombres ocupados.

4 Solo un idiota puede ser totalmente feliz.

5 Odiar a alguien es darle demasiada importancia.

7 No es difícil llorar en soledad, pero es casi imposible reír solo.

8 Muchas personas se pierden las pequeñas alegrías mientras esperan
la gran felicidad.

9 Cuando se deja de frecuentar a los verdaderos amigos,
se pierde el equilibrio.

10 La amistad es el amor, pero sin sus alas.

2 Habla.

A La era de la globalización. Primero, lee
este texto. Después prepáralo durante
cinco minutos y exponlo durante tres. Al
terminar la exposición, tus compañeros/as
te harán preguntas.

> Vivimos en la era de la globalización. Aficiones, gustos,
> modas, similares para millones de personas… Las mismas
> actividades en diferentes sitios, la misma ropa, la misma
> comida, los mismos gustos, los mismos videojuegos, las
> mismas preferencias musicales, las mismas teleseries
> estadounidenses. Y para muestra, un botón: La serie *Lost
> (Perdidos)* emitió su capítulo final (24/05/2010) en 59
> países simultáneamente.

B Historieta. Un paseo por el parque.
Describe y narra todo lo que ves. Recuerda
que tienes cinco minutos para preparar esta
actividad.

3 Escucha.

A Contaminación acústica.

Después de escuchar la grabación, di si son verdaderas
o falsas las siguientes afirmaciones.

a A la señora le molesta el ruido del tráfico en su barrio.	V	F
b La música en los restaurantes es una compañía perfecta para una buena cena.	V	F
c El señor cree que el problema del tráfico en el centro es fácil de solucionar.	V	F
d La solución consiste en no llevar el coche al centro.	V	F
e Al chico no le importa el ruido del tráfico.	V	F
f Le preocupan los vecinos que no pueden dormir los fines de semana.	V	F

B Quiero.

1 Escucha este poema.

Observa que en el penúltimo verso pone
podés y no *puedes*. Esta forma corresponde
al tratamiento de *vos* en lugar de *tú*, muy
utilizado en países y regiones de Hispanoamérica.

Quiero

Quiero que me oigas, sin juzgarme
Quiero que opines, sin aconsejarme
Quiero que confíes en mí, sin exigirme
Quiero que me ayudes, sin intentar decidir por mí
Quiero que me cuides, sin anularme
Quiero que me mires, sin proyectar tus cosas en mí
Quiero que me abraces, sin asfixiarme
Quiero que me animes, sin empujarme
Quiero que me sostengas, sin hacerte cargo de mí
Quiero que me protejas, sin mentiras
Quiero que te acerques, sin invadirme
Quiero que conozcas las cosas mías que más te disgusten,
Que las aceptes y no pretendas cambiarlas
Quiero que sepas, que hoy,
*Hoy **podés** contar conmigo*
Sin condiciones.

(Jorge Bucay, RBA Editores)

**Fíjate también en que en la poesía (y las canciones) se
permiten ciertas licencias, en este caso la ausencia de
punto final y la mayúscula a principio de frase.**

2 Ahora leedlo dándole la entonación
apropiada y poniendo el sentimiento
adecuado.

3 Es necesario que conozcas las siguientes
palabras para que puedas comprender
perfectamente el poema. Para ello, haz el
siguiente ejercicio con tu compañero/a.

1 *Juzgar*, significa:
a Valorar las acciones de una persona y dar una
opinión sobre ellas.
b Asistir a un congreso.
2 *Anular*, significa:
a Reírse de una persona, burlarse de ella.
b Incapacitar a una persona, hacerle perder su
valor o poder.
3 *Proyectar*, significa:
a Dirigir un sentimiento sobre alguien.
b Iluminar una estancia.
4 *Asfixiar*, significa:
a Maldecir a alguien.
b Agobiar a alguien.
5 *Sostener*, significa:
a Ayudar a mantener a una persona.
b Aclarar las ideas de alguien.
6 *Hacerse cargo de*, significa:
a Encargarse de alguien.
b Notar la presencia de alguien.
7 *Invadir*, significa:
a Ocuparse tanto de una persona que le produce
molestias.
b Llenar de felicidad a una persona.
8 *Contar conmigo*, significa:
a Comportarte bien conmigo.
b Confiar en mí.

C El teletrabajo y la vida en el campo.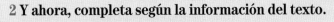

Después de escuchar la grabación, contesta a estas preguntas.

a ¿Cuánto tiempo llevan sin verse las dos amigas?

b ¿Qué tipo de café piden?

c ¿Qué van a tomar con el café?

d ¿Aceptó inmediatamente la oferta de su jefa de trabajar en casa?

e ¿Qué han hecho en la casa?

f ¿Por qué viaja tanto Jesús?

g ¿A qué distancia está su casa del aeropuerto?

h ¿Qué les parece a los niños su nuevo domicilio?

i ¿Siente ella nostalgia de su época madrileña?

4 Lee.

El Planeta Tierra, también llamado el Planeta Azul, es el único del sistema solar que tiene una superficie líquida, que llega al 71% del total, de la cual, el 97% es agua de mar y 3% agua dulce. El agua es esencial para la supervivencia humana y de todo el planeta. Quienes comprendemos el papel vital de este elemento, celebramos el Día Mundial del Agua, el 22 de marzo, en todos los países del mundo.

El lema del Día Mundial del Agua 2010 es «Agua limpia para un mundo sano». Fundamental para los humanos y los ecosistemas, debe ser y permanecer limpia y debe estar al alcance de todos.

Es importante recordar que en la actualidad, más de 2500 millones de personas carecen de sistemas sanitarios adecuados. Se estima que 884 millones (la mayoría de ellas africanas) no pueden acceder al agua potable. La causa de muerte de casi 1,5 millones de niños menores de cinco años, anualmente, son enfermedades transmitidas por el agua. El deterioro de la calidad de las aguas de ríos, arroyos y lagos, tiene consecuencias directas sobre la salud humana y los ecosistemas.

Disponemos ya de los conocimientos científicos necesarios para realizar grandes progresos en el suministro de agua limpia y equipos sanitarios, siempre que se pueda obtener la financiación necesaria. Los investigadores están creando nuevos e ingeniosos métodos para proteger de la contaminación las aguas de superficie y garantizar así una mejor gestión del agua. Irina Bokova, Directora General de la UNESCO, con motivo del Día Mundial del Agua, dice: «Aún queda mucho por hacer si queremos mejorar la vida de millones de personas. En este Día Mundial del Agua, exhorto a los gobiernos, a la sociedad civil, al sector privado y a todas las partes interesadas a que pongan el objetivo de Agua limpia para un mundo sano entre sus prioridades principales».

(Texto adaptado. Fuente: *unesco.org*)

1 Primero, busca en el diccionario el sentido de las siguientes palabras, pero ten cuidado, que sea el que vaya bien con el texto.

a *El lema* _____.

b *Acceder* _____.

c *El deterioro* _____.

d *El suministro* _____.

2 Y ahora, completa según la información del texto.

a El agua es fundamental para _____.

b No basta con tener agua, esta, además, _____.

c Hay personas que carecen _____.

d Si el agua no es de calidad, _____.

e Gracias a la ciencia _____.

f Irina Bokova anima a _____.

5 Escribe.

A En *Otras Actividades* de la unidad 3 has leído la biografía de Félix Rodríguez de la Fuente. Ahora escribe una biografía (mucho más breve, claro) sobre alguna persona de tu país relacionada o con la poesía, o con la globalización, o con la naturaleza. Insistimos, no tiene por qué ser muy larga. ¡Suerte!

B En *Escucha B*, has trabajado con el poema *Quiero* de Jorge Bucay. Imitando el modelo, escribe un poema a tu profesor/a, a tu padre o a tu madre o a quien tú prefieras. Aquí tienes un principio:

Quiero que me corrijas sin regañarme
Quiero que me expliques sin agobiarme...

Sugerimos que hagáis este trabajo en parejas o en grupos y que decidáis cuáles son los tres mejores poemas y los colguéis en la pared.

6 Elige la respuesta adecuada.

1 ● El mal tiempo del domingo _____ que no _____ celebrar el cumpleaños al aire libre.
  ▼ ¡Qué faena!
  a. hace / podemos
  b. hizo / pudiéramos
  c. haría / pudimos
  d. hará / podremos

2 ● Mis padres me dejan que _____ hasta muy tarde.
  ▼ Pues... qué suerte. Los míos, _____ : A la 1:00, ¿eh?, a la 1:00 en casa.
  a. salga / siempre igual
  b. vuelva / siempre me dicen
  c. divierta / contestan
  d. quede / dicen

3 ● No me digáis que no _____ salir esta tarde porque ya lo tengo todo preparado.
  ▼ Vale, _____ pero un poquito más tarde, ¿te parece?
  a. queráis / salimos
  b. penséis / vamos a salir
  c. queréis / saldremos
  d. vamos / vamos

4 ● Me molestó que me _____ sin argumentos.
  ▼ Sí, fue feo; no _____ muy bien.
  a. contradijeran / quedó
  b. contrariase / era
  c. contradigan / va
  d. contradirían / resultó

5 ● Nos ha dicho que _____ la semana próxima a Osorno.
  ▼ Sí, va a ver a su familia. Hace mucho que no _____ ve.
  a. se marche / los
  b. se ha marchado / la
  c. se vaya / los
  d. se va / la

6 'Ser un/a pelota', significa:
  a. Ser adulador/a.
  b. Ser un poco grosero/a.
  c. Ser excesivamente estricto/a.
  d. Tener un carácter muy difícil.

7 ● ¿Les molesta que _____ aquí?
  ▼ No es molestia, _____ es que estamos esperando a unos amigos.
  a. siente / sin embargo
  b. me siente / pero
  c. lo dejo / sino
  d. me pongo / vale

8 ● _____ mucho que no pudieras venir.
  ▼ _____ . Otra vez será.
  a. Sentía / Ya veremos
  b. Me da pena / Y a mí también
  c. Sentí / ¡Qué se le va a hacer!
  d. Se entristeció / Penoso

9 ● Te prohíbo que salgas esta noche.
   ▼ Pues, ¿sabes lo que te digo? _____ .
   a. Que bienvenido a casa
   b. Te he dicho que no
   c. Que nunca más te preguntaré algo a ti
   d. Anda, porfa, déjame salir... que te prometo que
      llegaré pronto y bien

10 El juego de las *miraditas*. ¿Con qué intención
   comunicativa se usa aquí el diminutivo?
   a. Para expresar cariño.
   b. Para ridiculizar la actitud.
   c. Para expresar sorpresa.
   d. Para disminuir el tamaño.

11 ● No me pareció lógico que tu hermano _____
   toda la herencia.
   ▼ Ni a mí, pero así son las cosas.
   a. quiera
   b. quiere
   c. quisiera
   d. querría

12 ● ¿No es verdad que Mariana _____ un poco
   alterada? Todo el mundo lo dice.
   ▼ Pues no, _____ mí no.
   a. se encuentra / para
   b. sea / por
   c. haya sido / a
   d. se sienta / según

13 ● Es conveniente que _____ vestido una semana
   antes de la fiesta.
   ▼ De acuerdo, así estaré segura de que me _____ .
   a. te pruebes el / vale
   b. pruebas tu / valga
   c. te arreglas / sirva
   d. probarás tu / vale

14 ● ¿A qué hora sale de casa M.ª Eugenia?
   ▼ No nos lo ha dicho, pero, conociéndola _____ .
   a. saldrá a las siete
   b. salió a las siete
   c. a lo mejor salga
   d. puede que sale a las siete

15 ● La calle está mojada.
   ▼ _____ .
   a. Habrá llovido
   b. Regaba
   c. Regarán
   d. Había llovido

16 ● Ayer no miré al cruzar y casi _____ un coche.
   ▼ Es que hay que mirar antes de cruzar.
   a. me atropellaría
   b. me atropella
   c. cogía
   d. me pillará

17 Cuando la vi me _____ que _____
   la empresa _____ 4 años.
   a. comentó / había dejado / hacía
   b. comentaba / dejó / hace
   c. explicaba / había dejado / hace
   d. había explicado / dejó / dentro de

18 No creo que adivines dónde _____ la foto del agua y
   la sal. Si te _____ bien, verás que hay algunas pistas.
   a. hice / miras
   b. tomé / fijas
   c. está tomado / acercas
   d. capté / fía

19 ● _____ que no _____ quedarte unos días
   más.
   ▼ Y yo también, pero no _____ cambiar el billete.
   a. He sentido mucho / hayas podido / he podido
   b. Sentí mucho / quedarías / podía
   c. Sentimos mucho / pueda / haya podido
   d. Sentiría / pudieras / intenté

20 Si va por el norte de África, Malasia o las islas del Pacífico
   _____ serán los cubiertos que _____
   emplear.
   a. los palillos / habría
   b. los tenedores / tiene de
   c. los cuchillos / he de
   d. sus dedos / deberá

21 Bueno, pues, ¿sabes lo que te digo, chico? Que eres un muermo.
'Ser un muermo' significa:
a. Que el chico es muy aburrido.
b. Que el chico tiene problemas de sueño.
c. Que el chico es muy obstinado.
d. Que el chico es muy dormilón.

22 ● ¿Cómo pongo el congelador en marcha?
▼ Primero _____ el botón verde, después lo _____ a la derecha y ya está.
a. apretas / torces
b. presione / tuerces
c. presionas / giras
d. aprietes / gires

23 ● ¿Crees que vendrán a la inauguración?
▼ ¿_____ si es la exposición de su hija?
a. Cómo no van a venir
b. Por qué van a venir
c. Vendrían
d. Y eso de que van a venir

24 ● No les han concedido la beca.
▼ ¡Qué pena! ¡_____ para ellos!
a. Bueno fue
b. Con lo importante que era
c. No se la habrán dado
d. Se la darían

25 El petróleo es _____ de energía más importante _____; además es materia _____ en numerosos procesos de la industria química.
a. el chorro / ahora / primera
b. la fuente / actualmente / prima
c. el recurso / todavía / primaria
d. la fuente / ya / cruda

26 Buenos días. Me llamo Mario Esparza y _____ su visita a este valle. Mire, _____, este pueblo nunca fue muy grande... Unos ciento veinte vecinos cuando yo era joven. Ahora solo somos treinta y seis.
a. me alegra de / ya ve
b. soy alegre de / ya lo ve
c. me alegro de / como puede usted ver.
d. me vuelve contento / por cierto

27 ● ¿Qué le parecen los zoológicos?
▼ Pues... depende... Hay animales que están mejor en los zoos, ya que en su _____ natural morirían. Esos zoológicos _____ conservar las especies en extinción.
a. cueva / tratan para
b. paisaje / se ocupan a
c. habitación / pueden
d. hábitat / se encargan de

28 Como cualquier narración una leyenda consta de:
_____.
a. prefacio, presentación y epílogo
b. introducción, desarrollo y desenlace
c. trama, desarrollo y conclusión
d. desarrollo, epílogo y presentación

29 Las hadas son seres fantásticos que se representaban bajo la forma _____, a quienes se atribuía poder mágico y _____ adivinar el futuro.
a. de insecto / la posibilidad
b. de duendes / el regalo por
c. de mujer / el don de
d. de princesas / el hecho en

30 ● Las cosas _____ mejorar en poco tiempo.
▼ Puede ser, pero no pienses que lo _____ sin esforzarnos.
a. podrían / consigamos
b. podrían / conseguiremos
c. han podido / consiguiéramos
d. podrán / hayamos conseguido

© Antonio López, 1980

El placer del arte

Al terminar esta unidad, serás capaz de...

- Hablar sobre el arte en general y la pintura, la arquitectura y la escultura en particular.
- Hablar sobre la pintura, la arquitectura y la escultura de artistas españoles/as e hispanoamericanos/as: describir y comparar.
- Interpretar un chiste mudo de Quino sobre el arte abstracto.
- Comentar chistes con texto.
- Comprender una agenda cultural de la radio.
- Rellenar una solicitud para pedir una beca.
- Hacer un CV.
- Expresar la causa y la consecuencia.
- Relacionar dos acciones pasadas.
- Utilizar correctamente los adjetivos y pronombres indefinidos.

1. Pretexto

Toni: Hola, Xisca.

Xisca: Hola, Toni, ¿qué tal? *rollerblading*

Toni: Bien, ¿vamos a patinar un rato esta tarde? a

Xisca: No puedo.

Toni: ¿Y eso?

Xisca: Pues *porque* voy con el profe y los de mi clase a ver una exposición.

Toni: ¿Otra vez?

Xisca: Otra vez, ¿qué?

Toni: Pues que hace unos días también fuiste con ellos, ¿no?

Xisca: ¡Ah, sí! Fuimos a visitar los patios de Palma y la catedral.

Toni: Oye, ¿y de quién es la exposición? *courtyard* b

Xisca: De Palazuelo.

Toni: ¿Y es conocido? A mí ni me suena. *doesn't sound to me*

Xisca: ¡Pues, claro que es conocido! Es un pintor español muy famoso. Murió en 2007. Seguro que, si te metes en internet y miras su obra, sabes quién es. c

Toni: Bueno, ¿de verdad te apetece ir a ver la exposición?

Xisca: Anda, Toni, ¡pues claro! *Por eso* estudio el Bachillerato de Arte, *porque* me gusta el arte y voy a hacer la carrera de Bellas Artes. Oye, cuando termine de ver la exposición, te doy un toque y vamos a tomar algo juntos. La exposición es en la Fundación Juan March, *entonces* podemos quedar allí mismo, a la salida.

Toni: Bien, vale, sí, y luego nos vamos de marcha *porque* ya es el último finde que podemos. El jueves que viene yo ya tengo el primer examen final. Pues eso, me das un toque y nos vemos.

Xisca: Sí, venga, chao. Nos vemos. e

© Pablo Palazuelo

1 Escucha, lee y di si estas afirmaciones son verdaderas o falsas. 🔊14

		V	F
a	A Toni le apetece hacer un poco de deporte.	(V)	F
b	Xisca visitó el otro día parte de las casas señoriales de Palma.	(V)	F
c	Xisca cree que Toni no ha visto nunca un cuadro de Palazuelo. *picture*	V	(F)
d	Xisca y Toni van a hablar por el móvil al terminar la visita de la exposición.	V	(F)
e	Se nota que Xisca tiene prisa. *rush / in a hurry* ?	(V)	F

stately homes the courtyards are in the stately home

2 Ahora, reflexiona. Observa los conectores marcados en cursiva ¿Qué expresa cada uno de ellos causa o consecuencia? Completa este cuadro para organizarlos. ¿De qué modo van seguidos, de (indicativo) o de subjuntivo?

Expresan causa	Expresan consecuencia
porque	Por eso entonces

3 En la cabecera aparecen una serie de obras de arte. Te damos sus nombres. ¿Puedes decir cuál es cada una?

a *La ciudad de las artes y las ciencias* de Santiago Calatrava, en Valencia.

b *Lirios y rosas* de Antonio López.

c *El Peine del Viento* de Eduardo Chillida, en San Sebastián.

2. Contenidos gramaticales

1 La expresión de la consecuencia.

✔ Ya sabes que para expresar la consecuencia, usamos: **Por eso**.
¿Recuerdas si va seguido de indicativo o de subjuntivo?

A Pero además existen otros conectores que tienen el mismo valor que *por eso*, y funcionan igual.

Luego
Así (es) que
Por (lo) tanto } + indicativo
En consecuencia
Entonces

● *Pienso, **luego** existo. (Descartes)*
● *Se me ha acabado el cuaderno de dibujo, **así (es) que** compraré otro esta tarde.*
● *Se ha roto la muñeca, **por (lo) tanto** no podrá participar en la exposición de escultura de 2.º de Bachillerato.*
● *La empresa no está en su mejor momento, **en consecuencia** no podrá dedicar mucho dinero al premio anual de Arte.*
● *No he presentado la obra a tiempo y la directora de la galería se ha enfadado.*
▼ ***Entonces**, ¿de qué te quejas?*
● *¿Qué no va Xisca al viaje fin de curso? **Entonces**, yo tampoco.*

*Por eso, así (es) que y *entonces*, son las más usadas en el lenguaje oral. Las demás son más propias del lenguaje escrito o de un registro oral más culto.

B Las consecutivas intensivas.

a *Tan* + adjetivo // adverbio + *que* + verbo en indicativo

b *Tanto / tanta / tantos / tantas* + sustantivo + *que* + verbo en indicativo

c Verbo en indicativo + *tanto* + *que*

a ● *El cuadro era **tan trágico que** se puso triste.*
  ● *La Torre de Cristal está **tan lejos** de su casa **que** siempre tarda muchísimo en llegar.*

b ● *Hacía **tanto calor** durante la visita de la ciudad **que** tuvo que comprarse un sombrero.*
  ● *Le ha puesto **tanta pintura** azul a su cuadro **que** parece un trozo de cielo.*
  ● *Lleva **tantos años** dedicado a la escultura **que** ya no le interesa otra cosa.*
  ● *Tenía **tantas cosas** en la cabeza antes de la exposición de «Jóvenes artistas» **que** se puso muy nervioso y casi se echa a llorar.*

c ● *Habéis trabajado **tanto que** estáis agotados.*

C *De ahí que* + subjuntivo. (Lenguaje formal).

  ● *Es daltónica **de ahí que** tenga muchos problemas para dedicarse a la pintura.*

2 La expresión de la causa.

✔ Ya sabes que para preguntar por la causa de una acción usamos: **¿Por qué?**, y contestamos **Porque**.

¿Recuerdas si van seguidos de indicativo o de subjuntivo?

Pregunta: ¿**Por qué** (estar, ellos) _____ tan enfadados?
Respuesta: **Porque** _____.

También usamos estas dos formas para:
Expresar extrañeza: **¿Cómo es que?**
Expresar extrañeza y sorpresa: **¿Y eso?**

● *¿**Por qué** has venido en taxi?*
▼ ***Porque** he traído mucho material de papelería que era muy pesado.*

● *¿**Cómo es que** no vas a presentarte al examen de Historia del Arte?*
▼ *Es que no he tenido tiempo de prepárármelo bien y quiero sacar un sobre*.*

(**Sobre*, abreviatura de sobresaliente. La máxima puntuación que se obtiene en un examen).

- *Mi hija Adriana ha dejado la carrera de Arquitectura.*
- ▼ *¿**Y eso**?*
- *Dice que es durísima y que se cambia a Bellas Artes.*

A La causa se puede expresar por medio de:

A causa de + sustantivo o infinitivo

- *Tuvo que dejar de pintar **a causa de** una enfermedad.*
- *Le duele la espalda **a causa de** sentarse siempre en una posición incorrecta.*

Gracias a + sustantivo o infinitivo

- *Le dieron el premio **gracias a** la amistad de su padre con un miembro del jurado.*
- *Le dieron el premio **gracias a** tener un enchufe.*

Por + sustantivo o infinitivo

- *No se casó **por** amor sino **por** interés.*
- *Lo echaron del examen **por** copiar.*

Debido a + sustantivo o infinitivo

- ***Debido a** su edad no pudo conseguir la beca de jóvenes artistas.*
- ***Debido a** ser mayor de 31 años no pudo conseguir la beca de jóvenes artistas.*

B Además, se expresa con los siguientes conectores:

Es que

- *No puedo pintar bien, **es que** soy daltónica.*

Que

- *No me hables más, **que** estoy estudiando el tema del arte gótico.*

Puesto que

- *Estará enfermo **puesto que** no se ha presentado al examen.*

Ya que

- ***Ya que** eres tan bueno en dibujo técnico, ayúdame, por favor.*

Como

- ***Como** no tenía suficiente dinero, no pudo ir al viaje de fin de carrera.* (Va siempre en la 1.ª frase).

En vista de que

- ***En vista de que** nadie me **hace** caso, me marcho.*

Es que expresa la causa y una justificación o excusa.

Que suele ir precedido de un imperativo para justificar la petición o la orden.
Ambos son propios del lenguaje oral.

C La negación de la causa.
No porque / *No es que* + subjuntivo.

- ***No** le dieron el premio **porque** el presidente del jurado fuera amigo de su padre, sino porque su proyecto era el mejor.*
- ***No es que** no me interesara el tema del arte abstracto, es que ya habíamos hablado de él un montón de veces y por eso me marché.*

FÍJATE

La causa y la consecuencia son dos formas de ver un mismo hecho, pero desde distintos puntos de vista.

- ***Como** no tenía suficiente dinero, no pudo ir al viaje de fin de carrera.*
- *No tenía suficiente dinero, **por eso** no pudo ir al viaje fin de carrera.*

3. Practicamos los contenidos gramaticales

1 **Une las dos frases para expresar una consecuencia, intentando no repetir ningún conector (*por eso, luego, por lo tanto, en consecuencia, por consiguiente, así (es) que, entonces, tan / tanto / tanta / tantos / tantas... que, de ahí que*). Usa todos los tiempos del indicativo que conoces.**

Estar cansado ● *Ir a la cama.* → *Estaba **tan** cansado **que** se fue a la cama.*

1 Ser autoritario ● Tener muchos enemigos

2 Dibujar ● Tener los ojos rojos

3 Estar jubilado ● Buscar alguna afición

4 Haber pintado un cuadro abstracto ● Resultar incomprensible

5 Trabajar tantas horas ● Estar agotada

6 Tener mucha prisa ● No pararse a hablar

7 Ser muy original y sencillo el retrato ● Pensar en hacer una fotografía parecida

8 El bodegón ser vistoso ● Apetecer comer las sandías

9 El edificio tener un espacio libre en el centro ● La gente llamar *La casa del agujero*

10 Ser rico y esnob ● Tener todo de diseño en su casa

2 **Describe una de las imágenes y expresa los sentimientos que te producen. (Recuerda la expresión de los sentimientos. La estudiaste y practicaste en la unidad 1).**

© Carmen Laffón, 1956

Figura de espaldas, Carmen Laffón.

Fruta. Fernando Botero.

© Fernando Botero

La casa del agujero.
Blanca Lleó y MVRDV.

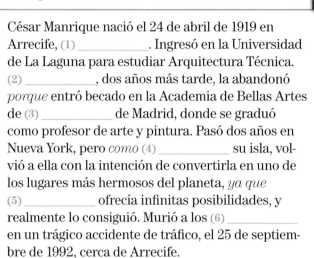

3 **A** **Completa el texto. Vas a oírlo dos veces.** 🎧15

César Manrique nació el 24 de abril de 1919 en Arrecife, (1) _____. Ingresó en la Universidad de La Laguna para estudiar Arquitectura Técnica. (2) _____, dos años más tarde, la abandonó *porque* entró becado en la Academia de Bellas Artes de (3) _____ de Madrid, donde se graduó como profesor de arte y pintura. Pasó dos años en Nueva York, pero *como* (4) _____ su isla, volvió a ella con la intención de convertirla en uno de los lugares más hermosos del planeta, *ya que* (5) _____ ofrecía infinitas posibilidades, y realmente lo consiguió. Murió a los (6) _____ en un trágico accidente de tráfico, el 25 de septiembre de 1992, cerca de Arrecife.

Obras y premios: Su primera obra fue su casa. (7) _____ en El Taro de Tahíche. La construyó allí *puesto que* ya había decidido vivir en su (8) _____ para siempre. Más tarde realizó otras construcciones como: El Mirador del Río, Costa Martiánez en Puerto de La Cruz, restauró el Castillo de San José y (9) _____ en el Museo Internacional de Arte Contemporáneo, y el Jardín de Cactus, y proyectó el Pabellón de Canarias en la Expo92. Fue un gran artista que supo conjugar la (10) _____ con los recursos que ofrece la modernidad; *por eso* recibió muchos premios, no solo en España, sino en otros países europeos.

B **Observa los conectores marcados en cursiva. ¿Qué expresa cada uno de ellos: causa o consecuencia? ¿Podrías convertir la causa en consecuencia y la consecuencia en causa?**

C **¿Habías oído hablar alguna vez de César Manrique? Aquí puedes informarte sobre él y la isla de Lanzarote:** *www.cesarmanrique.com*.

4 **A** **Escribe diálogos utilizando conectores causales y consecutivos.**

Pedro no te habla, tú quieres saber por qué y él te da una razón.
Tú: *Pedro, ¿**por qué** no me hablas?*
Pedro: ***Porque** estoy de mal humor y **por eso** prefiero no hablar con nadie.*

1 Tu amiga Marta está muy sonriente y la notas feliz, tú quieres saber por qué.
Tú: Marta, ¿ _____
_____ ?
Marta: _____
_____ .

2 A tu amigo Pedro le encanta la Torre de Cristal de Madrid, del arquitecto argentino César Pelli, y a ti, sin embargo, no te gusta.
Tu amigo Pedro: ¿ _____
_____ ?
Tú: No porque _____ tiene que gustarme.

3 Cinco amigos toledanos de 18 años planeáis hacer un viaje a San Sebastián al terminar la Selectividad. Os apetece ir a la playa, salir de pinchos, ir de copas y entre otras cosas queréis ver un poquito de arte y visitar Chillida Leku. Alejandra de pronto dice que no va y vosotros queréis saber por qué.
Vosotros: Alejandra, ¿ _____
_____ ?
Alejandra: _____
_____ .

4 Le pides a tu madre el coche para ir los cuatro juntos a San Sebastián, y ella te dice que no te lo presta, tú quieres saber por qué.
Tú: Mamá, ¿ _____
_____ ?
Tu madre: _____
_____ .

5 Ya estáis de vuelta en Toledo y Alejandra os pregunta por qué no os habéis acercado a Bilbao a visitar el Museo Guggenheim.
Alejandra: ¿ _____
_____ ?
Vosotros: _____
_____ .

Museo Guggenhein. Bilbao.

B ¿Sabes algo del escultor Eduardo Chillida? ¿Conoces algunas de sus obras?

  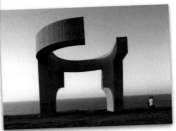

Entra en esta dirección:
*http://cvc.cervantes.es/
actcult/chillida/default.htm*

5 A Los porqués de las cosas. Concurso.

Lo mismo que decimos *la causa/las causas, el motivo/los motivos* podemos decir *el porqué/los porqués.*
En esta actividad vais a encontrar doce porqués, pero vosotros no estáis de acuerdo, así es que tenéis que negar la causa.

● *¿Por qué hay días y noches? Porque el Sol está ya muy viejo y necesita dormir.*
▼ *Tú: Hay días y noches **no porque el Sol esté muy viejo y necesite** dormir, **sino porque** la Tierra **gira** alrededor del Sol.*

**No es necesario que conozcáis la respuesta verdadera, podéis inventárosla.
Gana quien conteste más rápidamente y mejor.**

1 ¿Por qué son las nubes blancas? Porque están hechas de algodón.
   *Las nubes **no** son blancas **porque** _____ sino porque _____.*

2 ¿Por qué huyen los ratones de los gatos? Porque los gatos les roban su comida.

3 ¿Por qué sube la temperatura de nuestro cuerpo cuando estamos enfermos? Porque el calor es bueno para el cuerpo.

4 ¿Por qué el cielo es azul? Porque es el color favorito de todos los dioses.

5 ¿Por qué los osos pasan el invierno durmiendo? Porque son muy dormilones.

6 ¿Por qué aparece, algunas veces, el arco iris? Porque las personas necesitan colores alegres en épocas de crisis económica.

7 ¿Por qué los ríos son de agua dulce y los océanos de agua salada? Porque en las riberas de los ríos crece la caña de azúcar y cerca de los mares hay depósitos de sal.

8 ¿Por qué no usamos todo nuestro cerebro? Porque somos un poco vagos.

9 ¿Por qué los ojos claros son más sensibles a la luz que los oscuros? Porque los ojos claros solo sirven para vivir en los países escandinavos, donde hay poco sol.

10 ¿Por qué los bebés nacen sin dientes? Porque los pierden dentro de la madre.

11 ¿Por qué avanzan los desiertos? Porque los camellos mueven la arena.

12 ¿Por qué los murciélagos duermen colgados? Por que son tan feos que se asustan de verse.

6 Recuerda lo que has leído. Reflexiona y contesta.

1 *Otra vez, ¿qué? / Bueno, ¿y qué?*

   A Vuelve a escuchar el Pretexto y di:
      a ¿El tono de las dos preguntas te parece igual?
      b ¿Qué crees que muestra la primera?
         1 Sorpresa.
         2 Enfado.
         3 Una mezcla de los dos.

   c ¿Y la segunda?
      1 Sorpresa por lo que se ha oído.
      2 Invitación a hacer lo que se dice después.
      3 Enfado porque Xisca no va a patinar.

B Ahora interpreta estos *que*.
   a ● Cecilia y Miguel se separan.
      ▼ **¿Qué?** Pero, pero... **¡qué** me dices!
   b ● Nos vamos de vacaciones hasta el mes de octubre.
      ▼ **¿Qué?** No tengo mucha cobertura.
   c ● He dicho que me duele la pierna, así me llevan en coche.
      ▼ **¡Qué** listo! Y qué falta de compañerismo, ¿no? Y nosotros, **¿qué?**

2 *Me das un toque; nos vamos de marcha.*

A ¿Cómo dirías con otras palabras *me das un toque*?

B ¿Qué significa *toque* en estos otros contextos?

- *A mí me gustan los partidos en los que los jugadores pasan el balón al primer* **toque**.
- *En la casa se nota su* **toque** *personal.*

C En parejas, usad esta palabra con los distintos sentidos que os hemos presentado.

D ¿Qué significa *nos vamos de marcha* en este contexto?

...y luego **nos vamos de marcha** *porque ya es el último finde que podemos.*

¿Conoces otra forma de decir lo mismo? ¿Cómo se diría en tu idioma?

3 *A mí ni me suena.*

A ¿Sería lo mismo si Toni dijera: «*A mí no me suena*»? ¿Qué diferencia percibes?
¿Se usa con la misma función en este diálogo?
- *¿Qué prefieres carne o pescado?*
- ▼ *Ni lo uno ni lo otro, soy vegetariana.*

B Ahora, según lo que hayas decidido antes, completa estos diálogos y razona tu elección.

a ● Me han ofrecido el puesto de directora del Museo Nacional y no sé qué hacer.
   ▼ _____ lo pienses, es una oportunidad única.

b ● ¿Sabes? Ayer me encontré con Vicente y _____ me preguntó por ti.
   ▼ ¿Vicente? _____ me lo nombres. _____ quiero saber nada de él.

c ● ¿Qué te apetece? Te puedo ofrecer vino o cerveza.
   ▼ Pues... _____ vino, _____ cerveza. Agüita fresca.

4 *Los osos son muy* **dormilones**.

A La palabra *dormilón / dormilona* procede del verbo *dormir*. ¿Qué crees que significa?

a Una persona o un animal grande que duerme.
b Una persona o animal que duerme mucho.

Con este sufijo podemos:

1 Formar aumentativos: *cajón, salón, portalón.* Estas palabras han adquirido significado propio. *Ventarrón* (viento muy fuerte); *hombrón / mujerona* (hombre / mujer grande).

2 Referirse a una persona que realiza una actividad con intensidad. Se usan mucho en el lenguaje familiar: *comilón / comilona; tragón / tragona* (que come mucho); *dormilón / dormilona; llorón / llorona* (alguien que llora mucho).
A veces las palabras derivadas pueden tener valor despectivo. El contexto nos ayudará a descubrirlo.

B Ahora te proponemos un juego de lógica infantil. Si un comilón es alguien que come mucho, ¿qué será un *león*? ¿Y un *riñón*?
Si un salón es una sala grande, ¿qué será un *camión*? ¿Y un *ratón*?

4. De todo un poco

1 **Interactúa.**

A Observa estas reproducciones. Descríbelas, compáralas y opina sobre cada una de ellas con tu compañero/a.

Pero, antes mira este vocabulario que puede ayudarte.

También pueden ayudarte estas opiniones:

> **La escultura:** esculpir, el mármol, la piedra, la madera, la cerámica, fundir, moldear los metales.
>
> **La pintura:** pintar, el óleo, la acuarela, los lápices, las pinturas pastel, las pinturas acrílicas, el pincel.
>
> **Temas:** el retrato, el bodegón, el paisaje.
>
> **Tipo de arte:** arte figurativo, arte abstracto.

> *En el arte figurativo se aprecia mejor la calidad gráfica de la obra y la mano del artista.*

> *Me gusta lo abstracto que, evidentemente, es muy subjetivo y no es muy comprensible para la mayoría de la gente. De niños somos abstractos y dibujamos básicamente con figuras geométricas (Joan Miró se dedicó a eso, a intentar pintar como un niño), pero en las escuelas primarias es donde se nos suprime la abstracción. El criterio general ante la abstracción se limita a me gusta o no me gusta o no lo entiendo.*

> *El arte abstracto puede ser más divertido para los inexpertos en la materia. Las reglas desaparecen y la creatividad del autor es su principal arma para impactar a los visitantes.*

> *Prefiero el arte figurativo porque hay algunos artistas que engañan con sus trabajos abstractos. Me gusta la abstracción del que ha demostrado ser un buen figurativo, pero prefiero lo figurativo, sobre todo si a la vez es creativo.*

El lagarto. Gaudí en el Parque Güell (1852-1926).

Construcción vacía. J. Oteiza (1908-2003).

Vieja friendo huevos. Velázquez (1599-1660).

© Eduardo Chillida, 1998

Guggenheim II Eduardo Chillida, pintor español (1924-2002).

© Frida Kahlo, 1938

Ella juega sola. Frida Kahlo, pintora mexicana (1907-1954).

B Comenta estos chistes con tu compañero/a.

- *La verdad es que el arte abstracto, a veces, parece una tomadura de pelo.*
- ▼ *Pues sí, estoy de acuerdo contigo, porque si la escultura del primer chiste, si es una escultura, parece un chiste.*

Esto está ahí desde que estrenamos la casa. No sabemos si son restos de albañilería o una escultura del antiguo propietario.

PRIMER SALÓN DE MÉDICOS PINTORES

"ALTAS CUMBRES"

Si sabes algún chiste sobre el arte en tu lengua, tradúcelo y cuéntalo en clase.

2 Habla.

A Debate. Los grafitis, ¿arte urbano o vandalismo?
Os presentamos diferentes opiniones: unas a favor, otras en contra.
Y tú, ¿qué opinas?

Son interesantes las reacciones que generan los grafitis. Considero que son una expresión artística válida. Acepto que en algunos casos no pueden ser llamados obras de arte, pero en otros casos es verdadero arte urbano, expresivo y muy cargado de contenido y de alto grado estético. Si el grafiti se realizara de forma legal dejaría de ser lo que es.

Estoy de acuerdo con aquellos grafitis que son verdaderas obras de arte, pero no con las firmas que solo son nombres o apodos de quienes han tenido el mal gusto de ensuciar la pared de la localidad y que estoy segura de que no serían capaces de hacer lo mismo con las paredes de su casa.

A mí, el grafiti me parece un arte sucio, ya que ensucia LAS CALLES y acentúa la degradación del entorno. De hecho, cuando veo algún nombre escrito siempre pienso que usar la firma para eso es de tontos.

Existen unos grafitis que considero muy artísticos, pero deberían tratar de orientar a las personas que los hacen para que los realicen en espacios autorizados. Así podrían expresarse libremente y no cometerían vandalismo.

© Quino

B El arte abstracto.
Interpreta este chiste mudo del libro *Ni arte ni parte* de Quino.

a Describe lo que el hombre está viendo.
b Imagina cómo se siente.
c Habla con tu compañero/a y ponte en el papel del señor que mira. Trata de transmitir sus sensaciones y sentimientos.

3 Escucha.

A Agenda cultural. 🎧 16

1 Completa la información.

Museo del Prado. Madrid.

MACBA. Barcelona.

IVAM. Valencia.

- Tapices del Renacimiento. Exposición **(1)** _____ de tapicería flamenca renacentista con temas **(2)** _____.
- Museo **(3)** _____: *Ghirlandaio*, setenta obras de este pintor del Renacimiento italiano. Hasta el **(4)** _____.
- MACBA: exposición de **(5)** _____ de cuarenta artistas que formaron parte de la Galería Konrad Fischer. Hasta el 12 de octubre.
- Fundación Botín: *Los rusos y el cosmos*. **(6)** _____ del siglo xx en los avances científicos y conocimiento del universo.

- **(7)** _____, Malévich, Tattlin y más. Hasta el 19 de septiembre.
- Instituto Valenciano de Arte Moderno (IVAM): Ramón Gaya. A los 100 años del nacimiento de este pintor del exilio español, **(8)** _____ algunas de sus obras que homenajean a grandes artistas como **(9)** _____. Hasta el 5 de septiembre.
- Centro de Arte Contemporáneo (CAC): **(10)** _____ obra de Victoria Civera. Hasta el **(11)** _____ de agosto.

2 Contesta estas preguntas.

a ¿En qué museo se puede ver la exposición *Principio de Potosí*?
b ¿Cuántas obras del maestro inglés Turner se exhiben?
c ¿Qué diseñaba Balenciaga?
d ¿Qué se expone en el Museo del Patrimonio Municipal de Málaga?
e ¿Qué tipo de exposición es la de Santiago de Compostela?

3 Si estás en España. ¿Sabes de alguna exposición más? Añade los datos en un comentario y así completad entre todos la agenda cultural de exposiciones para esta temporada en España.

B Inauguración de una galería. 🎧 17

1 Escucha el diálogo y resume lo que se dice en él.
2 Ve a la sección de las transcripciones y léelo en voz baja. Después entre un chico y una chica leedlo en voz alta poniendo especial atención en la entonación.

Un paso más

1 En este diálogo han aparecido varios indefinidos. Apúntalos o subráyalos en la transcripción. Luego mira el cuadro para comprobar cuántos has reconocido.

> INDEFINIDOS (adjetivos y pronombres)
> algún/a/os/as • ningún/a • tanto/a/os/as
> cualquier/a • todo/a/os/as • otro/a/os/as
> mucho/a/os/as • poco/a/os/as • varios/as
> bastante/s • cada • alguien • nadie • algo
> nada

2 Completa con los indefinidos apropiados.

a ● ¿Sabes que se han reunido _____ expertos en derecho para debatir la legalización de las drogas?

  ▼ Sí, leí _____ en el periódico de ayer, pero lo vi de pasada.

b ● Oye, ¿podrías prestarme _____ revista de decoración?

  ▼ Lo siento, no tengo _____.

c ● ¿Tienes _____ plan de pensiones o de jubilación? Tal y como están las cosas...

  ▼ Pues la verdad es que no tengo _____. Pero voy a pensar en ello.

d ● ¿Sabes si Elena está saliendo últimamente con _____?

  ▼ No sé, pero la verdad es que he notado que últimamente se arregla _____.

e ● Iker, ¿sabes _____ del negocio de Antonio?

  ▼ No sé _____. ¿Por qué no lo llamamos y quedamos?

f ● Miguel me prometió arreglarlo _____ y no cumplió con su palabra.

  ▼ Ya lo conoces. Siempre anda prometiendo cosas y luego no hace _____.

3 Expresiones de tiempo. ¿Recuerdas las expresiones de tiempo? Te recordamos algunas.

Cuando queremos relacionar dos acciones del pasado, usamos:

● Empezó la escultura y *once meses* **después** la terminó.

● Empezó la escultura y **después de** *once meses* la terminó.

● Empezó la escultura y *once meses* **más tarde** la terminó.

● Empezó la escultura y **al cabo de** *once meses* la terminó.

● Empezó la escultura *y* **a los** *once meses* la terminó.

Ahora completa.

a Llegué a esta ciudad sin conocer a nadie y sin tener trabajo y _____ **tres meses** ya tenía varios amigos. O eso creía yo. Todos me trataban con simpatía, pero unos meses _____ me di cuenta de que algunos se habían acercado a mí por otras razones.

b Llegué a Málaga en septiembre y **tres meses** _____ encontré trabajo.

c Se conocieron en una fiesta y _____ **unos meses** montaron un negocio.

d Llegó a la oficina y _____ **unas semanas** lo había cambiado todo.

4 Interjecciones y exclamaciones. En el diálogo aparecen las siguientes:

A ¡Anda!

> ● *Cuéntame algo, **anda**, que hace días que no nos vemos.*

¿Qué crees que significa *anda* en este contexto?

a Sorpresa.

b Ánimo para hacer algo.

c Invitación a caminar.

B ¡Ah!

Se usa con diferentes funciones. Además, puede combinarse con otras palabras que refuerzan el significado.

Teniendo en cuenta el contexto, une los diálogos 1 - 4 con el significado a - d que, en tu opinión, tiene *¡ah!* en cada uno.

1 ● ¿No tenías que llamar al fontanero?   ▼ **¡Ah, sí!**, se me había olvidado.
2 ● Vamos a darnos un baño, que el agua debe de estar buenísima.   ▼ Sí, vamos. **¡Aaaah!** ¡Qué rica!
3 ● **¡Ah!** Eres tú, entra.   ▼ Vaya recibimiento. Si te molesto, me voy.
4 ● El asesino puede ser alguien de la familia, ¿no?   ▼ **¡Ah, claro!** No había pensado en esa posibilidad.

☐ a Sorpresa (positiva o negativa).

☐ b Comprensión, aceptación de lo oído.

☐ c Sensación de placer.

☐ d Expresión de recuerdo.

C ¡Jo!

Es coloquial y eufemística, propia del lenguaje juvenil.

¿Qué expresa en este contexto?

● *¡Jo! No es por nada pero vamos a dejar este tema...*

a Extrañeza.　　　c Admiración

b Sorpresa　　　　d Disgusto

D ¡Venga!

Se usa para animar a alguien, para meterle prisa o, en España, en las despedidas.

¿Cuál de esas funciones tiene en el diálogo?

▼ Sí, **venga**, sí, que me apetece mucho. ¿Dónde quedamos?

● En tu portal a las ocho.

▼ Pues, **venga**, a las ocho, chao, nos vemos.

E Completa usándolas todas de acuerdo con el sentido.

a ● Hola Juana, ¿todo bien? Te he dejado todos los informes en la mesa del despacho, ¡_____!, por cierto, te ha llamado la pesada de Irene, que la llames sin falta.

▼ ¡_____! Quedé en llamarla y se me había olvidado.

b ● Juan, lo siento, pero voy a tener que dejarte porque tengo prisa. ¡_____! Nos vemos. Un beso.

▼ ¡_____! Tía, siempre estás corriendo.

c ● ¡_____! ¡Qué comida tan buena! ¡Eres una artista!

▼ Y tú muy amable, ¡_____! Toma un poco más.

d ● Mira quién va por allí.

▼ No veo bien... ¡_____! Es el profe de natación. Vamos a saludarlo.

4 Lee.

1 Antes de leer.

Haced una lluvia de ideas de las palabras y expresiones que esperáis encontrar en el texto.

2 Durante la lectura.

Comprobad cuántas han aparecido.

3 Después de leer.

a Elaborad un glosario personal relacionado con becas y arte.

b Concurso. Contesta a las siguientes preguntas. Gana el/la estudiante que conteste a más preguntas correctamente en el menor tiempo.

1 ¿En qué tipo(s) de beca se da mayor cantidad de dinero a las personas que tienen que cambiar de país?

2 ¿Cuál es la beca que cubre menos días?

3 ¿Qué beca(s) ayuda(n) a todo tipo de artistas?

4 ¿Cuál es la beca que otorga una cantidad mayor de dinero?

5 ¿Qué beca(s) puede(n) solicitar los mayores de 39 años?

6 ¿Qué beca(s) va(n) dirigidas a la creación literaria?

7 ¿Dónde está el Instituto Rural de Arte Hoz de Júcar?

8 ¿Cuál es la institución que preselecciona tres candidatos y al final solo otorga una beca?

9 ¿En qué beca(s) se habla específicamente de investigación?

10 ¿Qué beca(s) se puede(n) solicitar a lo largo del año?

Becas de formación para artistas.

Estas ayudas buscan favorecer la movilidad de los jóvenes artistas para permitirles que conozcan nuevas perspectivas.

Pintores, escultores, escritores, músicos... Creadores artísticos de múltiples categorías tienen la oportunidad de ampliar sus conocimientos teóricos y prácticos en escuelas y centros de formación de reconocido prestigio en todo el mundo. Esto es posible gracias a los diferentes programas de becas, nacionales e internacionales, dirigidos a este colectivo con el fin de fomentar el diálogo intercultural en las disciplinas artísticas.

Becas para artistas de la UNESCO: desde 1994, la UNESCO ofrece a jóvenes artistas, de entre 25 y 35 años, de todo el mundo nuevas experiencias que les ayuden a completar su formación en países de los que no son originarios a través de las becas UNESCO-Aschberg. Este programa proporciona cada año cerca de 60 becas que incluyen un periodo de residencia, de un mínimo de un mes de duración y un máximo de tres meses, en algunas de las instituciones que colaboran con el programa. Música, artes visuales y creación literaria son las disciplinas artísticas para las que se conceden estas becas; para solicitarlas, los candidatos deben dirigirse en primer lugar a la institución en la que estén interesados, teniendo en cuenta que cada una establece unos requisitos particulares; esta realizará una preselección de tres candidatos, entre los que finalmente el comité responsable en la UNESCO seleccionará al beneficiario.

Becas III Mileno para artistas y creativos: concedidas por la Corporación III Milenio, una entidad sin ánimo de lucro con sede en Estados Unidos; estas becas tienen el objetivo de ayudar a desarrollar sus proyectos creativos a todo tipo de artistas, emergentes, estudiantes, noveles o profesionales, de cualquier nacionalidad. Cada año se ofrecen de 150 a 200 becas para disfrutar de un periodo de residencia de entre 15 y 180 días en el Instituto Rural de Arte Hoz de Júcar en Albacete, España. Estas becas, que tienen una dotación de entre 1000 y 6000 euros en función del proyecto presentado, la duración de la estancia o el número de personas que participen, se pueden solicitar a lo largo de todo el año, ya que la asignación se realiza al final de cada trimestre natural, entre las solicitudes recibidas.

Becas de Artes Plásticas Marcelino Botín: la Fundación Marcelino Botín ofrece cada año una serie de becas para formación, investigación y realización de proyectos personales en el ámbito de la creación artística para artistas de entre 23 y 40 años de cualquier nacionalidad. El tiempo de disfrute de la beca es de 9 meses y está dotada de una asignación económica de 16 000 euros, en el caso de que el artista no cambie de residencia, 24 000 euros si se traslada a otro país y 28 000 si el traslado es a Estados Unidos; asimismo, la beca cubrirá los gastos de matrícula en el centro de formación elegido. Generalmente estas becas se convocan en febrero y los interesados tienen de límite hasta mayo para poder solicitarlas.

Becas de Artes Plásticas de la CAM: artistas españoles, o residentes en nuestro país, de las disciplinas de pintura, escultura, dibujo, fotografía, vídeo o técnicas digitales tienen de plazo hasta el 5 de diciembre para solicitar alguna de las seis becas destinadas a proyectos de investigación artísticos que otorga la Obra Social de la Caja de Ahorros del Mediterráneo. Estas becas tienen una duración de 12 meses y están dotadas con 14 000 euros si la concesión no implica cambio de residencia y con 24 000 si se produce traslado a otro país.

La única condición para poder solicitar esta beca es tener entre 23 y 40 años en la fecha de envío de la solicitud.

(Adaptado de: *http://www.consumer.es/web/es/educacion/cultura-y-ciencia/2008/11/16/181456.php*)

5 Escribe.

A Has leído el texto anterior y has visto que no es necesario ser español/a para solicitar estas becas. Has decidido rellenar la solicitud. Si tienes algún problema, pide ayuda a tu profesor/a.

FORMULARIO DE SOLICITUD
PARA CREADORES Y ARTISTAS

Obligatorio rellenar TODOS los campos con mayúscula o a máquina

DATOS DEL SOLICITANTE

APELLIDOS _____

NOMBRE _____

NACIONALIDAD _____

FECHA Y LUGAR DE NACIMIENTO _____

DOMICILIO ACTUAL _____

CIUDAD _____ **CÓDIGO POSTAL** _____

PAÍS _____

TELÉFONO _____ **DNI / PASAPORTE** _____

EXPEDIDO EN _____ **FECHA** _____

CORREO ELECTRÓNICO _____

DATOS ACADÉMICOS

LICENCIADO / TITULADO EN _____ **FECHA** _____

POR LA UNIVERSIDAD DE / CENTRO _____

¿DISFRUTA DE ALGÚN TIPO DE BECA? NO ☐ SÍ ☐

    NOMBRE DE LA BECA _____

    ORGANISMO _____

    FECHA DE CONCESIÓN _____

    DURACIÓN _____

    OBJETO _____

    DOTACIÓN _____

TRABAJOS DE CREACIÓN _____

_____

_____

_____

ÁREA EN QUE SE INSCRIBE (ARTES PLÁSTICAS, DANZA, MÚSICA, NARRATIVA, POESÍA, TEATRO, ETCÉTERA) _____

TRABAJOS DE CREACIÓN _____

_____

_____

_____

CREADOR QUE LE AVALA _____

CENTRO _____

DIRECCIÓN POSTAL _____

OBSERVACIONES QUE SE QUIERAN HACER CONSTAR _____

_____

_____

_____

B **Has visitado Toledo con un grupo de amigos. Te ha impresionado. Te ha parecido una ciudad maravillosa. Escribe una postal o un correo electrónico a tu amiga Marta contándole todo lo que has visto.**

Entra en esta dirección para obtener información: *http://www.toledotur.com/*

La publicidad o el poder de la convicción

Al terminar esta unidad, serás capaz de...

- Hablar, comprender y escribir sobre la publicidad y su influencia en el consumidor.
- Leer y hablar sobre consumismo.
- Analizar y crear anuncios.
- Comentar campañas gubernamentales contra las drogas.
- Ampliar conocimientos pragmáticos para ofrecer y rechazar; contradecir amablemente a tu interlocutor y para no expresar quién realiza la acción.
- Comprender y emplear expresiones del lenguaje coloquial.
- Usar los diferentes tipos de pasivas: con *se* + verbo; con *ser* + participio; con *estar* + participio.
- Expresar involuntariedad.

1. Pretexto

1

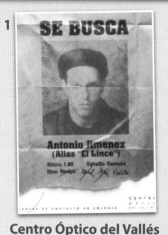

Centro Óptico del Vallés

2

Mitsubishi Galant

3

Loewe

4

Mercedes

5

Rockstar: Nuestros juegos *no están diseñados* para los más jóvenes. Si eres padre y compras uno de nuestros juegos para tu hijo, eres un padre terrible.

6

La maravillosa Alhambra *fue construida* hace más de 600 años y aún maravilla.
VEN A GRANADA (ESPAÑA) A VISITARLA

---

1 **Escucha, lee y comenta.** 18

a ¿Cuál de los anuncios te parece más original?

b ¿Con qué asocias el texto del primer anuncio? ¿Por qué crees que se ha utilizado esa conocida frase?

c ¿Qué significa *aprender a golpes*? ¿Qué relación tiene con el anuncio?

d ¿Qué entiendes por *ser un padre terrible*? ¿Por qué crees que se afirma: «Nuestros juegos no están diseñados para los más jóvenes»? ¿Qué te sugiere la imagen de este anuncio?

e Describe lo que ves en el sexto anuncio.

c En el segundo anuncio leemos *qué canal se ve* y en el tercero *este regalo se hace*, ¿piensas que se trata de la misma estructura en ambos anuncios?

d ¿Te parece que hay alguna diferencia en relación con los anuncios primero y cuarto? ¿En cuál de los cuatro primeros anuncios aparece el sujeto gramatical?

e En el quinto anuncio, ¿qué crees que predomina, la acción o el resultado (presente) de una acción pasada? ¿Y en el sexto, ¿se hace énfasis en la acción o en el resultado? Si tienes dudas, enseguida van a quedar aclaradas.

2 **Y ahora, reflexiona.**

a En los cuatro primeros anuncios hay un pronombre que se repite, ¿cuál es?

b En el primer anuncio: ¿quién busca a Antonio Jiménez?, y en el cuarto anuncio: ¿quién aprende a base de golpes? ¿Recuerdas lo que aprendiste en relación con esta construcción?

3 **En parejas o grupos de tres, llevad a clase anuncios en los que aparezcan las mismas estructuras y estudiadlos como hemos hecho aquí.**

2. Contenidos gramaticales

1 **La impersonalidad.**
¿Recuerdas lo que aprendiste sobre la impersonalidad?
Lo estudiaste en la unidad 6 de *Nuevo Avance 4*.

A Lee y contesta.

   a *Me han dicho* que van a abrir una discoteca cerca de la playa. / Nos *han invitado* a ir a una fiesta.

   b *Viajando solo, **tienes** más independencia y puedes ver más cosas que si **vas** en grupo, por eso me decidí a hacer el viaje por mi cuenta.*

   c *Antes de entrar, **se llama** a la puerta.*

   d *¿Cuánto **se tarda** de Santander a Madrid?*

En cuál de los ejemplos anteriores:

1 El hablante quiere hacer una oración de tipo general en la que puede estar él mismo incluido.

   _____.

2 El hablante presenta lo que dice como algo impersonal, general, pero al mismo tiempo quiere incluir a la persona con la que está hablando.

   _____.

3 El hablante no conoce al sujeto o no le interesa nombrarlo.

   _____.

B Ahora completa estos ejemplos para comprobar tus aciertos. Hay más de una posibilidad. Justifica tu elección.

1 Cuando (ir) _____ a vivir a otro país, hay muchas dificultades que superar, pero si realmente (gustar) _____ ese sitio, (acabar)_____ adaptándote.

2 En la tele, durante las vacaciones de verano (retirar) _____ algunos programas serios y (poner) _____ otros más relajados.

3 Niño, ¿qué (decir) _____ cuando te dan un regalo?

4 Lo del amor perfecto, sin discusiones y todo eso solo (ver) _____ en las películas.

5 No (poder) _____ decir que (conocer) _____ un país hasta que (visitar) _____ sus mercados.

6 En la publicidad (jugar) _____ con las palabras y (lograr) _____ transmitir mensajes en muy poco tiempo o espacio.

2 **La pasiva refleja.**

A En español utilizamos frecuentemente este tipo de pasiva, que se forma así:

> ● *Se* + verbo en tercera persona del singular + sujeto singular.
>   ● *Para hacer un buen anuncio **se necesita** mucha creatividad.*
>   Verbo en singular   Sujeto en singular
>
> ● *Se* + verbo en tercera persona del plural + sujeto plural.
>   ● *Para hacer un buen anuncio **se necesitan** ideas muy creativas.*
>   Verbo en plural   Sujeto en plural

B También usamos esta estructura para no expresar quién realiza la acción.

La **diferencia** con las oraciones impersonales, que ya conoces, es que en las oraciones de pasiva refleja hay un sujeto gramatical (*mucha creatividad* e *ideas muy creativas*) y en las impersonales, no.

Impersonal: *Aquí **se vive** muy bien.*
*En hacer un buen anuncio **se tarda** mucho.*

Pasiva refleja: *Los anuncios **se hacen** pensando en los destinatarios.*

La semejanza es que ambas sirven para no expresar quién realiza la acción. Para comprobarlo, preguntamos: *¿Quién vive bien aquí? ¿Quién tarda mucho? ¿Quién hace los anuncios?* La respuesta es siempre la misma: No se sabe porque no se expresa.

3 La involuntariedad.

A Estructura.

$$Se + \begin{pmatrix} \text{OI} \\ \text{me} \\ \text{te} \\ \text{le} \\ \text{os} \\ \text{les} \end{pmatrix} + \left\{ \begin{array}{l} \text{verbo en tercera persona de singular + sujeto gramatical en singular} \\ \text{verbo en tercera persona de plural + sujeto gramatical en plural} \end{array} \right\}$$

El pronombre de **OI**, cuando aparece, expresa la persona relacionada con la acción.
* ***Se les olvidaron*** *las llaves.* (Ellos olvidaron las llaves, pero lo presento como si la culpa fuera de ellas).
* ***Se me cierran*** *los ojos aunque intento mantenerlos abiertos.* (Mis ojos).

B Usos.

* Para expresar que las cosas ocurren sin la intervención de una persona. En este caso no aparece el OI.
  El sujeto puede ser singular o plural concordado con el verbo.
  * *Había mucho viento y* <u>*las ventanas*</u> ***se cerraron***. (Solas).
    Sujeto en plural Verbo en plural
  * ***Se ha quemado*** <u>la comida</u>.
    Verbo en singular   Sujeto en singular

* Cuando queremos decir que ha ocurrido algo en lo que participamos, pero no hay voluntad de que ocurra. En este caso sí aparece el OI.
  * *Estaba hablando por* <u>*el móvil*</u> ***y se me cayó y se rompió***.
    Sujeto en singular   Verbo en singular
  De este modo el móvil es el «culpable», yo no he hecho nada.

4 Otras pasivas.

A *Ser* + participio (pasiva de acción).

Estructura: Sujeto paciente + *ser* + participio concordado con el sujeto + (complemento agente).

Activa: <u>*El jurado*</u> (sujeto/agente) <u>*premió*</u> (verbo activo) <u>*los anuncios más originales*</u> (objeto directo).

Pasiva: <u>*Los anuncios más originales*</u> (sujeto paciente) <u>*fueron premiados*</u> (verbo pasivo) <u>*por el jurado*</u> (complemento agente).

¿Por qué se usa?
* Porque estamos más interesados en el objeto (convertido en sujeto pasivo) o en el verbo mismo (la acción) que en quién realiza la acción (el agente).
  * *Los acusados* ***fueron condenados*** *a la pena máxima por un jurado popular.*

* Porque desconocemos el complemento agente, o porque no queremos mencionarlo.
  * *Esta campaña publicitaria* ***ha sido creada*** *en tiempo récord.*
  * *Este tipo de examen* ***es corregido*** *de manera automática.*

Esta construcción se usa poco en la lengua hablada. Aparece sobre todo en el lenguaje periodístico, en la literatura y en los libros de Arte e Historia.

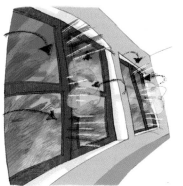

B *Estar* + participio (pasiva de resultado).

Estructura: Sujeto paciente + *estar* + participio concordado con el sujeto.
El agente no suele expresarse en las construcciones pasivas con *estar*.

¿Por qué se usa?
* Porque queremos expresar el resultado de una acción anterior.
  * *Los exámenes* ***están corregidos*** (resultado), porque la profesora los *ha corregido ya,* (acción anterior).
  * *Cuando llegamos, las puertas* ***estaban cerradas*** (resultado, porque alguien las *había cerrado,* acción anterior).

3. Practicamos los contenidos gramaticales

1 **Primero, completa usando una de las formas que conoces para no expresar el sujeto (la tercera persona de plural; la segunda persona de singular; la forma impersonal o la pasiva refleja). Después contesta.**

1 ¡Madre mía! Ayer me acosté a las seis de la madrugada. Ya sabes lo que pasa: (empezar) *empiezas* a hablar con los amigos, (tomar) _____ unas copas, después (ir) _____ a bailar, (mirar) _____ el reloj, y ya son las cinco.
Tú: Me parece normal, a mí _____
_____.

2 (Descubrir) _____ nuevos enterramientos en *Atapuerca*.
Tú: Es impresionante todo lo que _____
_____.

3 Ayer leí que en España (beber) _____ más cerveza que vino.
Tú: Es que cuando hace calor, _____
_____.

4 ¡Fíjate *qué faena*! Me (robar) _____ la moto.
Tú: ¿Y has ido _____
_____?
No, todavía no.

5 Oiga, por favor, ¿(poder) _____ lavar este pantalón en la lavadora?
Tú: No, tiene que _____
_____.

6 ¿Te has enterado de que a Víctor le (dar) _____ una beca de investigación?
Tú: No, no lo sabía, pero no me extraña nada, es que Víctor _____.

7 ¿Cuándo (operar) _____ a Juan?
Tú: Todavía no _____
_____.

> **Para aclarar las cosas:**
> *Atapuerca:* es el yacimiento de restos humanos más antiguo hallado en Europa. Se encuentra en la provincia de Burgos (España).
>
> *¡Qué faena!:* ¡qué mala suerte!

2 **En este caso, tienes que añadir el pronombre o pronombres (_____) o el sustantivo (............) adecuados. Luego escribe en cuáles se expresa involuntariedad, cuáles son impersonales y cuáles son pasivas reflejas.**

- ● *Mi tía me contó que, una vez, a su marido (__se le__) disparó una (**pistola**).*
→ *Expresa involuntariedad.*
▼ *¿Y qué ocurrió?*
● *Afortunadamente, nada.*

1 ● A Pedro (_____) han perdido las llaves.
  → Expresa _____.
  ▼ ¡Qué mala (..................) tiene ese chico!

2 ● Dicen que si (_____) pones una caracola en el oído, (_____) oye (..................).
  → Expresa _____.
  ▼ Pues yo lo he intentado muchas veces y nunca he conseguido oírlo.

3 ● Ya deben de ser las ocho porque (_____) nota que hay poca luz.
  → Expresa _____.
  ▼ ¡Qué ganas tengo de ver (..................) y (..................)!

4 ● (_____) comentan muchas (..................) sobre la quiebra del negocio de sus suegros, pero no sé si son verdad o no.
  → Expresa _____.
  ▼ A mí me gustaría saberlo, pero no me atrevo a preguntárselo. Me parece un asunto muy delicado.

5 ● En esta tienda (_____) hacen (..................) a medida.
  → Expresa _____.
  ▼ ¿Y son muy caras?
  ● Solo un poco más que las normales.

6 ● Desde la torre (_____) ve casi toda la (..................).
  → Expresa _____.
  ▼ ¿Por qué no subimos?
  ● Sí, venga, vamos.

7 ● Desde mi nuevo piso (_____) oyen (..................) de la catedral.
  → Expresa _____.
  ▼ ¡Qué bonito!, ¿no?
  ● Bueno, no sé qué decirte: al principio sí, pero cada día que pasa me gusta menos oírlas.

3 **A** Transforma en pasivas con *ser* + participio o con *estar* + participio las siguientes construcciones activas.

1 En nuestra empresa **tratamos sus productos** como si fueran únicos.

*En nuestra empresa sus productos **son tratados** como si fueran únicos.*

2 Mira, esta vez sí **han hecho los anuncios** con criterios éticos.

_____.

3 Entre los papeles de mi abuela he encontrado anuncios muy interesantes: **los crearon** durante la Segunda Guerra Mundial.

_____.

4 ¿Qué opinan ustedes de que **las marcas más famosas usen a las mujeres y a los niños** como objetos publicitarios?

_____.

5 Con frecuencia **criticamos la publicidad** porque, a veces, es engañosa.

_____.

B **En parejas. Os damos una serie de afirmaciones; transformadlas adecuadamente y escribidlas en la columna correspondiente.**

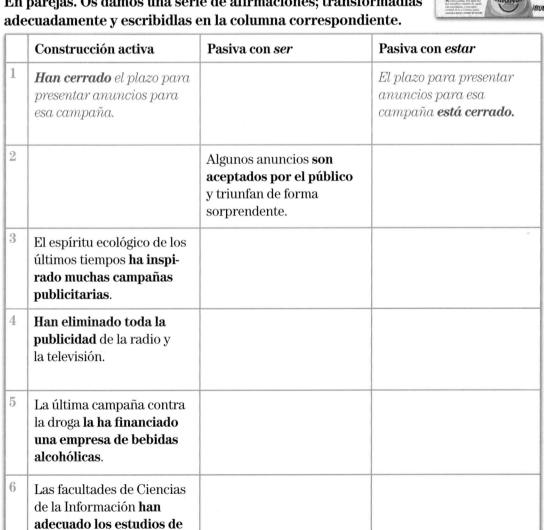

	Construcción activa	Pasiva con *ser*	Pasiva con *estar*
1	***Han cerrado*** *el plazo para presentar anuncios para esa campaña.*		*El plazo para presentar anuncios para esa campaña **está cerrado.***
2		Algunos anuncios **son aceptados por el público** y triunfan de forma sorprendente.	
3	El espíritu ecológico de los últimos tiempos **ha inspirado muchas campañas publicitarias**.		
4	**Han eliminado toda la publicidad** de la radio y la televisión.		
5	La última campaña contra la droga **la ha financiado una empresa de bebidas alcohólicas**.		
6	Las facultades de Ciencias de la Información **han adecuado los estudios de publicidad** a los tiempos actuales.		

C Comentad las afirmaciones que os hayan llamado la atención.

4 **A** La culpa no es mía, es de las cosas.
Reacciona expresando involuntariedad.

1 ● Luis, ¿te aburres?
  ▼ Perdona, yo no quiero dormirme, de verdad, todo es muy interesante pero es que hoy he tenido un día muy duro y **(los ojos, cerrar)** → *se me cierran los ojos.*
2 ● Mira, Pablo no puede seguir el ritmo de los demás.
  ▼ A lo mejor está muy débil y por eso **(las rodillas, doblar)** → _____ .
3 ● ¿Dónde están los deberes, Guille?
  ▼ Seño, lo siento, tuve que borrar unas líneas y **(la página, romper)** → _____ .

4 ● ¿Y tu creatividad? Este trabajo no es nada original.
  ▼ ¿Quieres que te diga la verdad? Es que **(las ideas, perder)** → _____ y no las encuentro.
5 ● Pepe, tío, reacciona, que estamos aquí nosotros, tus amigos.
  ▼ Déjalo, hombre, es que cuando ve a su chica **(la baba, caer)** → _____ .

B Aquí pasan cosas raras.
En grupos de tres imaginad un lugar en el que *se hacen cosas raras*. A ver qué equipo tiene las mejores ideas. Tenéis que usar los recursos que habéis aprendido.

*En este sitio las bebidas **se meten** en la lavadora para que **se enfríen y no se paga** con dinero, sino con piedras de la playa.*

5 Recuerda lo que has leído. Reflexiona y contesta.

1 *En casa tus hijos deciden **qué canal se ve** y tu suegra dónde se veranea. Al menos, cuando conduzcas, controla tú la situación.*

  A Señala todos los sujetos que aparecen en este anuncio: los de persona (tres) y el de cosa (uno).
  _____
  _____ .

  B Observa la oración en negrita y piensa en lo que has estudiado; ¿qué tipo de estructura crees que es?, ¿por qué crees que la usa el anuncio? (Vuelve a leer el apartado correspondiente de los *Contenidos gramaticales* para asegurarte)
  _____
  _____ .

  C Fíjate en la oración subrayada. ¿Por qué crees que aparece el pronombre sujeto *tú*?
  a Para evitar la ambigüedad.
  b Para contrastar con los sujetos de las otras oraciones y dar énfasis.

Ahora usa el pronombre sujeto donde te parezca imprescindible.
1 ● _____ sueño con las vacaciones a todas horas.
  ▼ Pues _____ las odio, en agosto hace mucho calor y hay mucha gente en todas partes.
2 ● A nosotros nos gustaría ir a hacer senderismo. ¿Qué opinas _____?
  ▼ Si _____ queréis ir, adelante. _____, esta vez, me quedaré en casa porque _____ tengo que estudiar para los exámenes de septiembre.
3 ● Hay mucho que hacer.
  ▼ Sí, pero si nos organizamos, será más fácil: _____ preparan las ensaladas y las bebidas y _____ me ocupo de la barbacoa.

D Lee con atención: ***Al menos,*** *cuando conduzcas, controla tú la situación.*
¿Qué crees que significa *al menos*?
a Que la persona va a conducir poco.
b Que es la única situación que puede controlar.

Úsala para afianzarla en las frases necesarias.
1 No me dejas llegar a casa tarde; no me dejas conducir tu coche, _____ respeta mi habitación y no entres cuando no estoy.

2 No hace falta tanto dinero para organizar un botellón. _____ de 25 euros por persona lo montamos.

3 No sé si vendrá todo el mundo a la clase de baile, _____ nosotros sí que iremos.

4 No me lo cuentes todo ahora, pero _____ dime quiénes participaron. Luego ya me das más detalles.

5 Aquí me faltan muchas cosas, pero lo que más echo _____ es el bosque que hay al lado de mi casa.

2 • *En la vida se aprende a base de* **golpes**.
• *Este regalo solo se hace* **queriendo**.

A En el *Pretexto* has reflexionado sobre *aprender a golpes*, ¿qué otras cosas se pueden hacer *a golpes*? ¿Qué crees que quiere transmitir el anunciante con esta expresión?

B ¿Qué matiz crees que tiene *queriendo* en el tercer anuncio del *Pretexto*: condicional, modal, causal, etc.?

_____
_____ .

C En este mismo enunciado, ¿qué sentido tiene el verbo *querer*: *amar* o *desear*? Para descubrirlo, puedes sustituir el gerundio por una oración equivalente: *Este regalo se hace* _____ / *este regalo se hace* _____ . Piensa que, en publicidad, los publicistas juegan con el doble sentido de las palabras o expresiones.

D ¿Qué valor crees que tiene el gerundio: modal o condicional? Para descubrirlo lee los ejemplos.
• *No te ha salido bien la tarta porque la has hecho* **deprisa y corriendo**.

¿Cómo la has hecho? *Deprisa y corriendo*; por lo tanto el valor es _____ .

• **Estudiando** *tan poco no aprobarás*.
• **Si estudias** *tan poco, no aprobarás*.

Por lo tanto el sentido es _____ . Y ahora, completa con los elementos del recuadro y di si con ellos se expresa modo o condición.

> practicando mucho • sin pensar • nadando
> hablando • con cuidado

1 _____ media hora todos los días, te pondrás en forma.

2 Hazlo _____ y te saldrá bien.

3 Habla _____ y por eso se equivoca tanto.

4 Se aprende a manejar cualquier aparato _____ .

5 A hablar un idioma extranjero se aprende _____ .

3 *¡Qué mala cabeza tiene ese chico!*

A ¿Qué crees que significa esta expresión?
a Que la persona es muy despistada.
b Que la persona no es muy inteligente.

B En español hay otras expresiones en las que aparecen distintas partes del cuerpo. Lee y deduce el sentido a través del contexto.

a *Me traen de cabeza* los papeles que tengo que presentar para abrir el restaurante; siempre falta algo y tengo que volver a las oficinas del Ayuntamiento...

_____
_____ .

b Me he presentado al examen teórico del permiso de conducir y algunas preguntas *no tienen ni pies ni cabeza*.

_____
_____ .

c Si te toca a ti ir a hablar con el jefe de Recursos Humanos, *ve con pies de plomo*, es muy susceptible, se toma las críticas de manera personal.

_____
_____ .

d ¿Por qué les gustará tanto *meter la nariz* en los asuntos de los demás? Alguien debería decirles que la metan en los suyos, ¿no?

_____
_____ .

e Le pedí a Laura que *me echara una mano* con el trabajo de Informática y casi me lo hizo entero. ¡Es más maja...!

_____
_____ .

4 • Bueno, **no sé qué decirte**: *al principio sí, pero cada día que pasa me gusta menos oírlas.*

• **¿Quieres que te diga la verdad?** *Es que se me han perdido las ideas.*

A Las expresiones subrayadas tienen intenciones comunicativas diferentes. Elige entre estas que te damos las que se adecuen al sentido de los diálogos.

a Expresa ignorancia.

b Hace una pregunta para saber algo que desconoce.

c Introduce un comentario sorprendente, humorístico.

d Quiere contradecir a su interlocutor de forma amable.

5 ● *Pepe, tío, reacciona, que estamos aquí nosotros, tus amigos.*

▼ *Déjalo, hombre, es que cuando ve a su chica* **se le cae la baba**.

A Imaginad la situación y describid cómo se comporta Pepe.

¿Qué le reprochan esos amigos?

¿En qué otras situaciones puede *caérsele la baba a alguien*?

_____

_____.

¿Cómo se expresaría esta misma idea en tu idioma?

_____

_____.

4. De todo un poco

1 Interactúa.

A **Campaña gubernamental.**

a En parejas. Leed este anuncio, primero en voz baja, y después en voz alta y de forma dialogada. La persona que ofrece debe ser sugerente y debe intentar convencer a la otra persona. Su entonación debe cambiar y debe poner mucho énfasis en algunas de las frases. El que dice NO debe ir variando la intensidad de su «no», a lo largo del diálogo.

b Explica el significado de estas palabras y expresiones:

1 Tío: _____

_____.

2 Vas a alucinar: _____

_____.

3 No te cortes: _____

_____.

4 No seas gallina: _____

_____.

¿Crees que estas expresiones son solo típicas del lenguaje juvenil?

Tengo algo para ti. **NO.** *Venga, hombre.* **NO.** *Prueba un poco.* **NO.** *Te gustará.* **NO.** *Vamos, tío.* **NO.** *¿Por qué?* **NO.** *Vas a alucinar.* **NO.** *No te cortes.* **NO.** *¿Tienes miedo?* **NO.** *No seas gallina.* **NO.** *Solo una vez.* **NO.** *Te sentará bien.* **NO.** *Venga, vamos.* **NO.** *Tienes que probar.* **NO.** *Hazlo ahora.* **NO.** *No pasa nada.* **NO.** *Si lo estás deseando.* **NO.** *Dí que sí.* **NO.**

EN EL TEMA DE LA DROGA TÚ TIENES LA ÚLTIMA PALABRA.

FUNDACIÓN DE AYUDA
CONTRA LA DROGADICCIÓN

c Da tu opinión sobre esta campaña gubernamental contra las drogas.

Di si estás de acuerdo con lo de: *En el tema de la droga tú tienes la última palabra.*

B Encuesta sobre la influencia de la publicidad. En parejas, haceos esta encuesta el uno al otro.

1 Di tres productos que te gustaría comprar hoy.

2 ¿Cómo te influye la música de un anuncio? ¿Te ayuda a recordar el producto? ¿Te anima a comprarlo? ¿Puedes poner un ejemplo?

3 Para comprar estos productos... ¿Qué criterios tendrías en cuenta? ¿Alguno de estos? ¿Todos ellos? Ponlos por orden de importancia.

☐ Precio
☐ Calidad
☐ Marca
☐ Necesidad
☐ Deseo

4 ¿Qué influye más en ti para comprar esos productos?

☐ Publicidad vista en la televisión
☐ Publicidad oída en la radio
☐ Publicidad impresa
☐ Presentación del producto
☐ Recomendación de otras personas
☐ Interés personal

5 ¿Cuáles de estos tipos de anuncios crees que te influyen más?

Los que sugieren:
☐ Bienestar, euforia, belleza, felicidad
☐ Éxito, poder, riqueza, fama
☐ Aventura, nuevas experiencias
☐ Agresividad

Los que incluyen imágenes de:
☐ Familia, compañía, amistad, integración social
☐ Amor, erotismo
☐ Diversión, ocio

2 Habla.

A Elige uno de estos dos temas. Tienes unos minutos para prepararte y, cuando ya estés listo, exponlo durante tres minutos. Después, tus compañeros/as (y tu profesor/a si así lo desea) te harán preguntas.

• Mi relación de amor odio con la publicidad

Antes de empezar a hablar, lee el texto y realiza el ejercicio número 1.

Por María José Alegre.

Confieso que me gusta mucho la publicidad. Me irrita como a cualquier hijo de vecino, que un amasijo de papeles invada mi buzón, pero siempre sucumbo a la tentación de ojear todos esos folletos comerciales.

Pero no toda la publicidad me resulta igual de atractiva. La hay invasora, la hay que se disfraza de información y, sobre todo, está aquella que promociona bienes y servicios sensibles ante los que se impone una vigilancia especial. Y no se trata solo de las medicinas, sino también de los contratos bancarios, las inmobiliarias e, incluso, las agencias de viaje.

Desde hace relativamente poco tiempo está permitida en nuestro país la publicidad comparativa. Las comparaciones tienen que estar basadas en datos objetivos, y ser posibles de verificar.

La ley nos protege, en particular, de la publicidad engañosa. Se entiende por este concepto cualquier modalidad de información o comunicación contenida en mensajes que sea entera o parcialmente falsa, o, de cualquier otro modo, que sea capaz de inducir a error al consumidor respecto a la naturaleza, cantidad, origen y precio de los productos y servicios.

Desde el momento en que se supone que la publicidad tiene que ser totalmente veraz, el proveedor adquiere ciertos compromisos respecto al cliente, que no son los mismos en todos los casos. Por eso encontramos en numerosos folletos, situado a pie de página, la observación de que los datos expuestos pueden experimentar variaciones y no tiene carácter contractual. De esta manera, los proveedores se guardan las espaldas ante posibles reclamaciones de los clientes.

1 Busca un sinónimo en el texto de:

a Montón revuelto de: _____ .

b Caer en: _____ .

c Echar una ojeada: _____ .

d Parece que es, pero no lo es: _____ .

e Que no dice la verdad completa: _____ .

f Llevar a una equivocación: _____ .

2 Ahora habla; para ello puede ayudarte contestar a las siguientes preguntas.

a ¿Te ocurre lo mismo que a M.ª José?

b ¿Qué sueles hacer con la publicidad que llega al buzón de tu casa?

c ¿Cómo reaccionas ante la publicidad comparativa?

d ¿Has reclamado alguna vez por recibir publicidad engañosa?

• Los mejores anuncios

a Entra en esta dirección:

http://www.losmejoresanunciostv.es

b Elige los tres vídeos que más te gusten y explica a la clase por qué.

c Describe su contenido.

d Habla de las sensaciones que te transmiten. Piensa en la encuesta que has realizado antes y relaciónala con esta actividad.

e Ahora elige uno que no te haya gustado nada y explica por qué.

B ¿Publicidad en una noche de luna? ¿O hay que reclamar?

a Mira bien la viñeta.

b Describe lo que ves.

c Elige ser uno de los dos personajes y mantén un diálogo con otro/a estudiante.

Ramón. El País 15/6/06

 Escucha.

A Diferentes avisos. ♦)) 19

Tras la audición, contesta a las siguientes preguntas:

a ¿De qué vuelo se trata?

b ¿Dónde empieza la promoción?

c ¿Qué tiene que hacer el Dr. Velasco?

d ¿Qué tipo de tren va a efectuar su salida?

e ¿Quiénes tienen que acudir al salón de recepción?

B Los publicistas y el buen uso del español.

1 Escucha atentamente y contesta con la información que aparece en el texto.

a ¿De qué trata el texto?
b ¿Qué quieren hacer los publicistas españoles?
c ¿Cómo esperan conseguirlo?
d ¿Quiénes se han comprometido con su firma?
e ¿Por qué se mencionan los 'extranjerismos'?
f ¿Qué beneficios se espera obtener con esta iniciativa?

2 Después de escuchar.

a Lee la transcripción si quieres comprobar tus respuestas.
b Comenta en clase lo que opinas de esta iniciativa y de las palabras de Víctor García de la Concha.

C ¿De qué se trata?

1 Vas a escuchar una campaña contra 'algo' en la radio, pero hemos cortado el anuncio para que intentes adivinar contra qué va dirigido el anuncio.

2 Ahora vas a escucharlo completo. ¿Ha coincidido tu respuesta con la del texto? Comenta el anuncio con tu compañero/a.

3 Entra aquí y mira la gran creatividad de las diferentes campañas:
http://www.fad.es/Campanas?id_nodo =3&accion=0&&keyword=&auditoria=F

D Entrevista a un publicista.

1 Te presentamos los datos biográficos de un publicista y una fotografía suya.

Nombre: Sergio del Alcázar
Fecha de nacimiento: 27/06/1980
Lugar de nacimiento: Málaga
Titulación académica: Licenciado en Comunicación Audiovisual
Profesión: Publicista
Web:

2 Ahora escucha atentamente la entrevista que le ha hecho nuestro reportero de Onda Meridional.

3 Después de escuchar di si estas afirmaciones son verdaderas o falsas.

a Sergio es el único fundador de Pixplas Multimedia.	V	F
b Sergio hizo un máster de diseño web.	V	F
c Sergio nunca ha trabajado para otras agencias.	V	F
d Pixplas Multimedia la forman tres socios.	V	F
e Su último trabajo es sobre la contaminación atmosférica de Málaga.	V	F
f El trato con sus clientes es bidireccional.	V	F
g Las redes sociales son una vía de promoción para la empresa.	V	F
h Los proyectos de la empresa van siendo cada vez más ambiciosos.	V	F
i Hay que estudiar a fondo lo que han hecho los publicistas anteriores.	V	F
j Crear una empresa conlleva riesgos.	V	F

4 Al terminar la entrevista, nuestro reportero de Onda Meridional ha pedido a Sergio que responda a este cuestionario y así lo ha hecho.

Una película: *Seven*
Un libro: *¿Sueñan los androides con ovejas eléctricas?* Philip K. Dick
Grupo musical: Pearl Jam
Un color: el blanco
Un animal: oso panda
Una ciudad: Nueva York
Una web: *www.pixplas.com*
Algo que te inspire: levantarme por la mañana junto a mi mujer.
Algo imprescindible: el baloncesto
Algo prescindible: el *emblanco*

Para aclarar las cosas:
El emblanco: es un guiso malagueño de pescado. Para saber la receta, ve a Otras actividades.

5 Para terminar, en parejas, contestad a las preguntas que el reportero de Onda Meridional le hizo a Sergio y, después, poned los resultados en común.

Un paso más

1 Primero vamos a repasar o aprender palabras y expresiones relacionadas con el tema de la unidad. Ve a la transcripción y subraya y apunta en tu cuaderno las que te parezcan imprescindibles.

2 En el texto de la transcripción aparecen los siguientes verbos que llevan la preposición *a*: *Dedicarse a; animar(se) a; adaptar(se) a; empezar a.* Búscalos en la transcripción y después, con tu compañero/a, escribe cuatro diálogos breves para usarlos.

3 *Yo creo que la línea de salida siempre **empieza por aprender** de aquellos que llevan más tiempo en esto.*
Antes hemos visto el verbo *empezar* seguido de la preposición *a.* ¿Recuerdas las perífrasis que expresan el inicio de una acción? Las estudiaste en *Nuevo Avance 4.*
Escríbelas aquí con un ejemplo.

_____
_____
_____ .

Y ahora compara *empezar a* con la parte resaltada en negrita. ¿Qué diferencia crees que hay entre *empezar a aprender* y *empezar por aprender*? Ya sabes que una expresa el principio de una acción, ¿y la otra?

Completa con una preposición u otra.

a ● Hay mucho que hacer y no sé _____ dónde empezar.

▼ Yo creo que debemos empezar _____ tirar todo lo que no sirve; así, luego será más fácil.

▼ De acuerdo, pero con cuidado, que te conozco. Tú empiezas _____ tirar cosas y no paras.

b ● Mi vida empezó _____ cambiar cuando me di cuenta de que no me gustaba lo que hacía.

▼ ¿Y cómo actuaste?

● Empecé _____ contestarme a estas preguntas: ¿Qué sé hacer bien? ¿Qué riesgos quiero correr? ¿De verdad quiero cambiar?

4 *Hay que aprender de aquellos que* **llevan más tiempo en esto**.

Seguimos recordando las perífrasis. ¿Te acuerdas de la perífrasis *llevar* + gerundio?

1 ¿Qué gerundio iría bien detrás de *llevan*?

_____

_____ .

2 Y ahora completa usando las perífrasis *llevar* + gerundio o *empezar a* + infinitivo.

a ● Este verano (ir) _____ a clases de batuka y me encanta.

▼ ¿Batuka? ¿Y eso qué es?

● Un tipo de baile brasileño.

▼ ¿Y (hacer) _____ mucho tiempo?

● Dos meses, pero pienso seguir.

b ● (Pensar, yo) _____ en cambiar de trabajo y, en eso, me ofrecen la gerencia de un hotel.

▼ ¿Y has aceptado?

● Sí, (trabajar) _____ la semana que viene. ¡He tenido una suerte...!

4 **Lee.**

Publicidad y Consumismo.

1 Antes de leer.

a ¿Qué os sugiere la imagen que acompaña al texto?

b A partir del título: Publicidad y Consumismo, haced una lluvia de ideas sobre el contenido del artículo que vais a leer.

c Elaborad un listado de palabras y expresiones relacionadas con el consumismo.

d Comprobad consultando un diccionario o con ayuda del contexto, si conocéis estas palabras: *deteriorar; apetitosa; insertos; incitándonos*.

2 Durante la lectura.

a Subrayad las palabras que coinciden con las que habéis apuntado previamente.

b Subrayad las relacionadas con el consumismo y que no habéis mencionado.

3 Después de leer.

a Comentad el dicho: *El dinero no hace la felicidad*.

b ¿Creéis que la publicidad es *un arma de doble filo*? ¿Qué otras cosas pueden serlo?

c ¿Estáis de acuerdo con todo lo que dice esta reflexión?

Publicidad y Consumismo

Dicen que el dinero no hace la felicidad. Sin embargo, nadie se atreve a discutir que su falta contribuye a deteriorar radicalmente nuestra calidad de vida. Todos, en algún momento, quisimos tener más dinero para poder comprar el auto del año, una casa en un barrio mejor, un trozo de carne más apetitosa o miles de otras cosas. Los chilenos, en general, siempre tenemos la sensación de andar cortos de 'lucas'. Y eso, sin importar a qué clase social pertenezcamos: siempre nos faltará dinero para comprar algo extra e innecesario y nos complicaremos la vida pensando en cómo conseguirlo.

Nuestro problema, como el de otras sociedades hispanas y del mundo, es que estamos irremediablemente insertos en una sociedad de consumo. Todos los días recibimos a través de distintos medios miles de mensajes incitándonos a comprar bienes que ni siquiera necesitamos. De este modo, sin que nos demos cuenta, los medios crean una necesidad de consumo artificial, que nos impide vivir mejor, porque nos llena de angustia por no poder tener 'eso' que está en la televisión, en la radio o en internet.

En esta sociedad de consumo alcanzan el éxito aquellos que tienen la habilidad de hacernos creer que necesitamos lo que ellos ofrecen. Un claro ejemplo de lo que hablo es Bill Gates, que se enriqueció gracias a que fue capaz de convencer a la fábrica de computadoras más grande de su época (IBM) de que necesitaban para funcionar el sistema operativo que él les ofrecía y no otro.

Este personaje es increíblemente rico gracias a que nos tiene a todos convencidos de que sin Windows es imposible manejar una computadora. Yo acá no digo que la publicidad sea mala. Al contrario. Creo que es necesaria; pero es un arma de doble filo, por lo cual debemos empezar a verla más inteligentemente. Lo que digo es que antes de hacer lo que nos dice, debemos pararnos a pensar si realmente necesitamos lo que en ella se nos ofrece.

Ahora bien, si efectivamente hemos decidido comprar algo o contratar un servicio, nuestro deber como consumidores es estar informados. Debemos comparar las alternativas que nos ofrece el mercado y estudiar cuidadosamente las ventajas y desventajas de elegir una oferta u otra. Para esto sí que es útil la publicidad. Esto implica estudiar la mayor cantidad posible de publicidad disponible.

Algunas preguntas que deberíamos hacernos antes de comprar serían:
¿Realmente necesito esto?
¿El precio que me cobran es justo?
¿En qué otros lugares puedo encontrar a menor precio lo que busco?

Si no dispones de tiempo para comparar, puedes recurrir a foros de consumidores como el ComoVivenChile para preguntar por el precio de algún producto.

Escrito por Mr Yin.
(Extraído de: *http://www.datines.com/2008/04/publicidad-y-consumismo/*)

Un paso más

1 **¿Qué diferencia hay entre 'consumidor' y 'consumista'? Puedes consultar un diccionario. Por ejemplo el DRAE:** *http://www.rae.es/rae.html*

2 **En el texto, escrito por una persona chilena, se usa la palabra 'lucas' para referirse a dinero. Se usa en Argentina, Colombia, Uruguay y El Salvador. En grupos de tres, realizad una encuesta, para averiguar de qué otra forma se llama al dinero coloquialmente. Os damos otros ejemplos:** *plata*, *guita*, **etc.**

También se usan las siguientes palabras, diferentes en español de España: *auto, computador, acá,* **¿puedes poner las palabras que se usan en su lugar en español de España?**

3 **En este texto aparecen una serie de adverbios terminados en** *–mente*. **Búscalos, subráyalos y trata de sustituirlos por una palabra o giro equivalente.**
radicalmente → *fundamentalmente / de raíz.*

5 Escribe.

A Lee primero los siguientes comentarios y después, añade uno tuyo.

INICIO	SOBRE NOSOTROS		SUSCRIBE: POST	COMENTARIOS

Viernes 3 de septiembre de 2010

LUNANUEVA	Me gusta la publicidad. Comprendo que la publicidad no le guste a toda la gente. No soy experta en este campo, así que no intentaré explicar los anuncios ni decir si son buenos o no. Hay muchos que me divierten. Espero que opinéis, que me digáis cuáles os gustan. Si no hay ninguno que os guste porque para vosotros la publicidad es horrible, ya sabéis que siempre está bien conocer la opinión de la gente.
ADONIS	Yo que no veo la tele, a veces veo los anuncios en internet, claro, porque algunos son chulísimos, verdaderas obras de arte. Algunas veces hasta se los envío a mis amigos.
BRENDA	La publicidad me gusta. Tengo que decir —y que esto no me lo tome a mal nadie—, que la publicidad hecha en España es un poco aburridilla, la que se hace en México y en Argentina es muchísimo mejor, es graciosa, engancha, es original, atrae, tiene ritmo y se te pega.
MAGO DE OZ	Me encanta la publicidad bien hecha: con buena música, con buena fotografía, con voces buenas… Los anuncios que no son de calidad me parecen HORRIBLES, me aburren y hacen que apague la radio o la televisión. En las revistas dominicales, en general, suelen aparecer unos anuncios realmente buenos, con fotos artísticas y eslóganes ingeniosos.
Tú (con tu nick)	

B Anuncios.

> La empresa PUBLICIDAD92 quiere lanzar al mercado su nuevo producto: un climatizador para mantener el agua de la piscina a 28 grados indepedientemente del tiempo que haga; y ha entrado en contacto con varias agencias publicitarias para que le presenten un proyecto para la campaña de promoción.

> Otra empresa de robótica ha creado un robot que conduce y nunca se cansa.

Formad tres grupos y cread vuestros anuncios:

a Pensad el nombre del producto.

b Sugerid el diseño.

c Cread un anuncio para la prensa. Elegid un dibujo o una foto y un eslogan contundente y directo.

d Elaborad un anuncio para la radio o la televisión. Si queréis, podéis escoger una melodía de fondo. Decidid donde transcurre, si hay un personaje o más. Pensad cuánto tiempo debe durar y en que emisoras de radio o canales de televisión queréis que salga y a qué hora.

Y recordad que para hacer un buen anuncio es necesario que este:

* Contenga una rápida, clara y sencilla interpretación.
* Deje claro para qué sirve el producto o servicio.
* Demuestre las ventajas de lo que se publicita.
* Informe de dónde se puede conseguir.
* Muestre su precio sin engaños ni letra pequeña.

6

Vivir en español

Al terminar esta unidad, serás capaz de...

- Hablar y escribir sobre tus experiencias como estudiante de español.
- Comprender y opinar sobre las vivencias de otras personas relacionadas con vivir en otro país: malentendidos, fiestas o costumbres tradicionales, variedades del español.
- Analizar y elaborar anuncios publicitarios.
- Usar recursos adecuados en reencuentros con personas de habla hispana.
- Comprender y emplear expresiones del lenguaje juvenil (de España) y reconocer palabras y giros propios del español de América.
- Ampliar conocimientos sobre marcadores discursivos textuales.
- Ampliar conocimientos sobre recursos pragmáticos para dejar la decisión al interlocutor, para enfatizar, para pedir acuerdo al interlocutor.
- Reconocer y usar los pronombres relativos.
- Usar las oraciones modales.
- Distinguir entre oraciones de relativo especificativas y explicativas.
- Utilizar el subjuntivo en oraciones de relativo y modales.

1. Pretexto

Francisco: José, ¿eres tú?

José: ¿Fran? Pero, tío, ¿qué haces tú aquí?

Francisco: Ja, Ja. Pues ya ves, que me voy de viaje de trabajo. Estoy haciendo tiempo tomando una cañita y leyendo el Marca*. ¿Cuánto tiempo estarás por aquí? ¡Eh! Esta vez no te vas sin pasar por casa a vernos un rato, que la última vez te escaqueaste* de mala manera.

José: Es verdad, lo siento. Intentaré ir a veros, pero no prometo nada. **Los que** vivimos fuera, andamos siempre «pillaos» de tiempo: la familia, **que** te organiza la vida, los amigos, **que** te organizan fiestas..., en fin...

Francisco: Sí, sí, sí. **Lo que** tú quieras, pero de esta no te salva ni Blas*. No, en serio, o vienes a casa o... bueno, me callo, pero... ¡tú mismo!

José: Vaaaaaale. Bueno, ¿y qué tal Sandra? ¿Y los niños? Héctor estará ya enorme, ¿no? Y qué tal... ¿Fernando se llamaba, no?

Francisco: Pues bien, Sandra está un poco desquiciada, lo de quedarse en casa con los dos tan pequeños la está dejando hecha polvo. Héctor está enorme, no para en todo el día. Está hecho un Gasol*. Y Fernando, pues creciendo, poco a poco, ya tiene un año y medio. Son diferentes. Pero están bien. No nos podemos quejar. ¿Y tu chica? ¿No ha venido?

José: No, qué va. Esta vez se ha quedado en los States por el curro, pero para las Navidades seguramente vendremos, y a ver si ya la conoces. **Los que** están mosqueados son mis padres, **que** me dicen que hace mucho que no vais a Salamanca.

Francisco: Sí, la verdad es que sí. A ver si hago un hueco un finde y vamos a veros. ¿Te hace?

José: Pues claro que me hace. Te tomo la palabra. Bueno tío, te dejo, que me piro, que tengo que pillar un taxi. Nos vemos. Un abrazo a la familia. Bye.

Francisco: Recuerdos a la tuya también... y cuídate. Nos vemos.

Para aclarar las cosas:

Marca: periódico deportivo.

Escaquearse: (Coloq.): evitar cumplir con una obligación.

No te salva ni Blas: expresión coloquial que transmite la idea de que el otro tiene obligatoriamente que hacer lo que se le pide.

Gasol: jugador español de baloncesto que juega en un equipo de Estados Unidos.

1 **Escucha, lee y contesta.**

a Empecemos por el título: haced una lluvia de ideas sobre lo que os sugiere y sobre lo que esperáis encontrar en la unidad.

b Sin leer el texto, solo escuchando la conversación, ¿qué información extraes?
   - ¿Qué edad tienen quienes hablan?
   - ¿Son chicos o chicas?
   - ¿Dónde están?
   - ¿Qué relación hay entre ellos?

c ¿Qué tipo de situación están viviendo?
   ☐ Una cita acordada.
   ☐ Un encuentro en la ciudad donde viven.
   ☐ Un reencuentro después de mucho tiempo.
   Justifica todas tus afirmaciones y compáralas con las de tus compañeros/as.

d Vuelve a escuchar la conversación y confirma o corrige tus hipótesis.

2 **Lee y actúa. Luego subraya e interpreta.**

a En parejas, leed el texto dándole la entonación adecuada.

b Señalad las fórmulas coloquiales que aparecen en la conversación.

c ¿Qué crees que significa *andar «pillao» (pillado) de tiempo; hacer tiempo* y *estar mosqueados?*

d ¿Qué significa *estar hecho un Gasol?*

3 **Ahora reflexiona.**

a ¿Recuerdas la diferencia entre *que* relativo y *que* conjunción? Localízalos en el texto.

b Trata de sustituir *los que* y *lo que* que aparecen en negrita. ¿A qué palabras se refieren?

c ¿Qué diferencia crees que hay entre *que, lo que* y *los que?*

d Trata de explicar los verbos en subjuntivo que aparecen en el texto.

e Fíjate en la foto y habla de ella con tu compañero/a.

2. Contenidos gramaticales

1 **Los relativos.**

A **Los relativos son pronombres que pueden funcionar:**

> **Con antecedente para especificar o explicar alguna característica de la palabra a la que se refieren.**
>
> - *Hay muchos españoles **que** viven en el extranjero.*
>
>   Antecedente relativo que especifica
>
> - *Salamanca, **que** es la ciudad donde nací, es preciosa.*
>
>   Antecedente relativo que explica
>
> **Sin antecedente.**
> - ***Quienes** viven en el extranjero están encantados con sus vidas.*
>
>   Relativo sin antecedente

B **Tipos de oraciones de relativo.**

1 **Oraciones especificativas.**
La oración de relativo no se refiere a todo el antecedente, sino solo a una parte de él: por eso selecciona, especifica una parte del conjunto.

> **Pueden funcionar con antecedente.**
>
> Oración de relativo
>
> - *Hay muchos españoles **que** viven en el extranjero.* (No todos los españoles).
>
>   Antecedente   Oración de relativo
>
> - *El chico **que** lleva la camisa verde fue mi novio durante dos años.* (No cualquier chico).
>
>   Antecedente
>
> **Pueden funcionar sin antecedente.**
>
> Oración de relativo
>
> - ***Quienes** (las personas que) viven en el extranjero están encantados con sus vidas.*
>   (No cualquier persona).

2 Oraciones explicativas.

Oración de relativo

• *Salamanca, **que** es la ciudad donde nací, es preciosa.*

Antecedente

Oración de relativo

• *Los españoles, **que** hoy en día viajan mucho, tienen una mentalidad más abierta.*

Antecedente

La oración de relativo amplía la información sobre el antecedente al que se refiere. Van entre comas en la lengua escrita o marcadas por pausas en la lengua hablada.

C Los diferentes relativos y su funcionamiento.

QUE	QUIEN / QUIENES	EL QUE / LA QUE / LO QUE LOS QUE / LAS QUE
- Es invariable. - Necesita siempre antecedente. - Puede referirse a personas, cosas, animales y lugares. **En oraciones especificativas:** - No puede referirse a un nombre propio: * ~~Carlos que~~ es cubano... - No puede referirse a un sustantivo precedido de posesivo: *~~Mi casa~~ que es la tuya... **En oraciones explicativas:** En este caso, *que* no tiene las restricciones anteriores: • *Carlos, **que** es cubano, vive en Hungría.* • *Mi casa, **que** es la tuya, está muy cerca de aquí.*	- Tienen forma singular y plural. - Pueden funcionar con y sin antecedente. - Se refieren a personas. - Equivalen a *la(s) persona(s) que*. Alterna con ***el que / los que /la que / las que***. **En oraciones especificativas:** - Funcionan sin antecedente. • ***Quienes** viven fuera no siempre echan de menos su país.* - Aparecen en refranes. • ***Quien** busca, encuentra.* - Funcionan con antecedente en oraciones con el verbo *ser*: • *Fueron mis amigas **quienes** me avisaron.* **En oraciones explicativas:** - Funcionan con antecedente. • *Mis amigos, **quienes** te conocen de oídas, están deseando conocerte en persona.*	- Señalan el masculino y femenino singular y plural. - Pueden referirse a personas, cosas, animales y lugares. - Pueden funcionar con y sin antecedente. - ***Lo que*** es neutro y, por tanto, invariable. **En oraciones especificativas:** - Funcionan sin antecedente. • ***Los que** viven fuera no siempre echan de menos su país.* - Aparecen en refranes. • ***El que** busca, encuentra.* - Funcionan con antecedente. Se puede explicar intercalando un sustantivo. • *Fueron mis amigas **las** (personas) **que** me avisaron.* • *Necesito otro ventilador porque **el** (ventilador) **que** tenía se ha roto.* **En oraciones explicativas:** -Tienen antecedente del que van separados por comas. Es como si entre el antecedente y *el que / la que*, etc., hubiera una pregunta sobreentendida **¿cuál?** • *Mira a esa chica, **la que** lleva rastas. Es guapa, ¿verdad?* ▼ *¿Esa? Es mi novia.*

> **FÍJATE**
>
> ***Lo que*** se refiere a un conjunto de cosas, ideas o a una oración.
> • *Te han traído **lo que** (las cosas que) pediste.*
> • ***Lo que** más me gusta es estar con mis amigos.*

D Preposición + relativos.

> *Quien/Quienes* y *el/la/lo que; los/las que* admiten delante cualquier preposición.
>
> *Que* también puede llevarlas, aunque no con la misma frecuencia.
>
> - *Carlos, eres un mentiroso **al que** / **a quien** quiero mucho.*
> - *Te presento a Kati, la socia **con la que** / **quien** monté el bar.*
> - *Desearíamos saber la razón **por la que** nos mandó llamar.*

> ### FÍJATE
>
> *En* que
> *En* el /la /los / las que $= donde$
>
> - *Mira, aquel es el edificio **en el que** / **donde** / **en que** vivo.*
> - *Esos son los lugares **en los que** / **donde** me siento en casa.*

> ### RECUERDA
>
> *Adónde* se usa en las preguntas.
> - *¿Adónde vas?*

E ¿Con indicativo o subjuntivo?

Lee las siguientes frases y trata de averiguar por qué en unos casos aparece el indicativo y en otros el subjuntivo.

- *El año pasado estuve de vacaciones en un pueblo en el que no **había** turistas. Este año mis amigos y yo estamos buscando un lugar parecido en el que tampoco **haya** demasiada gente.*

- *He domiciliado en el banco todos los recibos que **tengo** que pagar.*
- ▼ *Yo también, pero es que no conozco a nadie que no **haga** eso.*

Tu teoría.

Aparece el indicativo porque _____

_____.

Aparece el subjuntivo porque _____

_____.

Contrasta con la nuestra.

Las oraciones **explicativas** se construyen siempre con **indicativo**.
Las **especificativas** se construyen:

Con indicativo	Con subjuntivo
• Cuando el antecedente es conocido.	• Cuando el antecedente es desconocido, inespecífico o aparece negado.
• *Estuve en un pueblo **en el que no había** turistas.* (El pueblo es conocido)	• *Estamos buscando un lugar parecido **en el que tampoco haya** demasiada gente.* (Es desconocido)
• Cuando se habla en general.	• *No conozco **a nadie que no haga** eso.* (Se niega la existencia)
• ***Al que madruga**, Dios le ayuda.* (Generaliza, se refiere a todo el mundo)	• Cuando se pregunta por la existencia de algo a alguien.
	• *¿Has visto **a alguien que lleve** un sacacorchos en la mano?* (Se pregunta)

2 Oraciones modales.

Después de leer las siguientes oraciones, ¿crees que podemos aplicar la misma regla que en las oraciones de relativo?

- *Fuimos al restaurante vasco que nos recomendaron y estaba cerrado, **como nos dijiste**.*
- *No me han dado instrucciones, me han dicho que clasifique los libros **como yo quiera**.*

Otros ejemplos.
- *La cumbre de los países del Caribe se celebró **como** / **según** estaba previsto.*
- *Háganlo **según** / **como** les parezca mejor.*

Sí, podemos. Entendemos ***como*** o ***según*** igual que *de la manera que*. Por eso aplicamos la misma regla: detrás de ***como*** y ***según*** se usa el **indicativo** si hablamos de algo **conocido**. Si hablamos de algo **desconocido**, aparece el subjuntivo.

3. Practicamos los contenidos gramaticales

1 **Vivir en español incluye ver películas en español; unas veces originales, otras veces dobladas. Aquí tienes frases y fragmentos de algunas películas. Complétalos con los relativos que se han perdido. En algunos casos hay más de una posibilidad.**

> que · quien · quienes · el que · los que · las que · lo que

1 La verdad es como una manta *que* siempre te deja los pies fríos. (*El club de los poetas muertos*)

2 Tonto es _____ hace tonterías. (*Forrest Gump*)

3 _____ posees acabará poseyéndote. (*El club de la lucha*)

4 Pídeme _____ quieras, pero nunca que deje de beber. (*Leaving Las Vegas*)

5 Dentro de dos días seré yo _____ acepte sus disculpas. (*Parque Jurásico*)

6 Siempre he creído que existen dos tipos de jóvenes: _____ buscan ser astrónomos y _____ quieren ser astronautas. La diferencia está en que los primeros son felices estudiando todas las estrellas desde la tierra y los segundos quieren llegar a todas ellas. (*Parque Jurásico 3*)

7 Llega un momento en _____ hay que asumir la responsabilidad por los errores cometidos. (*Piratas del Caribe - El Cofre del Hombre Muerto*)

8 Ahora veo que las circunstancias en _____ uno nace son irrelevantes; es _____ haces con el don de la vida _____ determina quién eres. (*Pokémon, la película*)

9 Si alguien armado de pistola se enfrenta con _____ lleva un rifle, _____ tiene la pistola es hombre muerto. (*Por un puñado de dólares*)

10 Hay un día, ya verás, en _____ todo es bueno: ves a la gente _____ quieres ver, comes la comida _____ más te gusta, y todo _____ te pasa ese día es _____ tú quieres que te pase. (*Princesas*)

2 **A Con la información que te damos elabora oraciones especificativas o explicativas. Puedes añadir la información que necesites.**

1 Mi padre es director de teatro. Tiene muchos amigos actores.
Mi padre, **que es director de teatro**, *tiene muchos amigos actores:* **explicativa**.

2 He estado en un bar con música latina en directo. Es un sitio genial.

_____.

3 La familia siempre quiere ayudarte. Pero a veces te complica la vida.

_____.

4 Mi tío Ariel puede hacerte la carta astral. Es experto en astrología.

_____.

5 No tengo ningún libro sobre ese tema.

_____.

B Busca las oraciones de relativo que aparecen en la transcripción de la 🎧 24 audición y di si son especificativas o explicativas.

Concha es la profesora que dio un curso en Hungría: **especificativa**.
Carlos, que conoció a Concha hace años, la reconoció en la Ópera: **explicativa**.

Escribe tres oraciones especificativas y tres explicativas e inclúyelas en diálogos breves.

Especificativas:

_____.

_____.

_____.

Explicativas:

_____.

_____.

_____.

3 **A Completa usando indicativo o subjuntivo. Recuerda todo lo que sabes y fíjate especialmente en todo lo nuevo.**

● Me han dicho que quiere usted verme.
▼ Sí, verás, es importarte que (1) (hablar, nosotros) _____, porque tú eres la mejor alumno que (2) (tener, yo) _____ en 2.º de Bachillerato y me gustaría saber la carrera que (3) (elegir, tú) _____.
● Pues he decidido estudiar Literatura.

▼ Bueno, *tú verás**..., pero eso es algo que no (4) (tener) _____ salidas. Es muy difícil que (5) (encontrar, tú) _____ un trabajo. Y ya sabes que *las oposiciones** están congeladas y, si las sacas*, nunca tendrás un sueldo que (6) (valer) _____ la pena.

● Ya, pero usted sabe que lo que más me (7) (apasionar) _____ es leer. A mí no me interesa una carrera que solo me (8) (asegurar) _____ el futuro. Creo que lo más importante es encontrar un trabajo que te (9) (hacer) _____ sentirte feliz. Por eso, quiero elegir lo que (10) (gustarme) _____, no lo que (11) (estar) _____ de moda o lo que me (12) (decir) _____ los demás.

▼ Bueno, como (13) (querer, tú) _____. En realidad eres tú quien (14) (tener) _____ que tomar la decisión. Pero piensa en lo que te (15) (decir, yo) _____.

● Lo pensaré, pero no creo que (16) (cambiar, yo) _____ de opinión. Mis padres me han dicho que me apoyarán con lo que yo (17) (decidir) _____, así que, voy a estudiar Literatura y, además, en el extranjero. Muchas gracias de todos modos por su interés.

▼ De nada, y cuenta conmigo para lo que (18) (necesitar) _____.

Para aclarar las cosas:

Tú verás: con esta fórmula se deja la decisión al interlocutor.
Las oposiciones: exámenes para obtener una plaza de funcionario/a.
Sacar las oposiciones: aprobarlas.

B Elige la solución más adecuada para cada caso.

1 ● ¿Cómo me visto para la entrevista?
  ▼ a Según te parezca más adecuado.
    b Según te parece más adecuado.

2 ● Dime algo, no sé qué hacer.
  ▼ a Como dijera mi abuela, sé tú misma y acertarás.
    b Como decía mi abuela, sé tú misma y acertarás.

3 ● ¿Te acuerdas de aquella película de aviones y de un aterrizaje complicado?
  ▼ a Sí, se titulaba *Aterriza como puedas*, creo.
    b Sí, se titulaba *Aterriza como puedes*, creo.

4 ● a 1 Según dicen las normas, hay que abrocharse el cinturón.
  ▼ b 2 Según digan las normas, hay que abrocharse el cinturón.
  ● a 1 Pues actuemos como debemos y ¡a ponerse el cinturón!
  ▼ b 2 Pues actuemos como debamos y ¡a ponerse el cinturón!

5 ● ¡Ay! No recuerdo la receta de la merluza al horno que me dio Martina.
  ▼ a Bueno, pues hazla como te acuerdas. Seguro que también estará rica.
    b Bueno, pues hazla como te acuerdes. Seguro que también estará rica.

---

4 Elaborar anuncios.

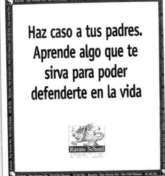

En parejas.

Ya sois expertos en publicidad. Seguid practicando. ☺

1 Leed estos anuncios y fijaos en las oraciones de relativo. ¿Por qué unas van en subjuntivo y otras en indicativo?

2 Interpretad lo que quieren decir y luego comparadlo con las del resto de la clase.

3 ¿Cuál ganaría en una campaña publicitaria? ¿Por qué?

4 Ahora, siguiendo esos modelos, elaborad un anuncio para acompañar estas fotografías usando el sentido del humor. Y no os olvidéis de los relativos.

Inodoro especial. Al sentarse está calentito.

Dueños para mí. Sé hacer muchas más cosas que un perro normal.

Guardia jurado.

Baterista.

5 **Recuerda lo que has leído. Reflexiona y contesta.**

1 *¡Eh! Esta vez no te vas sin pasar por casa a vernos un rato, que la última vez te escaqueaste de mala manera.*

  a ¿Crees que quien dice esto está enfadado?

  b ¿Por qué crees que usa ese tono?

  c En parejas, ¿podríais decir con otras palabras y en otro tono lo que le dice Fran a su amigo?

  _____

  _____.

  d Comparad la versión del diálogo con vuestra interpretación y comentad con toda la clase las diferencias.

2 *Lo que tú quieras.*
  Bueno, tú verás...
  Según te parezca más adecuado.

  A Las tres respuestas tienen la misma intención comunicativa. ¿Cuál es?

    a Dejar que el interlocutor elija lo que quiere hacer.

    b Averiguar lo que el interlocutor quiere hacer.

B Ahora responde usando alguna de las tres donde sea adecuado.

  a ● Voy a dejar el trabajo, no me siento a gusto haciendo siempre lo mismo.

    ▼ _____, pero a mí me parece muy arriesgado en estos tiempos.

  b ● ¿Qué hacemos cariño?

    ▼ _____, amor, estando contigo a mí todo me da igual.

  c ● ¡Qué problema! No sé cómo sentar a la gente en la cena de gala para que todos estén a gusto.

    ▼ _____, me fío completamente de tu buen criterio.

  d ● Creo que hoy me voy a dormir temprano y mañana terminaré el informe.

    ▼ Vale, _____, pero mañana tiene que estar en la mesa de Julia antes del mediodía.

  e ● No, no me llevo el paraguas, que luego no sé dónde dejarlo.

    ▼ _____, vas a llegar hecho una sopa.

C Vuelve a reflexionar y dinos:

  a ¿Cuál de ellas tiene más valor de advertencia?

  b ¿En cuál se enfatiza el modo?

  c ¿Cuál expresa más aceptación de lo que dice el interlocutor?

3 **Francisco:** *¿Y tu chica? ¿No ha venido?*

José: *No, qué va. Esta vez se ha quedado en los States por el curro, pero para las Navidades seguramente vendremos, y a ver si ya la conoces. Los que están mosqueados son mis padres, que me dicen que hace mucho que no vais a Salamanca.*

Francisco: *Sí, la verdad es que sí. A ver si hago un hueco un finde y vamos a veros. ¿Te hace?*

José: *Pues claro que me hace. Te tomo la palabra. Bueno tío, te dejo, que me piro, que tengo que pillar un taxi.*

Ya sabemos que este es un diálogo entre dos amigos, jóvenes, que usan un registro coloquial. Sustituye lo que está en negrita por lo que crees que significa. Ayúdate del contexto para deducir el sentido.

a No, qué va: _____

_____ .

b Se ha quedado por el curro: _____

_____ .

c ¿Te hace? _____

_____ .

d Me piro: _____

_____ .

e Tengo que pillar un taxi: _____

_____ .

4 *¡Que no he cambiado! ¡Si ya tengo dos nietos! Tú sí que sigues siendo igual de amable.*

A ¿Qué intención comunicativa tiene quien dice: «¡Si ya tengo dos nietos!» ?
a Confirma que no ha cambiado.
b Argumenta en contra de lo que ha dicho su interlocutor.

¿Podríais transformar estas oraciones eliminando las exclamaciones y uniéndolas en un solo enunciado?

B Para comprobar que lo tienes claro, completa.
a ¿Qué no hace calor?
_____ (40°).
b No me digas que no lo encuentras, _____ (dejarlo a la vista).

c ¡Que la casa es pequeña!
_____ (150 m^2).

5 *Tú sí que sigues siendo igual de amable.*

Esta construcción es enfática y equivale a decir: *Yo sí he cambiado, pero tú no, porque sigues siendo igual de amable.*

A Ahora interpreta y reescribe la oración enfática.
a *Disfrute en nuestro restaurante porque ¡usted sí que sabe!*
b *Carmen ha entregado todos los trabajos. Tú sí que tienes cosas pendientes todavía.*
c *Yo sí que fui al concierto.*
d *¿Qué tú tienes problemas? Nosotros sí que los tenemos.*

El *Pretexto* y el Ejercicio 2B son dos reencuentros. Leedlos y escuchadlos de nuevo. En parejas, analizad los elementos que tienen en común y los que los diferencia. Para ayudaros, aquí tenéis unas ideas.

> Sorprenderse • Hablar de la casualidad • Identificarse • Reconocerse • Hablar del aspecto físico • Hablar de personas conocidas • Hablar de experiencias comunes • Preguntar por la vida de cada uno • Querer verse en otro momento para mantener el contacto • Ir juntos a tomar algo para seguir hablando

Primer reencuentro	Segundo reencuentro

Ahora, representad otro reencuentro en vuestro idioma. Preparadlo en parejas. ¿Se dan los mismos elementos pragmáticos?

Reencuentro de dos compañeras de clase tras diez años sin verse.

Reencuentro de dos amigos que llevan un año sin verse.

Reencuentro de dos profesionales (hombre y mujer) de distintas empresas, pero con un cargo equivalente.

4. De todo un poco

1 Interactúa.

A Vivir en español implica también jugar con sus palabras. Aquí te presentamos el *Nuevo diccionario* realizado por un grupo de chicos y chicas de tu mismo nivel.
En grupos de tres, intentad hacer lo mismo siguiendo los pasos que os damos.

a Leed el *Nuevo diccionario* para descubrir el «misterio» que encierran las palabras cotidianas, que no son lo que parecen.

b Usad el diccionario –monolingüe o bilingüe– y buscad «palabras misteriosas».

c Poneos de acuerdo sobre las mejores palabras, escribidlas en una cartulina y colgadlas de las paredes del aula.

d Elaborad un *Nuevo diccionario con las definiciones de toda la clase.*

Os damos algunas ideas: *Chiquito; checoslovaca; pájaro; memorizar, ballena, etc.* También podéis jugar con nombres de países: *Uruguay / Paraguay;* o apellidos: *Casillas.*

> **Maremoto:** una moto con la que se puede navegar en el mar.
>
> **Escandaloso:** un mamífero grande que aparece en las revistas del corazón.
>
> **Aromático:** es una parte de la casa que huele muy bien.
>
> **Proceloso:** es una organización que está en favor de los osos celosos.
>
> **Novela:** es un libro oscuro.

B Aquí hay información sobre los chilenos y los españoles. En parejas, pregunta a tu compañero/a si las afirmaciones que tú tienes son correctas o falsas. Luego, lo hacéis al revés. Las soluciones están al final de la lección.

CHILENOS

a Algunos platos típicos de Chile son el curanto, las humitas y el pastel de choclo.

b La versión chilena del dicho popular es: «El que fue a Melipilla perdió su silla».

c A la hora de comer, está mal visto empezar sin beber antes un pisco «sour», un cóctel popular de origen español.

d El almuerzo familiar de los domingos es de rigor en las casas chilenas.

e Usar garabatos (palabrotas) en la conversación es poco frecuente.

f En Chile, no se acostumbra a tutear a la gente.

g En el campo, los huasos (campesinos) montan a caballo y bailan cuecas (baile popular).

h El palacio presidencial de Chile se llama el Congreso de los Diputados.

i Los fines de semana, la gente sale a carretear (de juerga, de fiesta, de marcha) hasta la madrugada.

j Chile es considerado tierra de poetas.

ESPAÑOLES

1 Los españoles almuerzan entre las 14:00 y las 15:30.
2 La siesta es un sueño breve que uno se echa después de comer.
3 A la hora de pagar en un bar o restaurante, los españoles pagan cada uno lo suyo.
4 Normalmente, los hijos se independizan entre los 23 y 28 años.
5 Todos los bancos abren por la tarde una vez a la semana.
6 El día de las bromas no es el 1 de abril, sino el 28 de diciembre.
7 Interrumpir a otra persona cuando está hablando es de mala educación.
8 La dieta mediterránea es muy saludable.
9 Los españoles tienen mucha facilidad para hablar idiomas.
10 La comida más fuerte es el desayuno.

2 **Habla.**

A Malentendidos culturales.

Estas personas, que han pasado algún tiempo viviendo en español, en España o en algún país de Hispanoamérica, nos han contado estas cosas. Piensa en los malentendidos y trata de explicar por qué se han producido.

a ¿Con qué tienen que ver?
b ¿Qué crees que debería haber hecho la otra persona para evitar el malentendido?

c ¿Te ha pasado algo así alguna vez?
d ¿Cómo se podrían resolver los malentendidos culturales?

Caso 1.
Me han invitado a una fiesta a las 21:00; yo he llegado a las 21:00 en punto y me han mirado de una manera rara. ¿Qué he hecho mal?

Caso 2.
Mi profesor me preguntó si no me gustaba su clase cuando saqué las agujas de punto durante la clase de conversación. En mi país suelo hacerlo y a nadie le extraña. ¿Qué habrá pensado mi profesor?

Caso 3.
Viví con una familia muy amable, pero la hora de comer era una tortura para mí: yo estaba a dieta y así se lo conté el primer día. A pesar de eso, la abuela, que era la que cocinaba, siempre me decía que comiera más, que estaba muy delgado y que eso no era sano. Yo no sabía cómo explicarle mi estado. ¿Qué tenía que haber hecho? ¿Por qué ella insistía tanto?

Caso 4.
En una cena celebrada en Tel Aviv, la anfitriona, argentina, recibe a la gente invitada (israelíes, argentinas, una chilena...). Llega una española, que lleva una botella de vino español.
La anfitriona dice: «Voy a abrir el regalo porque sé que en España...».

Caso 5.
En mi clase hay personas de varias nacionalidades. Algunas de ellas se estiran en medio de la clase con la mayor naturalidad. La profesora no pone buena cara, pero no dice nada ¿Por qué pondrá ella esa cara?

B **Fiesta en México.**

Lee la información sobre esta fiesta y haz un resumen. (Recuerda lo que aprendiste en la Unidad 5 de *Nuevo Avance 1*). Luego explica lo que más te ha llamado la atención. Compárala con alguna fiesta similar de tu país o de algún otro país que conozcas.

Día de Muertos en México

Actualmente, el Día de Muertos en México, representa una mezcla de la devoción cristiana con las costumbres y creencias prehispánicas y se materializa en el tradicional altar-ofrenda, una de las tradiciones más mexicanas. El altar-ofrenda es un rito respetuoso con la memoria de los muertos, su propósito es atraer sus espíritus. Consiste en obsequiar a los difuntos que regresan ese día a convivir con sus familiares, con los alimentos y objetos preferidos por ellos en vida, para que vuelvan a gozar durante su breve visita. En la ofrenda o altar de los muertos no debe faltar la representación de los cuatro elementos primordiales de la naturaleza.

Tierra, representada por sus frutos que alimentan a las ánimas con su aroma.

Viento, representado por algo que se mueva, tan ligero como el viento, para eso se emplea generalmente papel picado o papel de china.

Agua, un recipiente para que las ánimas calmen su sed después del largo camino que recorren para llegar hasta su altar.

Fuego, una vela por cada alma que se recuerde y una por el alma olvidada.

En la ofrenda también se coloca sal, que purifica, copal para que las ánimas se guíen por el olfato, flor de cempasúchitl (dalia), que se riega desde la puerta hasta el altar para indicar el camino a las almas. Aquí, siempre hay alguno de la familia esperando la llegada de ellas para demostrarle su respeto y compañía.

Árbol del copal. De él se saca un tipo de incienso.

Flor de cempasúchitl (dalia).

C El sentido literal de las palabras.

a Mira bien las viñetas.
b Describe lo que ves.
c Elige ser el niño o su profesor/a y mantén un diálogo con otro/a estudiante.

3 Escucha.

Desde Argentina y Brasil hasta Istán (Málaga, España).

1 Antes de oír. 🎧²⁵

   a A partir del título, ¿qué creéis que vais a escuchar? Con toda la clase, haced una lluvia de ideas.

   b En parejas, buscad información sobre Istán. Cada una presentará una breve reseña de lo que ha encontrado.
http://www.istan.es/pagina.asp?cod=39.

2 Durante la audición.

   a ¿Cuántas personas intervienen?

   b ¿Qué diferencias percibes en su forma de hablar?

   c ¿De qué temas se habla?

   d ¿Cómo se habla de Istán? ¿Qué otros pueblos se mencionan?

   e ¿Por qué se habla de las tapas?

3 Después de oír.

   a Haz un resumen de la entrevista.

   b Comentad las opiniones de las personas que hablan.

   c Expresad vuestra propia opinión sobre los temas tratados.

   d Buscad información sobre los otros pueblos y comparadla con la que ya tenéis de Istán.

Un paso más

1 Primero vamos a comprobar lo que hemos estudiado. Ve a la transcripción de la audición y subraya los relativos que aparecen. ¿Puedes sustituirlos por otros? ¿Aparecen con indicativo o con subjuntivo?

2 A *¿A que parece increíble?*

   Fíjate en esta forma de preguntar.

   ¿Qué intención comunicativa tiene quien la usa?

   a Pide el acuerdo del interlocutor.
   b Quiere saber algo que desconoce.

  B Compara esa pregunta con esta otra:

   ¿A qué se parece el rocambole? Y establece las diferencias.

  C Ahora usa *¿A que...?* o *¿A qué...?*, según el contexto y elige la respuesta adecuada.

1 ¿_____ no sabías que existía un pueblo llamado Istán?	**a** ¿Y por qué dices eso? Hace un sol espléndido.
2 ¿_____ saben los postres de la abuela?	**b** A dulce y a cariño. A caramelo, a cosas ricas.
3 ¿_____ les gusta jugar a los chicos de hoy en día?	**c** Pues no, no lo sabía.
4 ¿Qué te apuestas _____ a todos les va a gustar el plato sorpresa que han preparado Loren y Kati?	**d** Seguro que sí. Cocinan muy bien.
5 ¿_____ mañana llueve?	**e** A lo mismo de antes, pero, además, a los videojuegos, creo yo.

3 *Me está **entrando** un hambre...*

   Con el verbo *entrar* se expresa la idea de que el hambre llega; empieza a sentirse. También nos puede 'entrar el sueño, la pereza, el miedo'.

   A Fíjate en estas otras posibilidades que presenta el verbo *entrar* y elige el significado que crees que tiene.

● *Yo lo intento, de verdad, y pregunto y estudio, pero a mí, las ecuaciones de segundo grado no* ***me entran***.

● *Es una persona muy difícil. Tenemos que hablar con él, pero, la verdad, no sabemos cómo* ***entrarle***.

Significados.

   a Dirigirse a alguien, hablar con él/ella.
   b Comprender algo, aprenderlo.

B **Y, ahora, sin ayudas. En parejas, escribid diálogos breves usando *entrar hambre* (o sueño, o miedo...); y el verbo *entrar* con los otros sentidos que habéis descubierto.**

● *Pero, ¿por qué tartamudeas cuando hablas en público?*

▼ *Pues porque cuando veo a tanta gente mirándome **me entra el miedo** y pierdo el control.*

4 Me está entrando *un hambre*...

La entonación y los puntos suspensivos nos informan de que la persona que habla no ha terminado su intervención.

A ¿Cómo la terminarías tú? Te damos algunas ideas:

*Me está entrando **un hambre**... terrible; que me comería una vaca...*

Esta forma de expresarse es común en la lengua hablada. Detrás de ella hay una oración consecutiva intensiva (Unidad 4): *Me está entrando **un hambre tan grande que me comería una vaca**.*

B **En parejas, terminad estas otras oraciones teniendo en cuenta su valor consecutivo e intensivo:**

a Tengo un sueño _____.

b Habló con él, se enfadó y le dijo unas cosas _____.

c A veces dice unas tonterías _____.

5 ***El hambre* lleva artículo masculino, pero es una palabra femenina: su plural nos lo descubre: *Las hambres*. Ya has estudiado este tipo de palabras. ¿Las recuerdas? Seguro que sí.**

Escribe aquí algunas que funcionan igual:

el agua – las aguas

_____

_____.

---

5 **Lee.**

¿Cuál es la variedad del español que más te gusta?

1 Antes de leer.

a Haced entre todos una lluvia de ideas sobre lo que sabéis en relación con los distintos acentos que hay en español.

b Recordad lo que habéis aprendido a lo largo de *Nuevo Avance* sobre España e Hispanoamérica.

2 Durante la lectura.

a Subraya la información nueva.

b Subraya también las opiniones que coinciden con la lluvia de ideas que habéis hecho al principio.

c ¿Hay alguna palabra o expresión nuevas? Apúntala(s) también.

3 Después de leer.

a Debatid sobre las distintas opiniones que han aparecido en el texto.

b ¿Ocurre algo parecido en tu idioma? ¿Hay acentos con más prestigio que otros? ¿Qué opinas de eso?

c Si quieres oír acentos diferentes, pincha aquí: *http://cvc.cervantes.es/lengua/voces_hispanicas/default.htm*

A mí me gusta el acento chileno porque es diferente, tienen esa forma de pronunciar las palabras que tienen 'tr', como 'trabajo', que me encanta. No sé si esa manera de pronunciar tiene un nombre especial, pero no importa, a mí me gusta. El otro acento que me gusta es el español de España, bueno, el castellano. Me encanta como pronuncian los españoles las ces y las zetas y también el uso de vosotros en vez de decir siempre ustedes. Otra cosa que también me agrada es que apenas utilizan palabras inglesas.

A mí los acentos que más me gustan son los colombianos; me parecen dulces, bien pronunciados..., no sé, pero me gustan.

También me gusta la actitud de los españoles de evitar usar términos en inglés, pero en algunos casos me resulta absurdo, por ejemplo, que pronuncien espiderman en lugar de *spaiderman* (Spiderman). O que digan *esquipe* en lugar de *skaip* (Skype).

Me recuerda a los tiempos en que mis abuelos creían que Clark Gable (pronunciado así) era un actor distinto de Clark Gaibol.

Yo contesto primero a quienes dicen que los españoles no usan palabras en inglés. Estuve en España y oí menos que acá, en América, pero también las usan. Y hablando de variedades, la que más me gusta es la variedad argentina. Me encanta el uso de vos seguido de los verbos que se conjugan de forma diferente en presente y en imperativo: vos tenés, vos podés, andá (vos). También me agrada el sonido de esa variedad, sobre todo el rehilamiento tan característico de la /y/ /ll/.

En mi opinión el español de Colombia (en Bogotá) es el más puro.

Es algo muy raro ya que debería ser en España donde el idioma fuera más "neutro", pero, a mi juicio, no es así.

Voto por el español de México, me encanta.

Todos tenemos acento, otra cosa es que no nos lo notemos.

Me gustaría conocer a fondo todas las variedades del español. Es curioso, parece que siempre se habla de inglés británico o americano, pero en el caso del español se tiene más en cuenta todos y cada uno de los países donde se habla.

Ninguna es mejor que otra. A mí personalmente las traducciones de las películas de Latinoamérica que vienen de México no me gustan mucho. Me parece que en España se traducen mucho mejor, pero sobre gustos no hay nada escrito. Así que vamos a dejar la tontería esta de qué variedad nos gusta más, porque luego a los españoles y argentinos se nos acusa de prepotencia.

Es imposible que alguien no tenga acento o que tenga acento neutro. El acento es la entonación, digamos la melodía con la que se habla el idioma, y todos lo tenemos en español, en inglés, en japonés... Lo único que quiero decir es que no tengo una variedad predilecta.

Como es lógico en cada país en donde se habla el español hay variaciones. A unos nos gustan más unas y a otros otras. Pero lo bueno es que todos los hispanohablantes nos entendemos. No hay que discriminar ninguna de las variedades. A los cubanos les gustará la suya y los mexicanos la de ellos, por ejemplo.

Yo he oído decir que el castellano suena imperioso, grave y sonoro. Que el andaluz es gracioso y vivaz. Que el antillano es dulce y suave. Que el mexicano es circunspecto, que el chileno es alegre y melodioso y que el argentino es pausado. Pero si tengo que elegir una variedad, me resulta muy difícil. Todas las variedades tienen rasgos que me encantan y rasgos que no me gustan tanto.

(Texto basado en: *http://www.facebook.com/topic.php?uid=2222290141&topic=4421#topic_top*)

Un paso más

1 *Me encanta como pronuncian los españoles las ces y las zetas.*

Os proponemos un juego.

En parejas o grupos de tres, rellenad este cuadro con el mayor número de palabras posible en dos, ¿tres?, minutos.

Podéis consultar el diccionario, pero, ojo con perder tiempo.

Gana la pareja que:

- Haya escrito más palabras.
- Las haya escrito correctamente.
- Pueda explicarlas después a quienes no las conozcan.

Palabras que empiezan por 'z-':
Zapato _____.

Palabras que empiezan por 'ce-' / 'ci-':
Cereza; ciruela _____.

Palabras que contienen 'z':
Abrazo; nariz _____.

Palabras que contienen 'ce-' / 'ci-':
Ofrece; preciso _____.

2 **Los españoles y los hispanoamericanos tenemos distintos acentos y en algunos casos palabras diferentes. Pero nos entendemos. Aquí te presentamos algunos ejemplos de las diferencias léxicas. Busca en la columna de la derecha el significado que crees que tiene lo subrayado en negrita.**

● *¿Sabés? Van a* **botar** *(1) del* **laburo** *(2) a Adolfo.*
▼ *¡No me lo puedo creer! Parecía ser el preferido del máximo jefe.*

● *El día de mi cumpleaños mi marido* **se portó del uno** *(3).* **Me cocinó** *(4) una fiesta sorpresa y después nos fuimos los dos solos de fin de semana.*
▼ *¡Qué* **chévere** *(5)!*

● *¿Qué te pasó en el ojo?*
▼ *Que me* **aventaron** *(6) una piedra.*

● *El lenguaje popular refleja hasta qué punto nos defendemos del exterior: el ideal de la «hombría» consiste en no* **rajarse** *(7) nunca. Octavio Paz,* El laberinto de la soledad.

● *¡Qué* **fregada** *(8) es la vida!*
▼ *¡* **Pucha que** *(9) eres negativo! Algo tendrá de lindo, ¿no?*

Los significados

a Tener miedo

b ¡Mira que...!

c trabajo

d tiraron / lanzaron

e se portó estupendamente

f mala / dura

g organizó

h despedir (del trabajo)

i genial / bien

5 Escribe.

Redacta un texto informativo con todo lo que has aprendido a lo largo de este tiempo sobre el español, los hispanohablantes, los hábitos y las costumbres y sus respectivas culturas.

Te ofrecemos una serie de características propias de este tipo de textos para que el resultado final sea el mejor posible.

1 Antes de escribir piensa en las ideas principales de cada párrafo.

2 Organiza estas ideas por orden de importancia.

3 Escribe con detenimiento cada párrafo.

4 Conecta correctamente los párrafos entre sí para que la progresión sea la adecuada.

5 Piensa en una buena introducción que capte el interés de quienes te van a leer.

6 Cierra tu texto de forma que deje un buen sabor de boca.

SOLUCIONES

Chilenos: a Verdadero. **b** Verdadero. **c** Falso: «pisco sour» es peruano. **d** Verdadero. **e** Falso. **f** Falso: sí se tutea, pero no se usa *vosotros*. **g** Verdadero. **h** Falso: se llama el Palacio de la Moneda. **i** Verdadero. **j** Verdadero.

Españoles: 1 Verdadero. **2** Verdadero. **3** Falso: se paga a escote (la cuenta se divide entre todos). **4** Verdadero. **5** Falso: cierran a las 14:00. **6** Verdadero. **7** Falso: es lo habitual. **8** Verdadero. **9** Falso. **10** Falso.

Repaso

1 Interactúa.

En parejas. Primero uno/a de vosotros/as lee las preguntas y el otro o la otra las contesta. Después cambiáis: quien ha preguntado contesta, y quien ha contestado pregunta.

1. ¿Qué haces durante la emisión de los anuncios publicitarios en la televisión?

2. ¿Qué es lo que más te llama la atención de la publicidad?

3. ¿Crees que la música es importante en la publicidad o tiene un papel secundario?

4. ¿Crees que la música influye en que recuerdes un anuncio?

---

1. ¿Qué experiencias has vivido en español? ¿Puedes contárselas a la clase? No importa si no has vivido en un país de habla hispana.

2. Cuando te reencuentras con alguien, ¿qué es lo que siempre se dice y se hace en español? ¿Y en tu idioma?

3. ¿Te gustaría viajar a un país de habla hispana y vivir con una familia?

4. ¿Hay un acento mejor que otro en español? ¿Y en tu lengua materna?

2 Habla.

A En *Practicamos los contenidos gramaticales* de la Unidad 4, ha aparecido la siguiente pregunta: ¿Has oído hablar de Chillida?

Te ofrecemos una página web para que la visites:
http://www.museochillidaleku.com/

Ahora, lee estas líneas.

Yo soy de los que piensan, y para mí es muy importante, que los hombres somos de algún sitio. Lo ideal es que seamos de un lugar, que tengamos las raíces en un lugar, pero que nuestros brazos lleguen a todo el mundo, que nos valgan las ideas de cualquier cultura. Todos los lugares son perfectos para el que está adecuado a ellos y yo aquí en mi País Vasco me siento en mi sitio, como un árbol que está adecuado a su territorio, en su terreno pero con los brazos abiertos a todo el mundo. Yo estoy tratando de hacer la obra de un hombre, la mía porque yo soy yo, y como soy de aquí, esa obra tendrá unos tintes particulares, una luz negra, que es la nuestra. **Eduardo Chillida**.

Tras la lectura, expresa tu opinión sobre lo que dice el escultor en relación con 'sentirse en su sitio'. ¿No va en contra de la idea de sentirse parte del mundo? (Recuerda que tienes siete minutos para prepararte, que debes hablar tres o cuatro minutos y que seguirás seis minutos más interactuando con tus compañeros/as sobre este tema).

B Historieta.

1 Describe con todo detalle lo que ves.
2 Imagina dónde está este lugar.
3 Eres el chico de la camisa verde; habla con tu vecino de arriba de *Facebook*, o si no, imagina el diálogo entre el comprador y la vendedora del quiosco de Bitácoras.

3 Escucha.

A La escultora colombiana Doris Salcedo, Premio Velázquez de Artes Plásticas 2010.

1 Antes de escuchar, asegúrate de que conoces estas palabras que van a aparecer en la audición:

> galardón • apertura • quehacer • pujanza • trayectoria
> devastadora incidencia • tejido social • nichos • aferrarse

2 Búscales un sinónimo o tradúcelas a tu idioma.

3 Escucha el texto y contesta:

a ¿Por qué ha sido premiada Doris Salcedo?
b ¿Qué estudios realizó la escultora? ¿En qué países?
c ¿Dónde han sido expuestas sus obras?
d ¿Cuál es el tema principal de sus obras?
e ¿Qué materiales utiliza?

B Escucha la respuesta a la pregunta: ¿Estamos cambiando los españoles?

a Alberto del Valle, 48, médico homeópata.
b Lucía Álvarez, 59 años, restauradora de arte.
c Marcos Sendra, 74 años, arquitecto.

1 **¿Estamos cambiando? SÍ/NO/No sabe.
¿En qué estamos cambiando?**

a _____
_____.

b _____
_____.

c _____
_____.

2 Opina.

a ¿Crees que la edad o la profesión de las personas que contestan influye
en su perspectiva positiva o negativa?

b ¿Podrías establecer los cambios que notas en tu país? Compara,
por ejemplo, la generación de tus abuelos con la tuya.

4 Lee.

■ Mi vida en el cole (un colegio español)

Hola, soy Andy, tengo 11 años y estudio 6.º de Primaria en un colegio español. Voy a tratar de contaros cómo es mi vida en un colegio de Alicante. Así os animaréis a venir a España a residir, disfrutar del sol y de buenos amigos. También te invito a que aprendas **CÓMO ESTUDIAR**. Es muy importante que sepas que puedes mejorar mucho con la ayuda de tus padres...

Estudiar puede ser muy divertido y el cole con los amigos una gran aventura...

Estudios

Mis asignaturas son: Matemáticas, Lenguaje (Lengua española), Conocimiento del Medio, Inglés, Valenciano (nuestra segunda lengua), Informática, Educación artística (Música y Dibujo), Educación Física, Animación a la lectura, Desarrollo de la inteligencia (Juegos de lógica), Religión y Tutoría. Las más difíciles son: Matemáticas (quebrados, raíces cuadradas, superficies...), Conocimiento del Medio y Lenguaje.

Horario y comida

Cada día entro al cole a las 9:00 y salgo a las 4:15. Me quedo a comer allí. La comida no me gusta mucho... Prefiero la comida de mi abuela. Hay autobuses que nos recogen y nos llevan a casa, aunque lo que más nos gusta es que vengan nuestros padres a recogernos. Tenemos tres recreos (a las 11:00; a las 13:00 y después de la comida del mediodía).

Deportes

El cole tiene muchas instalaciones deportivas. Una pista de tenis, un frontón, un estadio de fútbol y atletismo, fútbol sala, balonmano, un tatami (para kárate y yudo) y baloncesto. Jugamos en los recreos y en la asignatura de Educación Física. Nos podemos apuntar a equipos de fútbol, baloncesto, tenis, etc. y competir con otros colegios los sábados por la mañana.

Actividades, excursiones y amigos

Tenemos actividades muy divertidas. Hay excursiones de montañismo cada trimestre y hacemos excursiones del colegio a mucho sitios que están relacionados con la naturaleza (El Palmeral...). Es fácil hacer amigos, sobre todo si te gusta jugar al fútbol u otros deportes, o si te pones al día en la onda... (música, películas, juegos...).

Mi tutora y mis profesores

Mi tutora, aparte de darme clase, me hace un seguimiento muy especial, habla con mis padres de vez en cuando y les cuenta cómo voy en los estudios. A mí me revisa los deberes y la agenda. Me anima y también me explica las cosas que me cuesta trabajo entender (Matemáticas...). Tengo que llevar una agenda al día en la que apunto todo lo que tengo que hacer en casa y que me indican mis profesores. Tengo ocho profesores y mi tutora me da cuatro asignaturas. Nos apoyan y nos repiten las veces que haga falta las cosas hasta que las entendamos.

Deberes en casa

Cuando llego a casa tengo que hacer los deberes que no me ha dado tiempo a hacer en clase. Pido ayuda a mi hermana o a mis padres. Le dedico bastante tiempo. Hay días que tardo dos horas o más. En realidad me hacen trabajar mucho. Pero todo sea por aprender... Estoy aprendiendo con la ayuda de mi padre a utilizar internet (esta página la estoy haciendo con él).

A veces me castigan

Mi colegio es bastante exigente, ya he dicho que hay que trabajar mucho. A veces nos castigan (nos mandan copiar una frase de algo que he hecho mal «no comeré chicle en clase», «no tiraré bolitas de papel», «prestaré atención en clase», faltas de ortografía que no has corregido bien... Otros castigos son: quedarnos sin recreo, o enviarnos a otra clase.

Notas, objetivos y exámenes

Hay tres evaluaciones y nos dan las notas de cada una y las envían a nuestros padres. En las notas nos exigen varios objetivos en cada asignatura. Los más importantes son: llevar los deberes y la agenda al día; presentar los trabajos con orden y limpieza; prestar atención en clase; respetar las normas y colaborar en clase con los compañeros (con estos objetivos nos jugamos la calificación de actitud en clase). Hacemos un control (una calificación) para cada tema. Para pasar al curso siguiente tienes que suspender menos de tres asignaturas...

Me despido... hasta pronto

Espero que te haya gustado... Anímate a venir y nos cuentas cómo son los colegios en tu país. Aquí en Alicante hay un Colegio Europeo y podrás seguir las clases en tu idioma hasta que aprendas a hablar español. Bueno yo estoy aprendiendo inglés, al menos podremos jugar al fútbol al principio.

http://www.euroresidentes.com/testimonios/Cole.htm

Contesta a estas preguntas.

a ¿Se parece el colegio de Andy al tuyo? ¿En qué?

b ¿Te parece bien el tiempo dedicado al recreo?

c ¿Qué opinas de los castigos?

d ¿Y qué opinas de las actividades extraescolares?

e ¿Y sobre las notas, los objetivos y los exámenes?

5 Escribe.

Estamos seguras de que tu pueblo o tu ciudad poseen lugares artísticos o especiales por algo. Queremos que, con la ayuda de lo que has ido aprendiendo a lo largo de estas tres unidades, escribas todo lo artístico que hay en tu localidad o tu barrio favorito, así como que nos cuentes qué se puede hacer allí.

Sidney, Australia.

Chongquing, China.

São Paolo, Brasil.

San Francisco, EE UU.

- Los monumentos, las casas, las plazas, las iglesias, las mezquitas, las sinagogas, los templos budistas...
- Un poquito de historia.
- Mejor época del año para visitarlo/a.
- Las mejores horas.
- El entorno natural y los colores característicos.
- Los olores.
- Lo que debe hacer un turista que lo/la visita.

6 Señala la respuesta adecuada.

1 Hice el informe como me _____ el jefe.
a. mandó **b.** mandaria
c. me había adecuado **d.** ha susurrado

2 ● De niño me molestaba que el fin de semana (durar) _____ tan poco. No me gustaba nada ir al colegio.
▼ A mí, _____, me encantaba ir al colegio.
a. duraría / tampoco
b. duraba / al contrario
c. durara / sin embargo
d. tardara / no obstante

3 ¿A que parece increíble? Se usa para:
a. Pedir el acuerdo del interlocutor.
b. Preguntar sobre algo extraño.
c. Pedir la opinión del interlocutor.
d. Preguntar con extrañeza.

4 Le dimos el regalo y no nos dio las gracias, _____ decidimos no regalarle nada nunca más.
a. porque **b.** así (es) que
c. en vista de que **d.** dado que

5 No es que _____ interesado, es que me resulta muy caro.
a. soy **b.** no esté
c. sea **d.** parezca

6 No me has devuelto el dinero, _____ esté enfada-do contigo.
a. así es que **b.** por tanto
c. de ahí que **d.** en consecuencia

7 ● Oye, ¿y de quién es la exposición?
▼ De Palazuelo
● ¿Y es conocido? _____.
a. Eres un cotilla **b.** A mí ni me suena
c. Tengo la menor idea **d.** Preséntamelo

8 ● ¿_____ no vas a presentarte al examen de Historia del Arte?
▼ Es que no he tenido tiempo de preparármelo bien y quiero sacar un _____.
a. Y eso / un buen suspenso
b. Porqué / un aprobado por los pelos
c. Cómo es que / sobresaliente
d. Gracias a que / buena nota

9 ● Le dieron el premio porque su padre era amigo del presidente del jurado.
▼ De eso nada. No le dieron el premio porque el presi-dente del jurado _____ amigo de su padre, sino porque su proyecto _____ el mejor.
a. fuera / era **b.** estuviera / sería
c. era / fuera **d.** estuviera / fuera

10 ● ¿Quedamos?
▼ Claro. Me das _____ y nos vamos de _____.
a. un grito / casino **b.** 20 euros / pisos
c. un golpecito / vinos **d.** un toque / marcha

11 En el arte figurativo _____ mejor la calidad gráfica _____ y la mano del artista.
a. se vende / del proceso
b. se aprecia / de la obra
c. se agradece / del resultado
d. se encarga / de la foto

12 ● ¿Conoces a _____ que sea capaz de trabajar quince horas diarias?
▼ No, no conozco a _____ persona que trabaje _____ horas.
a. algún persona / ningún / tan muchas
b. alguno / ninguno / tantos
c. alguien / ninguna / tantas
d. personas / nadie / muchas

13 Llegó a la oficina y _____ horas ya había cambiado totalmente su despacho.
a. después unas **b.** al cabo unas
c. más tarde una **d.** a las pocas

14 'Escaquearse' es un término _____ que significa: _____.
a. coloquial / evitar cumplir con una obligación
b. familiar / intentar que te rebajen el precio
c. vulgar / una expresión muy grosera
d. formal / cumplir una acción con mucho interés

15 Los españoles, _____ hoy en día viajan mucho, tienen _____ más abierta.
a. los que / una visión
b. que / una mentalidad
c. quienes / una viñeta
d. que / una casa

16 ● Esos son los lugares _____ me siento

_____.

▼ Gracias por compartirlos.

a. dónde / en el hogar   **b.** en que / estresante

c. donde / en casa   **d.** adonde / confortable

17 ● ¿Planes para este verano?

▼ Si _____, viajaré _____ toda Europa.

a. apruebo las oposiciones / en

b. suspendo las oposiciones / para

c. saco las oposiciones / por

d. entro en las oposiciones / a

18 ● No, no me llevo el paraguas, que luego no sé dónde dejarlo.

▼ _____, pero vas a llegar hecho una sopa.

a. Tú a la tuya

b. Qué distraído eres

c. Bueno, tú verás

d. Según crees

19 En la fiesta de los muertos en México se pone una vela por cada alma que se recuerde y una por el alma olvidada. Con esta acción se representa _____.

a. el aire   **b.** la tierra

c. el agua   **d.** el fuego

20 ● ¿_____ a _____ les gusta jugar a los chicos de hoy en día?

▼ A los juegos de antes, pero, además, juegan con las nuevas tecnologías, creo yo.

a. A que no sabes / qué

b. Sabes / qué

c. A que no adivinas / cuáles

d. Conoces / qué

21 A _____ madruga, Dios le ayuda.

a. que   **b.** donde

c. quien   **d.** quién

22 ● ¿Quiénes deben presentarse al examen de recuperación?

▼ Todos _____ han suspendido o _____ quieran subir la nota final.

a. los que / quienes   **b.** que / los quienes

c. los que / que   **d.** quienes / que

23 En la publicidad _____ con las palabras y _____ transmitir _____ en muy poco tiempo o espacio.

a. se juega / se logra / mensajes

b. se juegan / se logran / anuncios

c. juegas / logras / anunciantes

d. juegan / logran / comerciantes

24 _____ mirando _____ los prismáticos, _____ y _____.

a. Estuve / de / se cayeron / se rompieron

b. Estaba / en / los caí / los rompí

c. Estuve / con / cayéronse / rompiéronse

d. Estaba / por / se me cayeron / se rompieron

25 Esta campaña publicitaria _____ en tiempo récord.

a. ha sido creada   **b.** era creado

c. fue creado   **d.** lo crearon

26 ● Me han suspendido Química.

▼ ¡_____!

a. Que te mejores   **b.** Qué faena

c. Qué quieres hacer   **d.** Que te examines

27 No me lo cuentes todo ahora, pero _____ dime quiénes participaron. Luego ya me das más _____.

a. por lo menos / consejos sobre el asunto

b. de pronto / cartas

c. al menos / detalles

d. como mínimo / relatos

28 'No te cortes', significa:

a. No seas tímido.   **b.** Vas a alucinar.

c. No seas gallina.   **d.** Pruébalo.

29 'Echar una ojeada', significa:

a. Pasar las páginas rápidamente.

b. Mirar algo atentamente.

c. Leer en profundidad.

d. Mirar algo por encima.

30 Creo que en la vida hay que empezar _____ aprender _____ aquellos que han hecho antes buenas cosas.

a. por / a   **b.** por / de

c. a / por   **d.** en / de

7

Relaciones personales.com

Al terminar esta unidad, serás capaz de...

• Leer, escuchar y hablar sobre las relaciones personales a través de internet.
• Reconocer y utilizar expresiones coloquiales.
• Hablar sobre la enseñanza a distancia, los *frikis* o Facebook.
• Interpretar el humor de algunas viñetas e historietas.
• Escribir para buscar pareja en internet.
• Formar palabras derivadas: adjetivos a partir de sustantivos.
• Presentar objeciones usando el indicativo y el subjuntivo.
• Usar nuevos recursos para expresar finalidad.
• Escribir textos argumentativos y añadir la conclusión a un texto dado.

1. Pretexto

Wakawaka dice:	¡Hola! ¿Qué cuentas?
Sisquilu dice:	Aquí, intentando trabajar 😠 aunque no estoy nada inspirada... No me concentro por mucho que lo intento, y eso que tengo que entregar el proyecto el viernes.
Wakawaka dice:	😄 😄 No me extraña... Yo estoy igual.
Sisquilu dice:	Oye... No te rías, que hoy tengo un día chungo. 😦 Me he levantado preguntándome para qué trabajo si cobro una m... porquería.
Wakawaka dice:	Pero si siempre has dicho que tu trabajo era estupendo, creativo...
Sisquilu dice:	Sí, sí que lo he dicho y creo que en el fondo lo pienso. Pero, a veces, por muy creativo que sea, me cuesta seguir. 😲
Wakawaka dice:	Te entiendo, es que para que la creatividad nos invada, es bueno sentirse bien pagada, ¿no?
Sisquilu dice:	Pues sí, pues sí. Pero, vamos a dejarlo y cuéntame tú algo. Te ibas a ir de vacaciones a Japón, ¿no? ¿Al final te fuiste?
Wakawaka dice:	Síííííííí. Y he vuelto encantada 😄 a pesar de que llevaba en la maleta algunos estereotipos. 😊
Sisquilu dice:	¿Ah, sí? ¿Y qué ha pasado para que estés tan contenta?
Wakawaka dice:	Pues, mira: el país –bueno, lo que yo he visto– es precioso. La comida riquísima, y eso que al principio me daba asco lo del pescado crudo. Y la gente... la gente... pues amabilísima. Incluso cariñosa.
Sisquilu dice:	¿En serio? Oye, ¿y has comido ese pescado venenoso...? Pez globo o algo así se llama, ¿no?
Wakawaka dice:	Pues sí, me atreví a comerlo y resultó que estaba para chuparse los dedos. 😄 En japonés se llama 'fugu'. Y ya ves, aquí estoy vivita y <u>coleando</u>. Hace falta algo más que un pececito para borrarme del mapa. 😏
Sisquilu dice:	Pues yo no sé si me habría atrevido. 😐 Por muy bueno que esté, no sé... no sé.
Wakawaka dice:	Mira, para que veas lo rico que está, te invito a que lo pruebes en un japonés muy bueno que hay cerca de tu trabajo. ¿Te apetece? 😄
Sisquilu dice:	Claro que me apetece, pero... ¿Qué hora es? ¡Ay! Llevamos hablando un buen rato y, mira, por poco que cobre, al menos tengo trabajo. Y no quiero perderlo. Me vooooooooy. 😜
Wakawaka dice:	¡Es verdad! ¡Uf! Te llamo y quedamos para ir al restaurante AlmaZen. Oye, piensa en algo bonito para que te venga la inspiración. Un beso. 😄
Sisquilu dice:	Lo haré. Otro beso para ti. 😘

Para aclarar las cosas:

Waka waka: título de la canción que cantó Shakira en el Campeonato Mundial de Fútbol de 2010.
Vivita y coleando: sana y salva. Hace referencia a como mueve la cola cualquier animal.

1 Escucha, lee y contesta. 📻²⁸

a ¿De qué temas hablan? Subráyalos. ¿Podrías hablar de ellos con tu compañero/a?

b ¿Podríais interpretar en parejas los «emoticones»? ¿Qué función tienen?

c Deduce por el contexto: *día chungo*; *me daba asco*; *para chuparse los dedos* y luego, en parejas, escribid un breve diálogo con esas expresiones.

2 Recuerda.

a ¿Por qué *Sisiquilu* usa el imperfecto para preguntar: «**Te ibas a ir** de vacaciones a Japón, ¿no?»?

1 Porque se refiere a una acción no terminada.

2 Porque se refiere a una intención que quiere confirmar.

b Con tu compañera/o escribe un diálogo breve donde aparezca ese imperfecto.

3 Y ahora reflexiona.

a Señala las dificultades o barreras que cada persona encuentra para hacer lo que quiere. Puedes buscar así: *Sisiquilu intenta trabajar, pero...*

Dificultades	Recursos con los que se expresan
Sisiquilu no se concentra...	**...aunque** no está inspirada.
Wakawaka...	

b ¿Puedes hacer alguna hipótesis sobre su funcionamiento?

c Ya sabes cómo se usa *para*. Busca en el *chat* los casos en los que aparece y recuerda cómo se usa.

d ¿Por qué crees que aparece el subjuntivo en esta oración: «Te invito a que lo pruebes en un japonés muy bueno que hay cerca de tu trabajo»?

2. Contenidos gramaticales

1 Construcciones finales.

A *Para* y *para que*. **Completa estas frases usándolas.**

1 ¿Por qué no estás en *facebook*? Hoy en día es imprescindible *para* _____.

2 En la red, no te hagas amigo/a de cualquiera *para* _____.

3 Voy a preparar bien el examen *para* _____.

4 Hoy tengo *chat* con mi profesora. Voy a conectarme ya *para* _____.

> **¿Podrías escribir tu propia regla?**
> *Para* se construye seguida de _____ cuando _____.
> *Para que* se construye seguida de _____ cuando _____.
> *Las dos construcciones expresan* _____.

Para recordarlo aquí tienes este esquema.

PARA + infinitivo	*PARA QUE* + subjuntivo (siempre)
Cuando las dos frases tienen **el mismo sujeto**. • *Estoy (yo) ahorrando **para** viajar (yo) a México.*	Cuando las dos frases tienen **distinto sujeto**. • *Estoy (yo) ahorrando **para que** mi hijo vaya este verano a Inglaterra.*

RECUERDA
En las frases interrogativas introducidas por **para qué** no aparece el subjuntivo. • *¿**Para qué** sirve estar en Facebook?* • *Me he levantado preguntándome **para qué** trabajo.*

B Otras construcciones finales.

Funcionan igual que *para (que)*.

- **A (que)**

  Se utiliza cuando el verbo principal es de movimiento o el verbo exige esa preposición, como en el caso de: *ayudar, invitar, obligar*, etc.

  - *He venido **a que** me prestes tus apuntes, te los devuelvo mañana.*
  - *Me invitó **a que** me hiciera amiga suya en Facebook.*
  - *He venido **a** darte los apuntes.*

- **Con el fin de (que) / con el objeto de (que)**

  Son construcciones finales, propias del lenguaje escrito.

- ***Estimados/as*** *clientes:*

  *Nuestra empresa ha mejorado la velocidad de conexión a la red **con el fin de que** tengan / **con el fin de** ofrecerles un mejor servicio.*

2 Construcciones concesivas.

Las oraciones concesivas expresan, en general, un obstáculo a pesar del cual se realiza lo expuesto en la oración principal.

- ***Aunque*** *no encuentre otro trabajo, mañana mismo me voy de esta oficina, ¡no aguanto más!*

  Dificultad

- *Y he vuelto encantada **a pesar de que** llevaba en la maleta algunos estereotipos.*

  Dificultad

A Aunque.

Aunque + indicativo + oración principal	***Aunque*** + subjuntivo + oración principal
Usamos el **indicativo** para: • Informar de circunstancias nuevas o compartidas por el interlocutor. • *Estoy intentando trabajar **aunque** no estoy nada inspirada.* • ***Aunque*** *nadie me lo ha contado, me he imaginado lo que pasaba.* 	Usamos el **subjuntivo** para: • Hablar de hechos no realizados. En este caso el subjuntivo es obligatorio. • ***Aunque*** *no encuentre otro trabajo, mañana mismo me voy de esta oficina, ¡no aguanto más!* • Hablar de lo que desconocemos. ***Aunque*** *ustedes piensen (no sabemos realmente lo que piensan, solo lo imaginamos) que las redes sociales no sirven para nada, eso no es cierto.* ************************************** **¡OJO!** • Al hablar de hechos conocidos por mí y por mi interlocutor, el subjuntivo sirve para quitarle importancia a lo expresado por la oración concesiva y enfatizar lo que se dice en la oración principal. • ***Aunque*** *tus amigos sean españoles (cosa que no dudo, pero que no tiene la menor importancia), no pueden darte clase de español.* **Hecho enfatizado.**

B Otras construcciones concesivas.

Funcionan igual que *aunque*.

A pesar de que + indicativo / subjuntivo	*Por mucho* + sustantivo + *que* *Por mucho* / *más que*	*Y eso que* + indicativo	*Por muy* + adjetivo / adverbio + *que* *Por poco* + *que*
A pesar de + infinitivo cuando el sujeto de las dos oraciones es el mismo, pero esto no es obligatorio.	Van seguidas de **indicativo** o **subjuntivo**. *Mucho* concuerda con el sustantivo al que acompaña.	*Y eso que* va detrás de la oración principal.	Se construyen generalmente con **subjuntivo**.
• *A pesar de que lo* <u>sabía</u>, *volvió a preguntármelo.* • *A pesar de* <u>saberlo</u>, *volvió a preguntármelo.*	• *Por muchos problemas que* <u>tuviera</u> *Cecilia hace años, siempre encontraba un rato para sus amigas.* • *Por muchas tonterías **que** <u>dice</u>, tú siempre lo crees.* • *Por mucho que* <u>trabajes</u>, *no te harás rico.*	• *¡Cuántas horas pasas conectado a internet! ¡**Y eso que** <u>dijiste</u> que tú no te engancharías!* • *Siempre se está quejando de cómo vive... **Y eso** que lo* <u>tiene</u> *todo.*	• *Un ipad es algo muy útil.* ▼ *Pues **por muy** útil **que** <u>sea</u>, a mí no me interesa.* • *¿Te has fijado en lo puntual que es? **Por muy** lejos **que** <u>haya llegado</u> en la empresa, sigue siendo la misma de siempre.* • *Por poco que* <u>cobre</u>, *al menos tengo trabajo.*

3. Practicamos los contenidos gramaticales

1 A Completa con indicativo o subjuntivo.

1 • Habría sido mejor enviar la carta certificada para que no (perderse) *se perdiera*.
  ▼ Es verdad, pero yo la mandé normal, aunque (saber) _____ que podía perderse.

2 • Cuando empezó el curso instalé el *skype* para que los alumnos que están en el extranjero (poder) _____ hacerme consultas. Pero aunque lo (tener) _____ activado, lo usan muy poco.
  ▼ Bueno, pero por poco que lo (usar) _____, es importante que lo tengan a su disposición.

3 • Te pasas mucho tiempo leyendo tus mensajes de *Facebook* y eso que (tener) _____ trabajo pendiente.
  ▼ ¿Y qué? Por mucho trabajo que (tener) _____ y por mucho que (deber) _____ correr, siempre cumplo, ¿no?

4 • Bueno, doctora, ¿cómo me ha encontrado? ¿Estoy mejor?
  ▼ *Es* usted *un caso*, a pesar de que le (decir, yo) _____ que debía dejar de fumar, ha seguido haciéndolo y, claro, aquí están las consecuencias. Mire cómo tiene los pulmones.

5 ● ¿Otra vez enviando mensajes en *twitter*? Y eso que (decir, tú) _____ que eso no era para ti.

▼ Sí, es verdad, pero *es una gozada* estar conectada con todo el mundo y mandar y recibir noticias.

6 ● ¿Lorenzo? ¿Que qué opino de Lorenzo? Pues, el muchacho tiene buena voluntad, no digo que no, pero por mucho que (esforzarse, él) _____, se nota que todavía *está muy verde*.

▼ ¿Y entonces? ¿Le renovamos el contrato o no?

● Ya veremos.

7 ● Aunque no se lo (creer, ustedes) _____, hay personas que no tienen televisión en sus casas.

▼ La verdad, sí que me cuesta creerlo.

● Pues a mí no. Hoy en día la gente pasa más horas con su ordenador o su *iphone* que delante de la tele.

8 ● Me encanta andar y lo haría aunque (llover) _____ *a cántaros*.

▼ ¡Qué exagerada! Pues a mí lo de andar no me gusta por mucho que me lo (recomendar, ella) _____ siempre.

> **Para aclarar las cosas:**
> *Ser un caso*: comportarse de manera rara. Unas veces tiene sentido positivo y otras de crítica.
> *Ser una gozada / Ser un gustazo*: algo que produce mucho gusto, un gran placer.
> *Estar verde*: aplicado a personas, significa no tener experiencia.
> *Llover a cántaros*: llover muchísimo, diluviar.

1 B Ahora escribe diálogos breves con las expresiones del cuadro «Para aclarar las cosas».

2 A Primero, transforma el infinitivo en el tiempo y modo adecuados. A continuación, di quién crees que habla (un hombre o una mujer) y en qué elementos del texto te basas. Después escucha la grabación, comprueba tus hipótesis y comenta con tu compañero/a lo que se dice en el texto. 🎧)) 29

¿Que qué hago en mi tiempo libre? Lo mínimo, trabajo ocho horas diarias y con la de cosas que (tener) (1) *tengo* que hacer en casa, después del trabajo, ya me dirá usted cuánto tiempo me (quedar) (2) _____.
A mí que no me llamen para que (ir, yo) (3) _____ a una excursión al campo, y eso que se (poner) (4) _____ muy bonito en esta época del año, pero por muy sano que (ser) (5) _____ eso de respirar aire puro..., además, a mí no me apetece andar y todo eso, y luego volver a casa peor de lo que (estar) (6) _____. Por más que me (decir) (7) _____ que soy un muermo, a mí me da igual. No es que no tenga ganas de hacer cosas, es que *no tengo fuerzas*. Cuando estoy haciendo las tareas de la casa solo pienso en cuánto tiempo me falta para (conectarme) (8) _____ a *Skype* para hablar con mi amigo Guillermo que vive en Brasil o (leer) (9) _____ algún artículo en un periódico digital o (escuchar) (10) _____ música en *Spotify* o (chatear) (11) _____ un rato con mis amigos.
Como ve, aunque (pensar) (12) _____ que no tengo aficiones, sí que las tengo, pero tranquilas.
En fin, voy a tener que dejarle. Dentro de un rato hay una reunión para que nos (poner) (13) _____ de acuerdo sobre el plan de potenciación del tiempo libre para los jóvenes; es un intento de animarlos a que (hacer) (14) _____ algo constructivo y para que no (pasarse) (15) _____ todo el día conectados al ordenador o viendo la tele. ¿No le parece una ironía?

> **Para aclarar las cosas:**
> *No tener fuerzas*: no tener energías, ganas.
> *No tener fuerza*: no tener potencia en los músculos para levantar un peso, por ejemplo.

2 B Ahora escribe diálogos breves con las expresiones del cuadro "Para aclarar las cosas".

3 **Este grupo de personas opina sobre la técnica. Añade tu comentario a lo que dicen. Puedes usar la expresión que está entre paréntesis.**

Por muy rápida que sea la información de la tele, yo prefiero los periódicos.

1 Yo prefiero los periódicos en papel a los digitales. Me parecen más fáciles de leer.
Tu comentario: (***Por muy***)
_____.

2 Paso muchas horas conectado a internet porque hay mucha información.
Tu comentario: (***Por mucho/a***)
_____.

3 ¿Que es malo el móvil? Pues para mí se ha vuelto imprescindible.
Tu comentario: (***Y eso que***)
_____.

4 Yo me bajo música de internet y me ahorro una pasta*.
Tu comentario: (***Por mucho***)
_____.

**Pasta: forma coloquial de referirse al dinero.*

5 Yo ya no voy al cine, es muy caro, por eso solo veo DVDs.
Tu comentario: (***Por muy***)
_____.

6 Los juegos de ordenador me encantan. Con ellos te vuelves más ágil, más rápido.
Tu comentario: (***Por muy***)
_____.

7 A mí, la verdad, me gustan poco las redes sociales.
Tu comentario: (***Por poco***)
_____.

8 Acabo de comprarme un *ipad* y estoy encantada.
Tu comentario: (***Y eso que***)
_____.

4 **A** **Elige *para* o *para que* y luego completa con tu compañero/a.**

Esta información la hemos encontrado en internet.

1 Consejos *para* / *para que* tus fotos (decir) *digan* algo interesante.
¿Algún consejo? Te damos un ejemplo, pero añade tú otros.

Para / *para que* tus fotos (decir) *digan* algo interesante, debes mirar la realidad con ojos infantiles.
_____.

2 Consejos *para* / *para que* (ahorrar) _____ energía y (evitar) _____ el calentamiento global.
¿Algún consejo? _____
_____.

3 Cinco consejos *para* / *para que* su empresa (sobrevivir) _____ en una red social.
¿Algún consejo? _____
_____.

4 Diez consejos *para* / *para que* (hacerse) _____ amigo de la profesora o del profesor.
¿Algún consejo?
_____
_____.

5 Consejos *para* / *para que* la gente te (escuchar) _____.
¿Algún consejo? _____
_____.

B **Primero vamos a imaginar cómo terminan los títulos de este libro y esta película. Después imaginaremos otras posibilidades.**

1 *Te quiero aunque seas,*

_____.

a Te odio aunque _____

_____.

b No te lo contaría por mucho que

_____.

c Aunque tú no _____

_____, yo sí

_____.

d Por poco que tú _____

_____, yo _____

_____.

2 *Aunque estés lejos,*

_____.

a Por muy cerca que _____

_____.

b Te has ido lejos y eso que _____

_____.

c A pesar de que tú _____

_____, yo

_____.

d Por muchos _____

que _____ yo nunca, _____

_____.

5 **Recuerda lo que has leído y escuchado. Reflexiona y contesta.**

1 • *Te pasas mucho tiempo mirando tus mensajes de Facebook,* **y eso que** *tienes trabajo pendiente.*
  • *¿Otra vez enviando mensajes en twitter?* **Y eso que** *decías que eso no era para ti.*
  • *No me gusta ir al campo,* **y eso que** *se pone muy bonito en esta época del año.*

Acabas de aprender que *y eso que* tiene valor concesivo, es decir que es equivalente a *aunque*. Pero, ¿qué otro matiz añade?

a Dificultad de poca importancia.
b Reacción contraria a lo dicho anteriormente.

Ahora construye oraciones concesivas con *y eso que* y estos elementos.

1 Colgar fotos personales en su web. Saber que es peligroso.

_____.

2 Noticia importante para mí. No contársela a nadie, ni a Pedro que es mi mejor amigo.

_____.

3 Conseguir la distribución de los libros en exclusiva. Ser nueva en este negocio.

_____.

2 • *¿Lorenzo? ¿Que qué opino de Lorenzo?*
  • *¿Que qué hago en mi tiempo libre?*
  • *¿Que es malo el móvil?*

Estas preguntas repiten lo que ha dicho el interlocutor. ¿Con qué intención se hace?

a Para asegurarse de que se ha entendido bien.
b Para mostrar que se va a dar una respuesta tras pensar en ella.

Ahora, trata de contestar, si es posible, a estas otras preguntas.

1 ¿Que quién compró eso?
  Tu respuesta: _____.
2 ¿Que por qué no tengo un *blog*?
  Tu respuesta: _____.
3 ¿Que no les gusta ver la tele?
  Tu respuesta: _____.
4 ¿Que cómo sabes tú todas esas cosas?
  Tu respuesta: _____.
5 ¿Que nadie hace nada?
  Tu respuesta: _____.

3 A *Me daba un poco de asco* **eso del** *pescado crudo.*
  Por muy sano que sea **eso de** *respirar aire puro.*

B *Me daba un poco de asco el pescado crudo.*
  Por muy sano que sea respirar aire puro...

¿Qué diferencia observas entre las oraciones del grupo A y las del grupo B? ¿En cuáles se hace referencia a algo sabido por todos o dicho por el interlocutor? ¿Cuáles te parece que introducen un tono despectivo?

Construye tus propias oraciones usando *eso de*.

1 Hacer crucigramas / pérdida de tiempo.
2 Bailar / probablemente bueno para la salud.
3 Conocer gente / redes sociales / poco seguro.

4 • *Para que veas lo rico que está...*
• *Con la de cosas que tengo que hacer en casa...*

Fíjate en los artículos *lo* y *la*. El neutro *lo* se usa delante de adjetivos y adverbios para sustantivarlos. El femenino *la* aparece porque se sobreentiende la palabra 'cantidad'. Pero, ¿qué función comunicativa crees que desempeñan?

a Sirven para dar énfasis a lo que se dice.

b Sirven para dar un matiz positivo a lo que se dice.

Comprueba tu respuesta usando otra fórmula para decir algo equivalente a la oración en cursiva.

1 ¿Salir por la noche? *Con lo cansado que estoy yo a esas horas...*
Equivalente: _____ .

2 ¿Siempre me sales con *lo lejos que vivo* como excusa para no venir a mi casa; pero yo sí voy a verte a ti. ¿No hay la misma distancia?
Equivalente: _____ .

3 Me parece absurdo estar siempre ante la pantalla de la computadora. *Con la de posibilidades que hay fuera.*
Equivalente: _____ .

5 *Estar verde*: *aplicado a personas, significa no tener experiencia.*

Los colores se asocian a estados de ánimo que pueden coincidir o no en diferentes idiomas. **Completa y explica qué significan las expresiones de colores en estos contextos.**

Además de referirse a personas sin experiencia el *verde* puede usarse en otro contexto.

1 *Lo pusieron verde* cuando se fue porque
_____ .

2 Mis colegas de la facultad se *pusieron amarillos* de _____ cuando
_____ .

3 *Me pongo rojo,* como un tomate, porque soy muy _____ .

4 *Te has quedado blanca* del _____ : no ha sido para tanto ¿no?

5 *Nos pusimos morados de* _____ . en el bufé que sirvieron al final del *Computerparty.*

---

4. De todo un poco

1 Interactúa.

A Los mejores momentos de la vida.

Hay cosas que no cambian. En grupos, poneos de acuerdo y estableced una lista de buenos momentos. Aquí van unos ejemplos para empezar.

Una buena conversación.

Despertarte y darte cuenta de que todavía podías dormir un par de horas.

Salir de la ducha y que la toalla esté calentita.

Encontrar miles de mensajes cuando vuelves de vacaciones.

¿Mirar un atardecer? ¿En directo? ¿En el ordenador?

© Forges

B Buscamos parejas por internet.

Fuente: *http://planetacontactos.com/*

a Dividid la clase en tres grupos de asesoramiento emocional.

b Primero, tratad de imaginar cómo son las personas por las fotos que han elegido. Con eso, podéis añadir más información a la que aparece.

c Leed atentamente las fichas y emparejad los candidatos y candidatas.

d Comparad con lo que han elegido los otros grupos y llegad a acuerdos.

Chicas

Sobre mí
Buena amiga de mis amigos. Alegre y extrovertida, con ganas de disfrutar de la vida...

Lo que busco
Conocer gente con la que poder compartir aficiones y reírme.
● España ● Vizcaya ● Bilbao

Chicos

Sobre mí
Soy muy normal, pero me gustan los retos y las nuevas experiencias...

Lo que busco
Busco algo nuevo.
● España ● Granada

Chicas

Sobre mí
Lo difícil se hace y lo imposible se intenta. Soy como ves en la foto, el resto sobre mí, puedes descubrirlo si quieres... ¿Quieres?

Lo que busco
Un hombre sensato, responsable, con buen humor, sociable. Quiero ser lo primero para ti, pero no lo único que tengas. Busco a alguien que me haga reír y no llorar.
● España ● Zaragoza

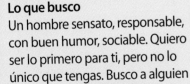

Chicos

Sobre mí
Creo que lo mejor es conocerme, puedes hablarme...

Lo que busco
Busco una chica afín a mí, sincera, honesta, que odie la mentira.
● España ● Valencia

Chicos

Sobre mí
Sincero, noble, transparente, humilde, pero si es necesario en un momento dado también soy un "cabroncete". Todo depende de lo que tenga delante de mí...

Lo que busco
Una mujer. Una cita a ciegas, pero que sea una persona legal y afín.
● España ● Álava ● Vitoria

Chicas

Sobre mí
Me considero una persona centrada y que sabe lo que quiere.

Lo que busco
Conocer un hombre con el que poder mantener una relación que se base sobre todo en la amistad.
● España ● Pontevedra

Chicas

Sobre mí
«...y su mundo artificial olía a orquídeas y a agradable esnobismo».
Gran Gattsby.
Historiadora del arte...
Lo que busco
Conversación sincera, inteligente y divertida.
- España • Madrid

Chicos

Sobre mí
Una persona normal, romántica, que odia la mentira, sincero, me gusta la familia, la naturaleza... y con ganas de vivir si es junto a la persona amada.
Lo que busco
Mujer sencilla que quiera compartir su vida, sus aficiones; que le guste salir a la naturaleza, la buena conversación. Importante: nada de mentiras. Leal, fiel.
- España • Burgos

Chicas

Sobre mí
Mujer, delgada, ojos azules, pelo castaño. Me gusta reír, el cine, ver la tele, viajar, la naturaleza, la música *new age* y *folk* y salir a cenar; aunque también disfruto con las veladas en casa cenando y viendo alguna película. Tampoco descarto ir de vez en cuando a discotecas o pubs.
Lo que busco
Busco un hombre sano, de complexión media a delgado, cariñoso, sincero, simpático y fiel. Que le guste viajar, ir al cine y a cenar. Que tenga entre 25 y 35 años y quiera tener una relación estable.
- España • Barcelona

Chicos

Sobre mí
Alegre, simpático y muy educado...
Lo que busco
Persona educada y respetuosa...
- España • Málaga

Chicos

Sobre mí
Me gusta pensar que soy un verdadero hidalgo de otros tiempos al que le gusta tratar a cada mujer que sale conmigo como mi reina, aunque sea solo por una noche o para toda la vida. No imagino una relación sin rosas, cartas en papel, sin luna, sin atenciones. Intento construir mi vida sobre valores tradicionales.
Lo que busco
Una mujer verdadera, dulce, romántica, cariñosa, hogareña, femenina, que no crea en la paridad entre hombres y mujeres, sino en la diferencia de roles.
- España • Sevilla

Chicas

Sobre mí
Soy muy sincera, clara, tengo sentido del humor, soy simpática, pero a la vez algo tímida.
Lo que busco
Lo que surja, me es indiferente, menos el compromiso.
- España • Cáceres

2 Habla.

A Elige uno de estos dos temas. Tienes unos minutos para prepararte y cuando ya estés listo, tienes que exponerlo durante unos cinco minutos. Después, tus compañeros/as (y tu profesor/a si así lo desea) te harán preguntas.

1 Las relaciones a través de las plataformas de aprendizaje.

¿Qué opinas del aprendizaje a distancia? ¿Crees que es más frío, más impersonal que el presencial? ¿Te parece que pueden establecerse buenas relaciones con el profesorado o con los compañeros y compañeras a través de foros y chats?

Lee este testimonio para «inspirarte».

> Para mí, el estudio a distancia es una excelente forma de aprender si se acepta el compromiso de estudiar con seriedad. Por ejemplo, entre las cosas buenas que yo he encontrado están el ahorro de dinero en transporte y material (lo hay virtual) y la flexibilidad de horarios, que favorece la responsabilidad y la autonomía. Además, a través de los chats con el profesorado y con mis compis he establecido lazos estupendos. ¿Lo malo? Que si no dominas las TIC, puedes liarte, buscando en la plataforma. Y que si te toca un tutor poco implicado, te sientes solo, solísimo.

2 Enseñar al que no sabe.

¿Nunca es tarde para aprender? ¿Qué opinas de que las personas mayores se metan en las redes sociales, que aprendan a manejar las TIC? ¿Podrías contestar a esas preguntas que han dejado en un foro?

- ¿Para qué quiero yo un *ipod?*
- ¿*Skype*? ¿Y eso cómo se usa?
- ¿Y un *blog* qué es? ¿Yo puedo hacerme uno?

- ¿Qué es eso de un *e-book*?
- Pero..., pero..., con todo eso voy a estar todo el día en casa sin salir y voy a perder a mis amigos.

B La realidad no virtual también existe.

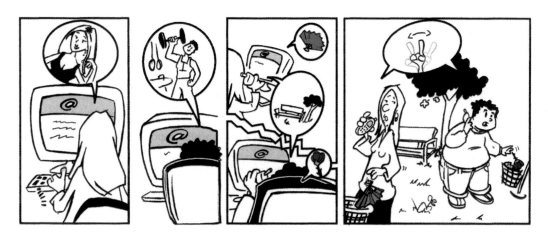

Mira bien las viñetas.

a Busca en el diccionario las palabras que no sabes.
b Describe y narra lo que ves.

Última viñeta.

c Decide si eres el hombre o la mujer y habla con un compañero/a imaginando lo que se dice la pareja.

3 Escucha.

A **Encontrar pareja en internet.** ⁑⁾ 30

En la sección Interactúa has trabajado con personas que buscaban parejas. Ahora vas a oír opiniones sobre este asunto.

1 Antes de escuchar.

Para entender mejor:

- *Nos dieron plantón* = no se presentaron a la cita.
- *He hecho de carabina* = he ido de acompañante para que la otra persona se sintiera segura.

2 Después de escuchar.

a Señala verdadero o falso.

	V	F
1 Ana niega que haya morbo en los *chats*.		
2 Xavier sabe mucho de relaciones en la red.		
3 Los adolescentes de 13 años son un fastidio.		
4 Ana y Xavier se encontraron porque tienen mucho en común.		
5 El *chat* hace que todo el mundo se parezca.		

Habla con tus compañeros:

¿Conocéis casos semejantes? ¿Os parece peligroso entrar en una web de citas?

B Un *friki* cualquiera. ⁑⁾ 31

1 ¿Sabes a quiénes llamamos los españoles *frikis*? ¿Sí? ¿No? Aquí tienes la respuesta:

Friki o friqui (del inglés *freak*, extraño, extravagante, estrafalario, fanático) es un término coloquial, no aceptado actualmente por la Real Academia Española, que puede referirse a: **1** Un individuo que se muestra inusualmente interesado u obsesionado por un tema particular. **2** Personas específicamente interesadas (a veces de manera obsesiva) por los temas de la llamada «cultura friki»: la ciencia ficción, el manga, los videojuegos, los cómics y la informática, entre otros.

a ¿Eres tú así?
b ¿Tienes amigos *frikis*?
c ¿Cómo se llama en tu país a este tipo de personas?

2 Ahora, escucha esta audición y elige la respuesta adecuada.

1 **Álex dice que...**
  a sus amigos lo consideran el más *friki* de la ciudad.
  b es un usuario tan compulsivo que debería ir al psiquiatra.
  c la experiencia y el tiempo que dedica a internet hacen que sepa bastantes cosas relacionadas con la red.

2 **Álex comenta que...**
  a a las reuniones de usuarios de Twitter van personas muy variadas.
  b solo se relaciona con gente rara.
  c sus amigos lo llaman mentiroso.

3 **Según Álex...**
  a cada día se relaciona personalmente con menos gente.
  b La palabra *friki* viene de una historieta cómica de hace muchos años.
  c Sus amigos se avergüenzan de él.

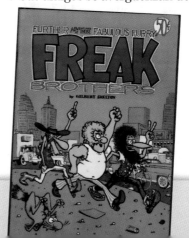

C Los mensajes y *Facebook*.

1 Antes de escuchar.

    a Lee la cabecera de la historieta.

    b Entre toda la clase, haced una lista de palabras o expresiones que creéis que vais a escuchar.

    c En parejas, imaginad qué ha podido escribir el dibujante en cada bocadillo. Escribid un texto que tenga sentido con la cabecera y que incluya las frases que aparecen en los bocadillos.

    d Para entender mejor: *chiflado/a* = loco/a; *chorrada* = tontería.

2 Durante la primera audición.

Tomad notas que puedan ayudaros a rehacer los textos que habéis escrito. Tendréis un tiempo para ello.

3 Durante la segunda audición.

Escribid todo lo que os falte. Si es necesario, podéis oír la grabación una vez más.

4 Después de escuchar.

    a Corregid lo que os falte leyendo la transcripción.

    b Comentad cada uno de los diálogos y opinad sobre ellos.

    c Si queréis saber algo más sobre el dibujante, Mauro Entrialgo, podéis entrar en:
http://www.mauroentrialgo.com

© Mauro Entrialgo

Un paso más

1 A En las audiciones anteriores han aparecido las siguientes perífrasis, que ya conoces. Emparéjalas con su significado de la columna de la derecha. OJO, algunas se repiten.

Perífrasis	Significado
1 *Lleva* tres años *saliendo* (Escucha A).	**a** Hace poco tiempo que he hecho eso.
2 Era normal que *acabáramos saliendo* (Escucha A).	**b** Expresa el tiempo que hace que realizas una actividad.
3 El morbo de saber cómo es alguien con quien *llevas chateando* dos meses (Escucha A).	**c** Se refiere al momento de realizar una acción.
4 *Estoy buscando* frikis (Escucha B).	**d** Se refiere al final de un proceso, a como termina.
5 Tus compañeros *acaban de decirme...* (Escucha B).	
6 Le *acabo de enviar* la invitación (Escucha C).	

1 B Y para comprobar que sabes usarlas, contesta a estos diálogos usando la perífrasis más apropiada.

a ● ¿Cuándo llegaré a ser un experto en TICs? Me siento analfabeto.
  ▼ Tranqui, tío, si sigues practicando, (aprender) _____ .

b ● ¿Has visto el último estado de Verónica en su Facebook?
  ▼ Sí, (verlo) _____ en este momento; es muy interesante.

c ● Cada vez que alguien tiene dudas sobre la web 2.0 te pregunta a ti.
  ▼ Bueno, es que (manejarla) _____ mucho tiempo.

d ● No te olvides de mandar un sms a Olga, es su cumple.
  ▼ Mira, precisamente (enviárselo)_____ hace un momento.

2 En las audiciones anteriores hemos encontrado estas expresiones:

Nos dieron plantón; ha hecho de carabina; estar chiflado; una chorrada

¿Te animas a usarlas con tu compañero/a en diálogos breves? Pero te ayudamos un poco más:

1 Antiguamente, cuando un chico y una chica querían verse, necesitaban a alguien que hicieran de eso.

2 Para muchas personas, algunos comentarios que se cuelgan en las redes sociales son eso.

3 Puedes hacer eso a la gente si vas a un sitio equivocado y te esperan en otro.

4 En español, el gesto que se usa para indicar eso es tocarse la sien.

3 A En la audición C has escuchado: *¿Por qué te ha dado ahora por escribirme por* Facebook? Elige el significado que crees que tiene.

a Ahora inesperadamente haces algo que antes no hacías.

b Ahora me escribes mucho.

3 B Reescribe estas oraciones usándolo.

a Antes pensabas que internet era un agobio y ahora solo buscas ahí la información que necesitas.

b Siempre te ha gustado la gente creativa y ahora la criticas a todas horas.

4 Lee.

Lee el texto y después, contesta a estas preguntas.

AL MAIL SÍ, PERO NO ME HAS RESPONDIDO AL MENSAJE QUE TE ENVIÉ POR FACEBOOK.

TE LO AVISÉ EN UN COMENTARIO DE UNA FOTO TUYA DE FLICKR.

REVISA MIS TUITEOS Y VERÁS QUE TE PEDÍ QUE ME ENVIARAS UN SMS.

NO VINISTE AL CONCIERTO Y ESO QUE TE INVITÉ AL EVENTO EN MYSPACE Y LAST.FM

CADA DÍA ENTIENDO MEJOR POR QUÉ LAS LLAMAN "REDES SOCIALES".

© *Mauro Entrialgo*

1 RELACIONES INTERPERSONALES: VIRTUALES Y PRESENCIALES

La omnipresencia de las Tecnologías de la Información y la Comunicación (TIC) en la sociedad actual es una realidad innegable. Han traspasado la frontera de lo científico-militar, para instalarse como elementos imprescindibles en el contexto empresarial, sanitario, escolar, familiar y en las relaciones sociales de ocio y entretenimiento, especialmente de los más jóvenes. Hay quienes responsabilizan a las TICs de los males sociales acontecidos en estas décadas. **Aunque lo admitamos en parte, hay que buscar otros responsables.**

Partiendo de estas premisas, nos centraremos en estas preguntas: ¿Qué tipo de interacciones se dan en internet? ¿En qué se diferencian de las físicas? ¿Se relacionan los jóvenes de manera diferente a través de la red? ¿Cuáles son los principales riesgos de las relaciones interpersonales en red? ¿Es internet una causa de aislamiento entre los jóvenes?

1.1 ¿Qué entendemos por relaciones interpersonales?

Existen tantas posibles definiciones como miradas y experiencias de vida. La definición más simple, quizás también la más generalizada y común, es la que se refiere a esas relaciones como la interacción recíproca entre dos o más personas. En esta misma línea, podemos decir que las relaciones interpersonales son el conjunto de contactos que tenemos los humanos como seres sociables con el resto de las personas. Cosa que nos es imprescindible para crecer como individuos.

Desde el punto de vista empresarial, las relaciones interpersonales se entienden como la capacidad que tiene la persona de cooperar y trabajar con sus compañeros, estableciendo metas conseguidas con el trabajo diario. Mientras que las relaciones entre compañeros se basan en el respeto, la cordialidad, la gratuidad, la confianza, la cooperación, la mayoría de las relaciones jefe-empleado se apoyan en la efectividad, productividad, utilidad y obediencia, a pesar de ser un modelo considerado inadecuado para establecer buenas relaciones interpersonales. En ocasiones, las relaciones profesor-alumno han imitado este modelo de autoridad máxima y jerarquía.

2 RIESGOS DE LAS RELACIONES INTERPERSONALES EN LA RED

Producto del uso y de la aplicación de las nuevas Tecnologías de la Información y la Comunicación en el contexto social, especialmente en el familiar, surge una serie de problemas éticos que pasamos a comentar.

2.1 Acoso escolar en la red. *Ciberbullying*

Cuando hablamos de *ciberbullying* hacemos referencia a una modalidad de acoso escolar que consiste en generar situaciones de violencia, que han sido intencionalmente provocadas, para grabarlas en el móvil o en vídeo y poder exhibirlas después como trofeo, a través de cualquiera de las posibilidades que les proporciona la tecnología: el correo electrónico, las conversaciones vía messenger, ridiculizándolos a través del chat con otros compañeros de clase, mediante mensajes SMS, incluyendo no solo texto, sino también imágenes concretas sobre algún hecho de *bullying*.

2.2 Ciberadicción

Consiste en un uso compulsivo de internet, que puede afectar a las relaciones familiares, sociales, laborales o escolares de quien la padece. Hablamos de adicción a internet cuando se produce una pauta de uso anómalo. Se trata de una utilización excesiva, con unos tiempos de conexión anormalmente altos. Lo cual dará lugar a un aislamiento del entorno del individuo y le llevará a desatender sus obligaciones de la vida social en general.

3 PROPUESTAS EDUCATIVAS PARA FAVORECER RELACIONES *ON LINE* SALUDABLES

1 No poner el ordenador en la habitación del chico/a y en cualquier caso poner la pantalla de forma que esté visible a quien entra o está en la habitación.

2 Formar a los padres en las Tecnologías de la Información y la Comunicación.

3 Conocer y utilizar algunos de los sistemas de protección actualmente disponibles para evitar el acceso a sitios no aprobados para menores.

4 Hablar habitualmente con el chico/a respecto a la navegación en internet, tratando de obtener información sobre lo que ve y consulta.

5 No facilitar información privada.

6 Realizar actividades *on line* algunas veces junto al menor.

7 Construir junto al chico/a, reglas consensuadas para navegar en internet, sin imponérselas.

8 Determinar el tiempo de conexión.

(Texto adaptado de: *http://www.cibersociedad.net/*)

1 En el punto 1 se dice:
a Las TICs son las responsables de los cambios que se han producido entre los jóvenes.
b Las TICs han supuesto una alteración de los valores tradicionales de la sociedad occidental.
c Para muchas personas la revolución tecnológica es la causante de los problemas sociales actuales.

2 En el punto 1.2 se dice:
a Si queremos ser más humanos, es imprescindible que formemos parte de grupos de seres sociales.
b Las relaciones personales en las empresas se parecen a las de cualquier grupo.
c Las relaciones interpersonales entre el profesorado y el alumnado deberían parecerse a las que se basan en la cooperación y el trabajo diario.

3 La idea principal del punto 2 es:
a Atacar el tipo de relaciones que se establecen en la red.
b Presentar los peligros que acechan a quienes se lanzan a entablar relaciones *on line*.
c Desmotivar a quienes buscan amigos a través de internet.

4 Las propuestas educativas del punto 3:
a Intimidan para que deje de usarse internet de manera compulsiva.
b Se dirigen a quienes usan la red para que sean más prudentes.
c Dan consejos generales sobre la mejor forma de prevenir peligros.

Un paso más

1 A Todos estos adjetivos terminados en –ble aparecen en el texto. Si quieres, subráyalos. Ahora te pedimos que escribas al lado una definición sencilla y un ejemplo.

a Innegable: *Se refiere a algo que no se puede negar, que es evidente, por ejemplo* _____.
b Imprescindibles: _____
c Responsable: _____
d Posibles: _____
e Sociables: _____
f Disponibles: _____

1 B Y, para terminar, forma el adjetivo de las siguientes palabras y úsalo en una oración: navegar; favor; agradar; sostener.

2 Pensemos en otro sufijo para formar adjetivos.
a Si decimos que *una situación es* **penosa**, ¿con qué sustantivo relacionas el adjetivo 'penosa'? ¿Qué crees que significa? _____
b *Esta fruta es muy* **carnosa**. ¿Sustantivo relacionado? ¿Significado? _____
c *El cielo tenía un color* **lechoso** *que me produjo tristeza.* ¿Sustantivo relacionado? ¿Significado? _____

3 Y cerramos este apartado pidiéndote que recuerdes otros que, sin duda, sabes:
a *Un día de mucho calor es* _____.
b *Me gustan las personas que muestran afecto (sin sentir vergüenza)* _____.
c *No le pidas que haga algo arriesgado, es muy* → _____.
d *Si tienes ambición, te llamarán* → _____.

5 Escribe.

Opción A

En parejas, vais a redactar un párrafo de conclusión al artículo que acabáis de leer. Tened en cuenta que podéis elegir entre una conclusión-resumen, una conclusión-propósito o una conclusión con efecto.

Conclusión - resumen: es la más fácil y consiste, como su nombre indica, en sintetizar las ideas principales expuestas en el texto.

Conclusión - propósito: en ella se añaden otros argumentos, otros puntos de vista que no se han tratado en el texto; con ellos se querría profundizar en el tema en un escrito posterior.

Conclusión con efecto: pretende dejar al lector con buen sabor de boca, por eso en ella se suele contar alguna anécdota divertida, se presenta alguna paradoja o algún juego de palabras.

Opción B

Hoy estabas leyendo tranquilamente algo sobre las TICs y te has encontrado con el siguiente texto:

> Para los niños, escribir en su bitácora *(blog)* representa no solamente una nueva manera de escribir, sino de crear, también. Con toda la información y los medios disponibles en la *web* hoy en día, un *blog* es la manera perfecta para que la gente joven investigue, examine y cree un proyecto vivo.

Te ha sorprendido la afirmación ya que, normalmente, se advierte de los peligros de la red para las edades tempranas.

Escribe un texto argumentativo a favor o en contra de lo que se afirma en el texto, pero antes lee atentamente el modo de hacerlo.

Para ayudarte. Principales características de los textos argumentativos:

- Su estructura consta de presentación, desarrollo y conclusión.
- Expresan opiniones para convencer al lector.
- Sus elementos lingüísticos más destacables son:
  - El tiempo verbal empleado es el presente de indicativo.
  - Los conectores necesarios son:
    - los **ordenadores:** *ante todo, para empezar, primeramente, por último, en suma, finalmente, para resumir, por un lado, por otro,* etc.;
    - **explicativos:** *es decir, dicho en otras palabras,* etc.;
    - **causales:** *porque, pues, puesto que, como;*
    - **consecutivos:** *por (lo) tanto, por consiguiente, de ahí que, en consecuencia, así pues, por eso,* etc.;
    - **adversativos:** *pero, sin embargo, no obstante,* etc.
  - Los verbos más usuales son:
    los que expresan opinión (Unidad 2 de *Nuevo Avance 5*).
- También se utilizan frecuentemente los juicios de valor (Unidad 2 de *Nuevo Avance 5*).

8

¿Y si montáramos una empresa?

Al terminar esta unidad, serás capaz de...

- Leer, entender y hablar sobre temas relacionados con el mundo de la empresa.
- Ponerte en el lugar de un/a gerente y actuar en casos hipotéticos.
- Montar una empresa.
- Debatir sobre la riqueza y la pobreza.
- Ampliar los recursos léxicos: contrarios.
- Formular hipótesis reales e irreales usando *si*.
- Ampliar el uso de conectores condicionales: *con tal de que, como, en caso de que...*
- Usar el pluscuamperfecto de subjuntivo en oraciones condicionales.
- Leer y escribir una carta comercial.

1. Pretexto

a Me encantaría crear mi propia empresa. Pero para eso necesito un préstamo y en estos tiempos los bancos no los conceden fácilmente. Los tiempos que corren son malos. Pero si lo *consigo*, la *crearé*, seguro.

b Había pensado en ampliar mi negocio, pero no me atrevo con la crisis que hay. Si los tiempos *fueran* mejores, sí que lo *ampliaría*.

c Hace unos años heredé un dinero y me aconsejaron invertirlo. Pero yo tenía ganas de conocer mundo y me fui de viaje. ¡Y me lo gasté casi todo! Si no me lo *hubiera gastado*, ahora *podría* invertirlo en la empresa familiar y *podríamos* ampliarla.

d Nuestros padres son panaderos de toda la vida. También lo fueron los abuelos. La panadería familiar ha sobrevivido a varias crisis. Si nuestros padres no *hubieran mantenido* la panadería, nosotros no *habríamos podido* convertirnos en los panaderos más premiados del país.

1 **Escucha, lee y contesta.** 33

   a ¿Qué necesita el hombre para poder abrir su empresa?

   b ¿Qué quiere decir *los tiempos que corren* y *si los tiempos fueran mejores*?

   c ¿La persona que dice *Si no hubiera gastado tanto dinero en viajes* crees que es un turista o un aventurero?

   d ¿Qué han hecho con la panadería familiar los hermanos?

2 **Ahora reflexiona.**

   a ¿Has encontrado un tiempo verbal nuevo? ¿Puedes conjugarlo? Se llama pretérito pluscuamperfecto de subjuntivo. Vas a estudiarlo en esta unidad.

   b Fíjate en los verbos en cursiva y completa este cuadro con lo que se dice en cada oración.

     a) Condiciones posibles
     Si + _____ , _____ .

     b) Condiciones imposibles
     Si + _____ , _____ .

     Si + _____ , _____ .

     Si + _____ , _____ .

     Si + _____ , _____ .

2. Contenidos gramaticales

1 Oraciones condicionales con *si (no)*.

A Condición en presente o en futuro.

● **Reales o posibles:** la realización de la acción se presenta como **posible** en un contexto de *presente* o *futuro*.

> Estas oraciones condicionales ya las conoces.
>
> **Si +** presente de indicativo + presente de indicativo
> presente de indicativo + futuro simple de indicativo
> presente de indicativo + imperativo

Termina estas oraciones.

1 Si me **paga** en efectivo, _____.

2 Si me **dan** el préstamo, _____.

3 Si no **tienes** dinero, _____.

● **Poco posibles o imposibles:**

> **Si + imperfecto de subjuntivo + condicional simple**

1 Poco posibles: expresan una condición de difícil realización en *presente* o *futuro*.

● *Si mañana* **nevara**, *no* **podríamos** *ir en coche al trabajo.* Esta posibilidad, presentada como poco posible, alterna con esta otra: *Si mañana* **nieva**, *no* **podremos** *ir en coche al trabajo*, que se presenta como posible.

2 Imposibles: la condición que se presenta es imposible en *presente* o *futuro*.

Los tiempos son malos, si **fueran** *mejores,* **ampliaría** *mi negocio.*

B Condición en pasado.

● **Imposibles:** la condición no se puede realizar porque no ocurrió algo en el pasado. Para expresar este tipo de condición, tienes que conocer el *pretérito pluscuamperfecto de subjuntivo*.
El pretérito pluscuamperfecto se forma con el pretérito imperfecto de subjuntivo de *haber*, seguido del participio.

> **Pretérito pluscuamperfecto**
> **hubiera** / hubiese seguido
> hubieras / hubieses seguido
> hubiera / hubiese seguido
> hubiéramos / hubiésemos seguido
> hubierais / hubieseis seguido
> hubieran / hubiesen seguido

Ahora, conjuga estos verbos en pretérito pluscuamperfecto de subjuntivo:

1 Volver: _____.

2 Hacer: _____.

3 Decir: _____.

4 Dormirse: _____.

5 Gustar: _____.

6 Doler: _____.

7 Descubrir: _____.

1 No se produce un hecho porque la condición no ha ocurrido en el pasado.

> **Si +**
>
> **pluscuamperfecto de subjuntivo + condicional compuesto**
>
> **pluscuamperfecto de subjuntivo + pluscuamperfecto de subjuntivo**
>
> (Ambas posibilidades son correctas y poseen el mismo valor y significado.)
>
> - *Si nuestros padres no **hubieran mantenido** la panadería, nosotros **no habríamos seguido y ampliado (no hubiéramos seguido y ampliado)** el negocio.*

2 No se puede producir un hecho en el presente o en el futuro porque no se ha llevado a cabo la condición en el pasado.

> **Si + pluscuamperfecto de subjuntivo + condicional simple**
>
> - *Si no **hubiera gastado** tanto dinero en viajes, <u>ahora</u> **podría** invertirlo en la empresa familiar.*
> - *Si no **hubiera comprado** el coche este año, me iría de vacaciones en Navidad.*

RECUERDA

Detrás de SI condicional NUNCA usamos el futuro, el condicional, el presente de subjuntivo ni el pretérito perfecto de subjuntivo.

---

2 **Otras construcciones condicionales.**

1 A condición de que / Con tal de que + subjuntivo

Expresan la condición mínima que debe cumplirse para conseguir algo.

- *Trabajaré todo el domingo **a condición de que** me **des** dos días libres.*
- *Podrás entrar a las 9:00 **con tal de que termines** a las 18:00.*

2 En caso de que + subjuntivo

El hablante considera difícil la realización de la condición expresada.

- *Te quedaría el 100% de tu sueldo solo **en caso de que te dieran** una incapacidad total.*

3 Como + subjuntivo

Se suele usar para amenazar.

- ***Como** no **traiga** un certificado médico, tendremos que descontarle dos días de su trabajo.*

También para presentar algo que tememos o que nos produce fastidio.

- ***Como** no **vengan** a ayudarnos, tendremos que hacerlo tú y yo solos.*

4 A no ser que / A menos que / Excepto que + subjuntivo

Expresan la condición en forma negativa. Equivalen a *si no*.

- *No podremos salir adelante **a no ser que acabe** la crisis. (No podremos salir adelante **si no acaba** la crisis.)*
- *No ampliaremos la empresa **a menos que nos concedan** un buen crédito. (No ampliaremos la empresa **si no nos conceden** un buen crédito.)*
- *Desaparecerá la cooperativa **excepto que se reciban** ayudas solidarias. (Desaparecerá la cooperativa **si no se reciben** ayudas solidarias.)*

3. Practicamos los contenidos gramaticales

1 A **Pon el infinitivo en la forma correcta.**

1 ● Voy a hacerte una pregunta típica: ¿Qué (hacer, tú) *harías* si te (tocar) _____ la lotería?
   ▼ Pues no sé... Nunca lo he pensado.

2 ● Si la directora me (dar) _____ ahora los dos días libres que me ha prometido, me (ir) _____ a Cádiz, a un hotel al lado de la playa.
   ▼ Seguro que te los da. Marina siempre cumple lo que promete.

3 ● No veas lo que me han cobrado por arreglar el golpe que me di con el coche en el garaje.
   ▼ Si (estar, tú) _____ más atento, no te (pasar) _____ eso. Ya lo sabes: la próxima vez, mira bien antes de aparcar en el garaje.

4 ● Si no (invertir, nosotros) _____ en nuevas tecnologías, ahora (tener, nosotros) _____ suficiente dinero para acabar el mes sin apuros.
   ▼ ¡Hombre, Rafa, teníamos que hacerlo! No podemos quedarnos atrasados...

5 ● Germán, ¿puedo salir hoy una hora antes del trabajo? Tengo una reunión en el colegio.
   ▼ De acuerdo, a condición de que (terminar, tú) _____ el informe de las ventas de agosto antes de irte.

6 ● Me llevo tu moto un momento; que la 'dire' me ha mandado hacer unos recados. Enseguida vuelvo.
   ▼ Conozco tus «enseguida». Como no (estar) _____ aquí dentro de una hora, *te enteras*.

7 ● No llegaré a fin de mes a no ser que me (tocar) _____ *los ciegos*.
   ▼ ¡Cómo te entiendo! A mí me pasa lo mismo.

8 ● Pero, ¿por qué me miras con esa cara de *cabreo*?
   ▼ No me hables. Tú me dijiste: «Yo te acompaño a hablar con el gerente con tal de que tú me (ayudar) _____ a terminar con los pedidos». Yo te ayudé y tú todavía no me has acompañado.

9 ● Si no (haber) _____ tanto paro, los jóvenes (tener) _____ más ilusión en el futuro.
   ▼ Sí, a ver si termina la crisis.

10 ● Si Álvaro me (regalar) _____ el *ipod* por mi cumpleaños, te daré mi portátil.
   ▼ ¡Qué bien! Gracias.

11 ● No quiero continuar más en esta empresa, no aguanto más.
   ▼ Tú verás, pero creo que si (quedarse, tú) _____, las cosas te (ir) _____ mejor. Recuerda que más vale malo conocido que bueno por conocer.

Para aclarar las cosas:
Te enteras: ya verás las consecuencias.
Los ciegos: nombre con el que se conoce a la Organización Nacional de Ciegos españoles (ONCE), que vende diariamente cupones de lotería.
Cabreo: enfado muy grande.

---

1 B **Haz diálogos breves usando las palabras del cuadro «Para aclarar las cosas».**

1 C **¿Existe en tu lengua un refrán que signifique lo mismo que el que aparece en la frase número 11?**

2 **Completa estos diálogos con los verbos del recuadro. Luego, léelos con tu compañero/a con la entonación adecuada.**

> volver · estudiar · tener · ~~comprar~~ · haber · saber · decir
> retrasarse · trabajar · ayudar

1 ● Entonces, ¿me hará un descuento?
 ▼ Sí, se lo haré a condición de que *compre* 500 unidades.

2 ● Me voy a tomar un café.
 ▼ Vale, pero como _____, me enfadaré.

3 ● ¿Te marchas ya a Barcelona?
 ▼ Sí, esa es mi intención en caso de que _____ billete.

4 ● ¿Trabajarás el día 24 de diciembre hasta las tres?
 ▼ Sí, excepto que el gerente _____ lo contrario.

5 ● ¿Puedo llevarme esta mañana la camioneta de reparto?
 ▼ Sí, con tal de que _____ a las doce.

6 ● Si no hubieras estudiado Empresariales, ¿qué habrías hecho?
 ▼ Pues..., si no hubiera estudiado Empresariales, (haber) _____ Derecho.

7 ● ¿Si fueras mayor, por ejemplo, si tuvieras veinticinco años, dónde te gustaría trabajar?
 ▼ ¿Si tuviera veinticinco años? _____ en un parque natural.

8 ● ¿Tú crees que para las siete habremos terminado?
 ▼ Pues como no nos _____ alguien, creo que no.

9 ● ¿Puedo solicitar un cambio de departamento?
 ▼ No, a menos que _____ alguna razón importante.

10 ● ¿Crees que si hubiera sabido hablar alemán, me habrían ascendido?
 ▼ Creo que sí, que si _____ alemán, te habrían ascendido.

3 *Si yo fuera gerente...* **Te presentamos un texto encontrado en internet (que hemos adaptado).**

a Completa el texto con los verbos entre paréntesis. Los tiempos verbales que aparecen son los siguientes: condicional simple, pretérito imperfecto de subjuntivo, presente de indicativo.

b Haz una lista con el vocabulario que no conoces. Puedes preguntarlo a tus compañeros/as, a tu profesor/a; puedes, también, consultar el diccionario.

c Si yo fuera... Elegid una profesión entre todos y escribid qué diez cosas haríais o no haríais si fuerais...

1 Si yo fuera gerente de una empresa, (comprobar) *comprobaría* primero si (tener, yo) *tengo* en mi plantilla a un/una excelente comunicador/a social.

2 Si yo fuera gerente de una empresa, (verificar) _____ que mis empleados (tener, ellos) _____ las habilidades comunicativas necesarias para su puesto.

3 Si yo fuera gerente de una empresa, (tener) _____ claro que la comunicación no (ser) _____ un gasto sino una inversión.

4 Si yo fuera gerente de una empresa, me (analizar) _____ porque lo más probable es que yo mismo (ser) _____ un pésimo comunicador y no (saber, yo) _____ dirigir correctamente a mi gente.

5 Si yo fuera gerente de una empresa, (proponer) _____ que el Departamento de Recursos Humanos (trabajar) _____ junto al de Comunicaciones y junto al de Atención al Cliente.

6 Si yo fuera gerente de una empresa, (dar) _____ instrucciones claras y sería coherente con lo que (decir, yo) _____ y lo que (hacer, yo) _____.

7 Si yo fuera gerente de una empresa, no (contar) _____ cosas o situaciones en privado a mis empleados o amigos. Por mucha confianza que haya, nunca se (saber) _____ cuándo se pueden hacer públicos esos comentarios.

8 Si yo fuera gerente, (tener) _____ claro que los primeros promotores de mi imagen empresarial (ser) _____ mis empleados.

9 Si yo fuera gerente, (saber) _____ cuándo (necesitar, yo) _____ ayuda con las comunicaciones de mi empresa y por supuesto, la (pedir, yo) _____ a los expertos.

10 Si yo fuera gerente, (establecer) _____ la diferencia entre un comunicador dedicado a la organización y un periodista, y sabría que cualquier empresa, sin importar su tamaño o condición, (necesitar) _____ un proceso efectivo de comunicación, organizado, planeado, ejecutado y controlado.

En fin, tengo muchos sueños que cumplir cuando sea gerente de una empresa.

(Texto adaptado de: *http://www.dircomsocial.com*)

---

4 Imagina que eres un empresario/a. *¿Qué harías / qué habrías hecho?* En parejas, contestad a las siguientes preguntas. Haced a continuación una puesta en común y elegid las respuestas más originales.

1 ¿Cómo reaccionarías si la policía te detuviera como sospechoso/a de un fraude fiscal que no has cometido?

2 Si te hubiera llamado el guardia de seguridad para decirte que habían robado en tu empresa, ¿qué habrías hecho?

3 ¿Qué harías si un/a empleado/a se echara a llorar y te dijera que lo/a estás explotando?

4 Si heredaras muchos millones de un familiar, ¿qué harías con tu empresa?

5 ¿Qué harías ahora si tu empresa estuviera en quiebra?

6 ¿Qué habrías hecho si los empleados/as te hubieran pedido un aumento de sueldo del 5%?

7 ¿A qué edad pondrías la jubilación en tu empresa si pudieras decidirlo tú mismo/a?

8 ¿Qué habrías hecho si tu mejor empleado/a hubiera contado tu vida privada a todo el mundo en Facebook?

9 ¿Qué habrías hecho si un empleado/a te hubiera dicho que estaba locamente enamorado de ti?

5 **Recuerda lo que has leído y escuchado. Reflexiona y contesta.**

1 *En estos* **tiempos** *los bancos no conceden créditos fácilmente. Los* **tiempos** *que corren son malos.*

Ya sabes que 'tiempos' no significa lo mismo que 'tiempo'.
Hay palabras que cambian de significado cuando van en plural. Aquí te damos otras. Busca su significado en el diccionario y úsalas adecuadamente e incluye 'tiempo' / 'tiempos'.

la tripa / las tripas • el seso / los sesos

a ● En las películas de miedo siempre aparece una imagen de un muerto con _____ fuera.
   ▼ Es verdad. A mí me da un asco... No me gustan nada esas películas.
b ● ¡Chicos! A ver si demostráis tener más _____. Eso que hacéis es muy peligroso.
   ▼ Lo que pasa es que tú eres un anticuado. En estos _____ esto es muy normal.
c ● ¡Ayyyyyyyyyy! Me duele mucho _____.
   ▼ Normal. Si no hubieras comido tanto...
d ● Me encantan _____ rebozados.
   ▼ ¿Sí? ¡Qué cosas más raras comes!
e ● Con este _____ no deberíamos salir a correr.
   ▼ Bueno, llueve un poco, pero no es para tanto.

2 *No veas lo que me han cobrado.*

A ¿Con qué intención se usa esta expresión?
   a Para indicar que la persona no debe prestar atención.
   b Para dar énfasis a lo que se cuenta.

B Ahora, compara con *tú verás*. Esta fórmula ya la has estudiado. ¿La recuerdas? Se usa:
   a Para dejar la decisión a nuestro interlocutor.
   b Anunciarle que va a ver algo interesante.

C Y para terminar, elige entre *no veas* y *tú verás*.
   a _____ cómo se enfadó cuando le conté la verdad.
   b _____ lo que haces, pero piénsalo bien.
   c _____ lo difícil que fue el examen.
   d _____ si te conviene rechazar ese puesto. A lo mejor no te lo vuelven a ofrecer.

3 a *Si no* **hubiéramos invertido** *en nuevas tecnologías, ahora tendríamos suficiente dinero para acabar el mes sin apuros.*

b *Si* **te hubiera llamado** *el guardia de seguridad para decirte que habían robado en tu empresa, ¿cómo habrías reaccionado?*

A ¿En cuál de los casos se expresa una queja, un reproche?
B Ahora elabora diálogos que expresen reproches. Te damos un ejemplo.
   ● Estoy hecho polvo.
   ▼ Pero, ¿por qué?
   ● Porque ayer trasnoché y he dormido tres horas.
   ▼ Si *te hubieras acostado* antes, no estarías tan cansado/a.

4 ● *Pero, ¿por qué me miras con esa cara de cabreo?*
   ▼ *No me hables.*
A La persona que dice *no me hables*, ¿pide silencio o muestra enfado?
B Decide el sentido que tienen en estos diálogos.
   a ● Mira, mira lo que están poniendo por la tele.
      ▼ No me hables, que tengo que terminar este informe.
   b ● Acaba de llamarme Carmen y me ha dicho...
      ▼ No me hables, que esa mujer me tiene muy harta.
C Y ahora elabora tus propios diálogos con ambos sentidos.

5 *No veas. No me hables.*
A Ya hemos visto el sentido que tienen estos imperativos negativos. En español hay otros que se usan con un sentido establecido: *No me digas, no me vengas con...; no te andes con tonterías.*
Te presentamos unos diálogos en los que aparecen. ¿Con cuál se rechaza una excusa? ¿Con cuál se anima a alguien a hacer algo? ¿Con cuál se muestra sorpresa?
   a ● ¿Sabes? La editorial me ha ofrecido llevarme de viaje de promoción del nuevo libro durante dos meses. No sé si aceptar porque eso de estar dos meses fuera de casa...
      ▼ ¿Tú eres tonto o qué? *No te andes con tonterías* y acepta. Promocionarás tu libro y verás mundo.
   b ● A Villamagna lo han ascendido.
      ▼ ¡No me digas! Pero si ese chico no vale nada.
   c ● No creo que pueda terminar el proyecto para la campaña publicitaria de Android. No tengo tiempo, en serio.
      ▼ *No me vengas con que* no tienes tiempo. Sácalo de donde sea.
B ¿Puedes usarlos tú en otros diálogos?

4. De todo un poco

1 Interactúa.

A **Vamos a crear una mediana o una gran empresa.**

1 Primero. Decidid en grupos:
- ¿De qué tipo de empresa se trata?
- ¿A qué segmento de mercado (a quién) va dirigido?
- ¿Cómo pensáis diferenciaros de la competencia?
- ¿Cómo pensáis captar a los clientes?
- ¿Cuál va a ser la inversión inicial?
- ¿Con qué capital contáis?
- ¿Vais a pedir un préstamo?

2 Segundo. Debéis:
- Darle un nombre comercial y un logo. Ejemplo: *Este es el logo de la empresa que aparece en LEE, y los siguientes datos también corresponden a esta empresa.*
- Tener un domicilio fiscal (no olvidéis el Código Postal). *Paseo Marítimo Pablo Ruiz Picasso, 19-20, 29016, Málaga.*
- Solicitar un CIF (código de identificación fiscal). *CIF B 92545631*

3 Tercero. Aquí tenéis un modelo de organigrama de una empresa. Repartíos los cargos. Tenéis mucho trabajo, así que ¡manos a la obra!

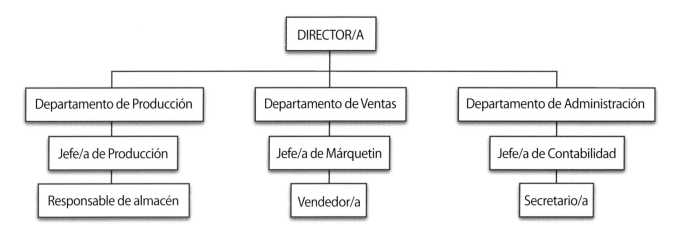

```
                          DIRECTOR/A
         ┌───────────────────┼────────────────────┐
Departamento de Producción  Departamento de Ventas  Departamento de Administración
         │                   │                    │
  Jefe/a de Producción   Jefe/a de Márquetin    Jefe/a de Contabilidad
         │                   │                    │
Responsable de almacén     Vendedor/a           Secretario/a
```

B **En grupo, llevad a cabo este DEBATE: PAÍSES RICOS Y POBRES.**

Todos sabemos que las grandes empresas se han establecido en países del Tercer Mundo para que su producción resulte menos costosa. ¿Es esto algo positivo para los países menos desarrollados? Discutid de todo esto, pero antes de empezar el debate, contestad a las siguientes preguntas. Después, la clase debe ponerse de acuerdo con lo que entiende por países ricos y pobres.

¡QUÉ MAL REPARTIDO ESTÁ EL MUNDO!	SÍ	NO	DEPENDE
1 Siempre han existido países ricos y pobres, esta es la realidad y nunca va a cambiar.			
2 La globalización aumenta esta diferencia.			
3 Acabar con la miseria es tarea de cada uno de los ciudadanos.			
4 No sirve de nada enviar ayuda a los países pobres, porque hay una mafia que se queda con todo y nunca llega a quien lo necesita.			
5 Si los propios gobernantes repartieran lo que tienen, acabarían con el hambre en su país.			
6 Toda la culpa la tiene el capitalismo.			
7 Si no fuera por las ONG, no recibirían ninguna ayuda.			
8 Si dejáramos de comprar productos de países donde la mano de obra es baratísima por la explotación, ayudaríamos a terminar con el problema.			
9 A la clase política no le interesa solucionar esta desigualdad.			
10 Si los países ricos entregaran el 0,7 % de su PIB, se acabaría la pobreza.			
11 Los pobres son más felices.			
12 Este pensamiento es una tontería: *Más vale encender una vela que maldecir eternamente la oscuridad.*			

2 Habla.

A Los sueños, a veces, se cumplen.

a Mira bien esta historieta.

b Busca en el diccionario las palabras que no sabes.

c Describe y narra todo lo que ves.

d Cuarta viñeta. Primero, decide si eres el jefe o el empleado y luego haz un diálogo con otro/a estudiante.

B ¿Empresario/a o asalariado/a?

1 Antes de empezar a hablar sobre si te gustaría crear tu propia empresa o preferirías tener un salario, lee el siguiente texto:

Los españoles son los europeos con más miedo a perder sus propiedades si emprenden un negocio, según datos de un Eurobarómetro.

Hasta el 45,1% de los europeos preferiría ser «su propio jefe» si tuvieran los recursos para ello, frente a un 49,1% que optaría por seguir como empleado, según datos de un Eurobarómetro difundidos hoy sobre la actitud empresarial en 2009.

En España, al 40,4% de los encuestados le gustaría establecer su propio negocio si pudiera, en tanto que el 52,4% elegiría ser un asalariado, destaca la encuesta, impulsada por la Comisión Europea (CE).

(Texto adaptado de: *http://www.losrecursoshumanos.com*)

---

2 También puedes escuchar la audición A, donde se dan diez consejos para montar un negocio.

3 Expresa tus ideas con orden: los pros y los contras e intenta llegar a una conclusión. Sabes que tienes diez minutos para preparar este tema. Tienes que explicar por qué has elegido una opción u otra.

Exponlo durante cinco minutos, después el profesor o la profesora, los/las estudiantes te harán preguntas sobre este tema durante cinco minutos aproximadamente.

3 Escucha.

A Diez consejos para montar una empresa. 34

1 Señala la opción que has escuchado.

---

   1 Dedicación **a** parcial **b** total **c** completa

   2 El equipo es más importante que **a** la idea **b** la pensión **c** la fundación

   3 a Recuerda **b** Acuerda **c** Concuerda con ellos cómo repartir el capital

   4 Alguien tiene que **a** responsabilizarse **b** vender **c** mandar

   5 No hables de lo que es «justo», sino de lo que es **a** razonable **b** contable **c** amable

   6 Calcula tus necesidades de financiación con **a** prisa **b** presencia **c** antelación

   7 Revisa tú mismo/a las cuentas y los contratos importantes. Hay cosas que no debes
     a decidir **b** delegar **c** mostrar

   8 El ideal de referencia: poca **a** inversión **b** venta **c** rebaja inicial

   9 No hay ideas perfectas, libres de **a** dinero **b** negocios **c** riesgos

  10 Las grandes empresas pueden fallar. Eso es **a** un favor **b** una ventaja **c** un disgusto para ti

---

2 Lee la transcripción y haz una lista con el vocabulario relacionado con el mundo de la empresa; después, escribe oraciones en las que aparezcan estas palabras.

*Para montar una empresa hay que tener **una dedicación completa**.*

**3 ¿Qué te parecen estos consejos? ¿Añadirías alguno?
¿Suprimirías alguno de ellos?**

B Emprendimientos en internet: *Noteconfundas.* 35

1 Antes de escuchar.

Leed las palabras, que aparecen en el texto, que se dicen
de diferente modo en Argentina y en España.

Argentina	España
Emprendimiento	Empresa, negocio
Neoprene	Neopreno
Testeando	Examinando, comprobando
Aporte	Aportación
La primer	La primera
e-commerce	Comercio electrónico

2 Después de escuchar.

Contesta.

a ¿A qué se dedica esta empresa?

b ¿Cómo se le ocurrió a Paz la idea?

c ¿Cómo saltó a la fama?

d ¿Por qué una empresa por comercio electrónico?

e ¿Cuál es la dirección del sitio?

**3 Ahora, leed la transcripción de la entrevista, volved a escucharla y
fijaos en los rasgos característicos del habla argentina. ¿Podéis
explicar cuáles son?**

C El fundador de *Softonic*, Tomás Diago, recibe 36
el Premio Nacional Joven Empresario.

1 Antes de escuchar.

a En la audición se escuchan términos
ingleses relacionados con la informática.
¿Los conoces todos?

*Online, software, shareware, freeware,
demo (abreviación de la palabra inglesa
demonstration).*

b ¿Sabes que es 'una plantilla' en el mundo
laboral? Elige la opción correcta.

1 Pieza con que se cubre el interior de la
planta de un calzado.

2 Tabla o plancha que se pone sobre otra
y que sirve como modelo o como guía para
cortarla o para dibujarla.

3 Relación de los empleados de una empresa.

2 Después de escuchar.

¿Puedes reescribir la noticia brevemente poniendo solo los datos más importantes?

_____

_____

_____.

Un paso más

1 Vamos a buscar contrarios.

A Lee esta oración: *Una idea mediocre puede triunfar con un equipo brillante.* ¿Qué dos adjetivos se oponen?

_____.

B Ahora, di el contrario de la palabra subrayada.

a Con los socios, las cosas <u>claras</u>.

b Alguien tiene que <u>mandar</u>.

c Hay cosas que no debes <u>delegar</u>.

d Hace falta poca inversión <u>inicial</u>.

e Puedes <u>fallar</u> a veces.

2 Vamos a descubrir un misterio: ¿qué palabras hay «dentro» del nombre de la empresa, *Noteconfundas*; ¿con qué elementos juega?

Empezamos nosotras: un elemento es la palabra 'no'. Ahora, ¿qué quiere decir *no te confundas?*, ¿lo mismo o algo diferente?

3 En la última audición aparecen una serie de verbos con preposición.

A Sumarse a alguien o a algo.

¿Qué quiere decir *me sumo a ti*? ¿Y *me sumo al proyecto*?

_____.

B Contar con alguien o con algo.

¿Qué quiere decir *cuenta conmigo*? ¿Y *cuento con tu ayuda*?

_____.

C El verbo 'animar' se construye con la preposición 'a': animar a alguien a hacer algo. Ya conoces otros verbos que funcionan igual. *Invitar a alguien a hacer algo, ayudar a alguien a hacer algo, obligar a alguien a hacer algo.* ¿Puedes hacer diálogos breves usando todos estos verbos con preposición?

4 Lee.

1 Antes de leer.

a ¿Sabes qué es *una franquicia*? Esta es la definición que da el Diccionario ***Clave*** *http://clave.librosvivos.net/*: Contrato mediante el que una empresa autoriza a una persona a utilizar su marca y a vender sus productos, bajo determinadas condiciones: *He solicitado una **franquicia** a una famosa marca para poner una tienda.* Establecimiento que está bajo las condiciones de este contrato: *En ese centro comercial hay muchas **franquicias**.*

b ¿Podrías definir *franquiciar* y *franquiciado*?

c *Perseverante, dinámica, fresca, joven, luchadora, ilusionado, consciente, flexible* son adjetivos que aparecen en el texto pero, ¿sabes cuáles son los sustantivos correspondientes?

2 Después de leer.

Elige la opción correcta. En el texto se afirma que:

1 a) El Centro Andaluz de la Mujer concede inmediatamente los créditos ICO.

b) Se necesita un avalista para conseguir un crédito ICO.

c) La licencia de turismo cuesta 18 000 euros.

2 a) Los nueve premios que ha recibido Inmaculada se los ha otorgado el banco malagueño que no quiso financiarle su proyecto.

b) Hubo un momento en que Inmaculada pensó en dejar el negocio.

c) Hubo un momento en que no tuvo ninguna ayuda.

3 a) Al principio Inmaculada franquiciaba sin saber muy bien qué era una franquicia.

b) Inmaculada, al empezar, solo quería tener una agencia.

c) Sabía que, en cuanto montara su primera agencia, el crecimiento sería veloz e imparable.

4 a) La ley española dice que los franquiciados deben tener siempre un Comité.

b) La diferenciación del producto es lo que hace que las comisiones sean altas.

c) La trasparencia es algo fundamental para el funcionamiento de una franquicia según Inmaculada.

5 a) Hay que saber adaptarse al mercado y para ello se necesita flexibilidad.

b) Solo se consigue ser humilde rodeándose de un buen equipo.

c) Solo los perseverantes son humildes.

Declaraciones de Inmaculada Almeida, joven emprendedora malagueña, fundadora de Almeida Viajes S.L

Esta emprendedora tenía tan solo 21 años cuando decidió poner en marcha un negocio de agencias de viajes. Siete años después ha abierto 365 establecimientos en España -de los cuales 311 son franquiciados-, así como delegaciones en Brasil, Chile, México, Panamá y Portugal.

Dice Inmaculada Almeida que «desde la adolescencia siempre he tenido claro que quería ser mi propia jefa. Ya en mi etapa de estudiante era la líder de los grupos de trabajo, y sabía que lo que quería era dirigir mi propia agencia de viajes, porque me encantan el mundo del turismo, los idiomas, la relación directa y el trato con el público...

Entonces, estudié Técnico Superior de Turismo en Málaga, puesto que hacía falta tener una titulación para hacer realidad mi proyecto.

Al principio encontré muchos obstáculos; acudí al Instituto Andaluz de la Mujer para que me ayudaran a poner en marcha el negocio, mediante un crédito ICO, sin aval, pero resultó que sí eran necesarios avales.

Al final, fue La Caixa la que me concedió un crédito de 18 000 euros, con los que adquirí mi licencia de turismo y monté mi primera oficina de Almeida Viajes, en Málaga, en agosto de 2004.

Es cierto que lo pasé mal, pero en ningún momento pensé en tirar la toalla. Incluso el hecho de que me encontrara obstáculos en el camino me dio más fuerza interior para seguir visualizando lo que quería y llegar a mi objetivo.

El momento más difícil fue cuando un banco andaluz me denegó el crédito, un banco que después, curiosamente, ha patrocinado cuatro de los nueve premios que he recibido por mi trayectoria profesional. En ese momento me encontré sin ayuda de nadie; fue muy duro, pero fui muy perseverante y seguí llamando a otras puertas.

El año 2004 acabó con cuatro oficinas abiertas. En 2005 empezamos a publicitarnos en internet y en revistas especializadas, con la sorpresa de que recibimos muchas peticiones de personas interesadas en montar una agencia. En ese momento podía haber decidido echarme para atrás y esperar un poco para crecer, o bien rodearme de un buen equipo y seguir adelante, que fue lo que hice. Así, en ese año 2005 cerramos el ejercicio con 33 oficinas, y en 2006 se produjo un auténtico *boom* con más de 170.

Alguien me comentó que lo que estaba haciendo era franquiciar. Entonces investigué en qué consistía la franquicia, cómo lo hacían otras agencias de viajes y yo ofrecí más a mejor precio, con lo cual me llegaron muchas solicitudes de candidatos a franquiciado.

Ahora me siento muy contenta, porque, entre otras cosas, hemos ayudado a crear más de 700 puestos de trabajo entre las oficinas propias y las franquiciadas.

El sistema de franquicias ha sido un descubrimiento maravilloso para mí. Es un modelo de negocio que me apasiona, igual que la actividad turística, con lo cual tengo la suerte de estar trabajando y de convivir con dos sectores que me encantan. Lo que es evidente es que sin la franquicia, Almeida Viajes no habría llegado donde está hoy en día.

Creo que lo que mi empresa ha aportado, sobre todo, es una imagen dinámica, fresca y joven, que hacía falta en el sector de agencias de viajes. Innovación tecnológica, diferenciación en producto -ya que todas ofrecían lo mismo-, precios más económicos y acuerdos para que los franquiciados reciban comisiones más altas. Además, hemos puesto en marcha un Comité de Franquiciados, que ninguna otra empresa del sector tiene.

Desde otros países contactaron conmigo. Primero desde Portugal, porque Almeida es un apellido portugués -de hecho, mi abuelo era de allí-, y me pidieron abrir oficinas. La primera se inauguró en febrero de 2008 y, un año después, ya había 22 operativas. También tenemos delegaciones propias en Brasil, Chile, México y Panamá.

La crisis afecta, por supuesto, pero lo positivo es que el sector turístico es uno de los que menos se está viendo afectado. Por otro lado, soy una persona optimista, luchadora y como todo mi equipo de trabajo, ilusionado y con capacidad para adaptarse a las circunstancias del mercado.

Me parece que las claves del éxito son saber adaptarse y ver lo que realmente necesita el mercado, para ello hay que ser flexible. También es importante no perder nunca la humildad por muy bien que te vayan las cosas y rodearte de un equipo de buenos profesionales.

En ningún momento se me ha subido el éxito a la cabeza a pesar de mi juventud (28 años en 2011). Puedo recibir muchos halagos y premios, pero siempre me gusta tener los pies en el suelo y no cambiar. Además, también valoro mucho a mi equipo, porque yo sola no habría podido hacer nada.

Y para terminar, el primer consejo que daría a los jóvenes empresarios es que crean en ellos mismos y en sus proyectos por encima de todas las cosas. Después, que sean muy perseverantes y que sepan aprovechar las oportunidades que se les vayan presentando. Y, por supuesto, que no arrojen nunca la toalla y confíen en su idea.

(Texto adaptado de:
http://www.almeidaviajes.com)

Un paso más

1 Vamos a repasar el subjuntivo. ¿Puedes explicarnos por qué aparece en los siguientes casos?

A Cuando monté este proyecto, no me imaginaba que el crecimiento *fuera* tan rápido.

_____

B También es importante no perder nunca la humildad por muy bien que te *vayan* las cosas.

_____

C Y para terminar, el primer consejo que daría a los jóvenes empresarios es que *crean* en ellos mismos (…) que *sean* muy perseverantes y que *sepan* aprovechar las oportunidades (…) que no *arrojen* nunca la toalla y *confíen* en su idea

_____

2 A En el texto se habla de 'denegar un crédito', ¿qué otras cosas se pueden 'denegar'?

_____

B ¿Qué otros verbos pueden acompañar a la palabra 'crédito'?

_____

3 Lee de nuevo el texto y deduce por el contexto el significado de las siguientes expresiones. Luego busca la traducción a tu idioma.

A Echarse para atrás: _____

B Tirar / Arrojar la toalla: _____

C Subirse el éxito a la cabeza de alguien: ___

5 Escribe.

Como representante de la empresa XXX (tenéis que poner el nombre de la empresa que habéis creado entre toda la clase y también el logo) has escrito una carta a Infocom interesándote por sus productos. Esta es la respuesta que has recibido. Tu jefe/a te pide la carta que tú les mandaste a ellos y no consigues encontrarla. Tienes que volver a escribirla porque no quieres tener problemas, pero antes vamos a ver cómo se escribe una carta comercial.

1 Fecha: se pone junto con el nombre de la localidad. Conviene poner el día de la semana. Málaga, lunes 14 de diciembre de 20…

2 Dirección: debajo de la fecha ponemos la dirección del destinatario. Escribimos la abreviatura Sr., D. o Sra., Da. cuando la carta comercial va dirigida a una persona, y Sres. cuando va dirigida a una empresa o una corporación.

3 Saludo: de forma cordial, ya no son necesarios tantos formalismos como antes, para empezar, podemos escribir: *Muy Sr. mío* para el caso de un señor / *Muy Sra. mía* en caso de una señora. *Muy Sres. míos* para una empresa.

4 Introducción: después del saludo, escribiremos el motivo de la carta comercial.

5 El cuerpo: tras la introducción, nos extendemos y explicamos los restantes motivos. Debemos expresar claramente todas las ideas y los argumentos que queramos comunicar, pero debemos hacerlo ordenadamente cada idea o cada pregunta en un párrafo diferente.

6 Despedida: el saludo debe ser breve y sencillo, sin excesos de formalidad.
Esperando su respuesta, se despide cordialmente… / Sin otro motivo, se despide… / Reciba un saludo de…

7 Firma: en el caso de una empresa o corporación sería suficiente con el sello oficial. Pero si se trata de una persona física, se pone el nombre, el apellido y el cargo, y se firma con bolígrafo, pluma o rotulador.

8 Anexos: si se mandan anexos hay que comunicarlo después de la firma.

💾 INFOCOM

Informática y Componentes
Avda. Reyes Católicos, 12
28002 Madrid

Nombre y logo de tu empresa

Dirección de tu empresa
Madrid, a 26 de septiembre de 2011

ASUNTO: Según su escrito del 22 de septiembre del presente año, con Ref.123

Muy señor/a mío/a:

Me complace contestarle a las cuestiones planteadas en su carta del 22 del corriente.
Efectivamente, además del folleto de ofertas que tiene usted en su poder, disponemos de otros modelos y componentes, cuyo catálogo adjunto.
En cuanto a la otra pregunta, todos nuestros modelos cuentan con tres años de garantía en componentes y mano de obra. Nosotros no nos hacemos cargo del mantenimiento, pero podemos ponerle en contacto con un servicio técnico que nos ofrece total confianza.
Respecto a los precios, podemos hacerles un presupuesto que se ajuste a sus necesidades y un descuento en relación con la cantidad a la que ascienda el pedido. En efecto, los gastos de envío corren por nuestra cuenta, y recibirá su pedido en un plazo no superior a diez días.

A la espera de sus noticias, le saluda atentamente,

A. Sánchez

Almudena Sánchez Rico
Jefa del Departamento de Ventas

Anexos:
1 folleto de componentes electrónicos.
1 lista de precios de componentes electrónicos.

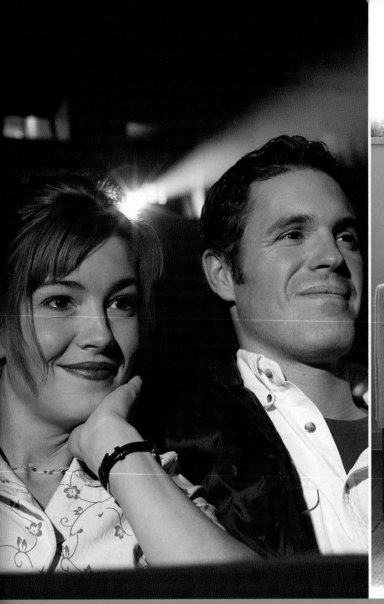

9

¿Escuchas, lees o miras?

Al terminar esta unidad, serás capaz de...

- Leer, escuchar y hablar sobre literatura, música y cine.
- Entender el sentido de algunos cómics.
- Recomendar canciones, películas, libros.
- Interpretar textos de canciones, películas y libros.
- Ampliar recursos léxicos: compuestos con el prefijo 're-'; sustantivos derivados de adjetivos y viceversa.
- Distinguir presencia / ausencia del pronombre sujeto.
- Manejar las preposiciones *para* y *por*.
- Usar verbos seguidos de preposición.
- Leer y escribir sobre un texto literario siguiendo instrucciones.

1. Pretexto

Locutora: Buenos días queridos oyentes, como todos los viernes, tenemos en Onda Meridional un grupo de oyentes que van a hacernos recomendaciones sobre libros, cedés y películas. Después, ustedes podrán intervenir con sus comentarios y otras sugerencias. Alicia, ¿qué nos propones tú?

Alicia: Pues yo, aprovechando que Ana María Matute ha recibido el premio Cervantes, he releído «Olvidado rey Gudú», una historia ambientada en la Edad Media. Cuenta el nacimiento y la expansión del reino fantástico de Olar.

Leonor: Hablando de releer, yo desempolvé a Vargas Llosa por lo del Nobel de Literatura que le concedieron en 2010. La verdad es que me gusta casi todo lo que escribió, pero opté por «La ciudad y los perros», que fue el primer libro suyo que leí.

César: ¡Uf! Para mí es un libro difícil, ¿no? Está lleno de expresiones coloquiales peruanas.

Leonor: Bueno, esa es una de las razones por las que me gustó. Te obliga a salir de tu mundo.

César: Sí, claro, visto así...

Locutora: Y tú, César, ¿qué nos traes?

César: Ya saben que yo soy un cinéfilo empedernido, por eso les traigo una película uruguaya: «El último tren», de Arsuaga. Los protagonistas, tres adultos y un niño, secuestran una histórica locomotora uruguaya del siglo XIX porque se oponen a su traslado a Estados Unidos, donde la quieren para hacer una película. Para salvarla, recorren el interior del país. Por el camino les pasa de todo.

Locutora: Así que hasta ahora tenemos dos libros y una película. Nos falta algo de música, ¿no? ¿Cierras tú el programa de hoy, Mario?

Mario: Claro, con gusto. Yo les recomiendo una mezcla de jazz y rancheras que me parece bien padre. Les hablo de Lila Downs, una artista de Oaxaca que, además de tener una voz divina, es talentosa, sencilla, amorosa...

Locutora: Comparto tu entusiasmo, Mario. A mí también me encanta.

Mario: Yo la descubrí en la banda sonora de «Frida», el film sobre nuestra querida pintora.

Locutora: Estupendo, Mario. Muchas gracias a los cuatro. Y ahora llega su turno, queridos oyentes. Pueden enviarnos sus comentarios y sugerencias por correo electrónico o colgándolos en nuestro muro de Facebook.

1 **Lee, escucha y contesta.** 🎧 37

a Las personas que hablan no tienen el mismo acento. ¿Podrías señalar algún rasgo peculiar en cada una?

b ¿Qué crees que significan estas palabras?
Desempolvé:
1 quité el polvo 2 volví a sacar del estante
Bien padre:
1 muy buena 2 muy familiar

c ¿Cómo se comporta un **cinéfilo empedernido**?
1 Aburre a todo el mundo.
2 Prefiere el cine a cualquier otra cosa.

d ¿A qué pintora se refiere Mario cuando dice Frida?

2 **Comenta.**

a ¿Conoces alguno de los libros mencionados? En la unidad encontrarás información sobre algunos. ¿Y la película que sugiere César? Si quieres saber algo sobre ella, puedes entrar en:
http://www.labutaca.net/films/13/elultimotren.htm

b ¿Has escuchado alguna vez a Lila Downs? Si quieres hacerlo, pincha en:
http://es.wikipedia.org/wiki/Lila_Downs

c Imagina que llamas al programa de radio: deja tu sugerencia. Puedes elegir libros y canciones en cualquier idioma, eso sí, dando algún argumento para tu recomendación como hacen los invitados.

3 Reflexiona.

a En grupos de cinco: leed los diálogos y subrayad los sustantivos y pronombres personales que cumplen la función de sujeto.

b ¿Por qué crees que aparece el pronombre sujeto en estas oraciones?

Después ustedes podrán intervenir; yo desempolvé a Vargas Llosa; Y tú, César, ¿qué nos traes?

c ¿Y por qué no aparece el sujeto en estas otras?

Tenemos en Onda Meridional un grupo de oyentes; Cuenta el nacimiento y la expansión del reino de Olar; Creo que ahora está preparando un musical.

d Señalad los casos de *por* y *para* que aparecen en el diálogo. ¿Recordáis su significado? Completad este cuadro.

Para	Por

---

2. Contenidos gramaticales

1 El sujeto.

A Definición de sujeto.

Es la palabra o palabras que concuerda(n) con el verbo.

- *Pues* **yo** *he releído Olvidado rey Gudú.*
- **Los oyentes** *pueden enviar sus comentarios a la radio.*
- *Me encanta* **la voz** *de Lila Downs.*
- *Me encantan* **las canciones** *de Lila Downs.*

B Ausencia del pronombre sujeto.

En español, la terminación del verbo conjugado marca la persona (habl-**o** / habl-**as** / habl-**a**), por eso, no es siempre obligatorio el pronombre sujeto.

- *Fue el primer libro suyo que* **leí** (primera persona singular: *yo*).
- *Así que hasta ahora* **tenemos** *dos libros y una película* (primera persona plural: *nosotros/as*).
- *La* **quieren** *para hacer una película* (tercera persona plural: *ellos / ellas*).
- *Ahora* **está** *preparando un musical* (tercera persona singular: *él / ella*).

C Presencia del pronombre sujeto.

1 El uso del pronombre sujeto es obligatorio:

a Para **diferenciar/distinguir** entre varias personas que están hablando entre ellas.

- *Alicia, ¿qué nos* **propones tú***?* (La locutora diferencia/distingue a Alicia entre los cuatro invitados.)
- **Ustedes podrán** *intervenir posteriormente con sus comentarios y otras sugerencias.* (La locutora distingue/diferencia a los invitados y a los oyentes.)
- **Fran:** *¿Vas a contarle a Juan lo de su novia?* **Eugenia:** *Díselo* **tú***, porque* **yo** *no me siento capaz de contárselo.* (Se distinguen/diferencian los interlocutores.)

b Para **evitar la ambigüedad**. La tercera persona del singular puede referirse a *él, ella* o *usted* (*habla, come, va,* etc.). Pero, además, en imperfecto de indicativo, en condicional simple y compuesto, y en todos los tiempos del subjuntivo coincide con *yo* (*hablaría, coma, fuera,* etc.).

(En un grupo de tres personas)
- **Tendría** *que venir a trabajar el sábado.* (Las otras dos personas no saben a cuál de ellas se refiere.)
- ▼ *¿* **Yo***? No,* **yo** *trabajé el sábado pasado.*
- ■ *No,* **tú** *no, me toca a mí este sábado.*
- *Eso es, me refería a* **usted***.*

c **Identificarse** dentro de un grupo, sobre todo cuando se responde a preguntas.
- *¿Os habéis inscrito ya en el curso?*
- ▼ **Yo***, sí.* (No sabe qué han hecho sus compañeros.)

2 El uso del pronombre sujeto es optativo para poner énfasis en la persona que realiza la acción.

Locutora: *Y tú, César, ¿qué nos traes?*
César: *Ya saben que (**yo**) soy un cinéfilo empedernido, por eso les traigo una película uruguaya: «El último tren».*

● *¿Quieres decir que tenemos (**nosotras**) que rehacer el proyecto?*
▼ *Perdona, pero (yo) no he dicho eso.*

D Preposiciones *por* y *para*.

1 Ya las has estudiado en otros niveles. Aquí tienes un cuadro que reúne todo lo que sabes sobre ellas.

PARA	
Lugar de destino	● *Nos vamos **para el centro**. ¿Te vienes?* ● *Esperadnos, vamos **para allá** ahora mismo.*
Tiempo	● *La presentación del libro está prevista **para mañana**.* ● *No llegará a tiempo **para la fiesta**.* ● *Estaré aquí **para la cena**.*
Objetivo, finalidad, destinatario	● *Organizamos una fiesta **para poder celebrarlo**.* ● *La comida sin grasa es muy buena **para el estómago**.* ● *Ese no es un trabajo adecuado **para alguien como él**.*
'En opinión de'	● ***Para César** el cine es lo más importante.* ● ***Para mí** La ciudad y los perros es un libro muy difícil.*
Comparación	● *Ese apartamento es muy caro **para los metros que tiene**.* ● ***Para lo bueno que es**, este grupo no ha tenido mucho éxito.*

POR	
Lugar aproximado ('a través de', 'a lo largo de', 'alrededor de')	● ***Por el camino** les pasó de todo.* ● *Entramos **por la ventana**; nos habíamos dejado las llaves dentro.* ● *Vamos a darnos una vuelta **por el centro**.*
Tiempo aproximado (salvo con horas)	● *Todos los años vuelve a casa **por Navidad**.* ● *La música disco estuvo de moda **por los años 70**, ¿no?*
Causa, motivo	● *Yo desempolvé a Vargas Llosa **por lo del Nobel de Literatura**.* ● *Esa es una de las razones **por las que me gustó**.* ● *No te quedes en casa **por mí**, de verdad que no me importa quedarme solo. (**Aquí la preposición** por **se entiende como** «no te quedes en casa a causa mía».)*
'A cambio de', 'en lugar de', 'en nombre de'	● *Estoy harto de trabajar **por nada**, desde ahora quiero que me paguen.* ● *Ten cuidado con esos papeles, no vayas a dar unos **por otros** y metas la pata.* ● *Hemos elegido una representante que hablará **por el grupo**.*
Acompaña al complemento agente en las oraciones pasivas o cuando solo aparece el participio. (En realidad el participio es una pasiva que por economía ha perdido el verbo)	● *Esa canción fue votada **por los internautas** como la más popular del año.* ● *Bien promocionada **por la editorial**, esta novela será superventas.*

2 Algunos contrastes entre *para* y *por*.

	PARA	POR
Lugar	Lugar, meta que se puede alcanzar o no. ● *Esperadnos, vamos **para allá** ahora mismo.*	Lugar a través del cual, a lo largo del cual se mueve algo. ● ***Por el camino** les pasó de todo.* ● *Vamos **por el parque**, el camino es más corto.* ● *¡Qué olor a azahar entra **por la ventana**!*
Tiempo	Plazo antes del que debe ocurrir algo; límite en el tiempo. ● *Estaré aquí **para la cena**.*	Tiempo aproximado, por eso nunca va con horas. ● *Vuelva a casa **por Navidad**.*
Destinatario → ← Causa	***Para mí**, un café, gracias* → ← ***Por mí** no hagas café, no te molestes* (en este caso *por* se entiende como «yo no quiero ser la causa de que hagas café» o «en lo que a mí se refiere»).	
Finalidad	Se usan indistintamente y con esta estructura: *Para* y *por* + *infinitivo*. ● *Dice esas cosas **para / por molestar*** (=con el fin de molestar).	

3. Practicamos los contenidos gramaticales

1 **A** **Completa con el pronombre sujeto si es necesario y di por qué lo has usado o no.**

1 ● Tengo algunos problemas con mi grupo.
   ▼ _____ podría ayudarte.
   Tus razones: _____

2 ● _____ he engordado cinco kilos al dejar de fumar.
   ▼ Pues _____ engordé tres cuando lo dejé.
   Tus razones: _____

3 ● Si diera _____ un paso más, las consecuencias serían terribles.
   ▼ Pues no lo des, es fácil, ¿no?
   ● No, si no hablaba _____ de mí.
   Tus razones: _____

4 ● Cuando _____ me eligió para ese puesto, _____ se arriesgó mucho.
   ▼ Es verdad, pero _____ sabía muy bien lo que _____ hacía.
   Tus razones: _____

5 ● ¿Quién ha leído *El sueño del celta*?
   ▼ _____ lo tengo, pero todavía no lo _____ he empezado.
   ● ¿Y _____?
   Tus razones: _____

6 ¿Cómo hago el pastel?
   ▼ Hazlo como _____ sabes, _____ verás como le gusta a todo el mundo.
   Tus razones: _____

7 ● Pepe, ¿eres _____?
   ▼ Pues claro que soy _____? ¿Esperas _____ a alguien?
   Tus razones: _____

1 B Ahora completa el siguiente diálogo con el pronombre sujeto si es necesario.

Fran: Tenemos que hablar con el jefe.
Eugenia: Vale, ya hablaré _____. Ya sabes _____ que _____ tengo más delicadeza en las situaciones difíciles que _____.
F.: ¡Qué modesta eres _____!
E.: Bueno, ¿y qué voy a decirle?
F.: _____ eres la perfecta, ¿no? Entonces ¿por qué me lo preguntas _____?

E.: Vale, pero si _____ soy la perfecta, _____ eres un poquito impertinente.
F.: Mejor será no seguir así porque _____ acabaremos mal.
E.: No es para tanto, ¡hombre! _____ tenemos confianza, ¿o no?

2 Completa estos diálogos con *por* y *para* y escribe al lado por qué eliges una preposición u otra.

1 ● *Se ha hecho famoso **por** las cosas que publica en su blog.*
   La he usado porque expresa: causa.
   ▼ ¿Sí? Pues yo lo sigo y no me parece que haya motivos _____ que sea tan famoso.
   La he usado porque expresa: _____.

2 ● ¿Vas _____ el centro? Si quieres te llevo, voy en esa dirección.
   ▼ Muchas gracias, pero prefiero ir dando un paseo _____ el parque.
   Las he usado porque expresan: _____.

3 ● Esa ley no salió adelante porque fue vetada _____ el Parlamento.
   ▼ No me extraña, es que era una ley sin sentido.
   La he usado porque expresa: _____.

4 ● ¿Dónde está Elvira? Hace tiempo que no viene _____ aquí.
   ▼ ¿No te has enterado? Se cayó _____ las escaleras y se rompió el brazo.
   Las he usado porque expresan: _____.

5 ● Esta chica es brillante. Saca muy buenas notas _____ lo poco que estudia.
   ▼ Bueno, sí, será _____ eso o _____ que ha tenido suerte.
   Las he usado porque expresan: _____.

6 ● Carmen y Paqui están más contentas que antes, ¿no te parece?
   ▼ ¡Claro! Es que ahora les va mejor. Pero acuérdate, el año pasado _____ estas fechas, pensaban cerrar la librería y ahora, ¡míralas, tan contentas!
   La he usado porque expresa: _____.

7 ● Gracias _____ sus consejos, han sido muy útiles _____ nosotros.
   ▼ De nada, mujer, _____ eso estamos.
   Las he usado porque expresan: _____.

8 ● _____ ser escritor a mí me parece demasiado amable.
   ▼ Pero, ¿qué idea tienes tú de los escritores? ¿_____ qué no se puede ser escritor y amable?
   ● Chica, _____ mí son todos unos presumidos.
   Las he usado porque expresan: _____.

9 ● Tengo que comprarme una funda _____ el portátil, porque la otra se ha estropeado de tanto usarla.
   ▼ Pues ahora hay una oferta estupenda, te la puedes comprar _____ casi nada.
   Las he usado porque expresan: _____.

10 ● Mire usted, mi hijo fue detenido _____ expresar libremente sus ideas y eso no es justo.
   ▼ No señora, pero su hijo hablaba demasiado _____ los tiempos que corrían esos años.
   Las he usado porque expresan: _____.

11 ● Dicen que no les apetece salir, pero, en realidad se quedan en casa _____ no gastar.
   ▼ ¿Tú crees? _____ mí es que solo son unos aburridos.
   Las he usado porque expresan: _____.

12 ● Necesitamos una persona con facilidad de palabra para que hable _____ nosotros.
   ▼ Sí, y que no se deje convencer _____ cualquier cosa.
   Las he usado porque expresan: _____.

3 **Las siguientes parejas de frases son correctas, pero no significan lo mismo. ¿Puedes explicar la diferencia?**

1 Mira *por* la ventana / Mira *para* la ventana.
2 Vamos *por* la calle / Vamos *para* la calle.
3 Lo he hecho *por* mi novia / Lo he hecho *para* mi novia.
4 Vinieron *por* mi cumpleaños / Vinieron *para* mi cumpleaños.

5 Te lo he regalado *porque* eres buena / Te lo he regalado *para que* seas buena.
6 Me metí por esas calles *por* no dar un rodeo / Me metí por esas calles *para* no dar un rodeo.
7 Es un *blog* hecho *por* adolescentes / Es un *blog* hecho *para* adolescentes.

4 **Ahora fíjate en estas imágenes y explica el sentido que tienen para ti.**

1 En esta imagen se juega con dos sentidos de *por*.
¿Cuáles? ¿Cómo terminarías la pregunta de la chica?

2 En esta otra, ¿qué valor tiene *por*?
¿Se podría usar *para*?

3 ¿Qué valor tiene aquí *para*? ¿Qué le pasa a la persona que ha puesto el cartel?

4 Fíjate en los pronombres sujeto, ¿qué pasaría si los elimináramos? En la segunda viñeta, ¿qué efecto se produciría si el chico dijera: *Con un respeto que yo soy doctor en Historia?*

Para aclarar las cosas:
Nota de corte: nota mínima exigida para entrar en una carrera universitaria con numerus clausus.
Chaval: chico. Puede tener valor cariñoso si hay una relación de confianza. Si no la hay, puede mostrar falta de respeto.
Título: se refiere al título universitario obtenido al terminar una carrera.

5 **Recuerda lo que has leído y escuchado. Reflexiona y contesta.**

1 • *Pues yo he **releído** Olvidado rey Gudú.*
 • *Ana María Matute ha **recibido** el Premio Cervantes.*

• *Para salvarla **recorren** el interior del país.*
• *Yo les **recomiendo** una mezcla de jazz y rancheras.*

A Aquí aparecen una serie de verbos que empiezan por *re-*. Unos son verbos compuestos y otros no, ¿puedes distinguirlos?
Releer _____
Recibir _____
Recorrer _____
Recomendar _____

B ¿Y qué nos dices de estos otros? ¿Sabes lo que significan?
Para demostrarlo, haz una oración usándolos.
Rehacer: _____
Revivir: _____
Recordar: _____
Reproducir: _____

2 **E.:** *Ya sabes que yo tengo más delicadeza en las situaciones difíciles que tú.*
 F.: *¡Qué modesta eres!*
 E.: *Bueno, ¿y qué voy a decirle?*
 F.: *Tú eres la perfecta, ¿no? Entonces, ¿por qué me lo preguntas?*

A Con tu compañero/a, lee este diálogo.
B ¿Qué tono será el adecuado?
C ¿Qué nos dirías del carácter de las dos personas?
D ¿Están enfadados o bromean?

3 • *Esta chica es brillante. Saca muy buenas notas para lo poco que estudia.*
 ▼ *Bueno, sí, **será por eso** o porque ha tenido suerte.*

A ¿Te parece que tienen el mismo sentido 'será por eso' que 'es por eso'?
B ¿Qué intención comunicativa tiene quien lo dice?
 a Acepta parcialmente la opinión del otro.
 b Anuncia un hecho que va a ocurrir.

4 • *Gracias por sus consejos.*
 ▼ *De nada, mujer, **para eso estamos**.*

A ¿Qué crees que significa la fórmula señalada?
B ¿Te parece que se usará en contextos formales o informales?

5 *Opté por La ciudad y los perros.*
El verbo *optar* siempre lleva la preposición *por*. Otros verbos también necesitan una preposición. Lee las frases de la izquierda y empareja cada verbo con su preposición y después, termina la oración.

1 La música me ayuda	a con _____
2 Pedro está muy enamorado	b en _____
3 No dejo de pensar	c a _____
4 Se ha peleado	d para _____
6 Está muy capacitada	e de _____

4. De todo un poco

1 **Interactúa.**

A Canciones, libros, películas para diferentes momentos y para diferentes personas.

a En grupos de tres, elaborad tres fichas, como las que os proponemos, para recomendar un libro, una canción, una película o un musical.
b Luego poned en común vuestras fichas y comentadlas.

c Finalmente, cread un espacio común para publicar en internet con: películas / libros / canciones para...
 - disfrutar con amigas / amigos
 - levantar el ánimo
 - días en que te sientes deprimido/a
 - etcétera

Canción: *Ska de la Tierra*

Disco: *Pafuera telarañas*
Canta: Bebe
Puedes oírla en: *http://letras.terra.com.br/bebe/348896/*
Ficha: Hay momentos en que hay que protestar. La Tierra está cansada de aguantar todos nuestros excesos. Está enferma y pide ayuda y medicinas. La Tierra tiene fiebre. Ha llegado el momento de hacerte oír: no quieres un mundo contaminado. Ni injusto. Quieres una tierra limpia y solidaria. Y quieres hacer oír tu voz. Canta con Bebe y protesta con ella.

Aquí tenéis también un fragmento de la canción:

Y es que no hay respeto por el aire limpio.
Y es que no hay respeto por los pajarillos.
Y es que no hay respeto por la tierra que pisamos.
Y es que no hay respeto ni por los hermanos.
Y es que no hay respeto por los que están sin tierra.

Y es que no hay respeto y cerramos las fronteras.
Y es que no hay respeto por los niños chiquininos.
Y es que no hay respeto por las madres que buscan a sus hijos.

Película argentina: *Nueve reinas* (2000)

Director: Fabián Bielinsky
Intérpretes: Gastón Pauls, Ricardo Darín, Leticia Brédice, Tomás Fonzii

Película para personas a las que les gustan las sorpresas y la intriga.

Ficha: *Nueve reinas* empieza una madrugada y termina por la mañana del día siguiente. En esas 24 horas o un poco más, Juan y Marcos pasan por la mayor experiencia de sus vidas. Dos pequeños estafadores que habitualmente trabajan por unos pocos pesos, se conocen una madrugada y se ven envueltos, inesperadamente, en un negocio de centenares de miles de pesos. Un negocio urgente, inmediato, tanto que no les permite dudar: tienen que seguir adelante y lo hacen.

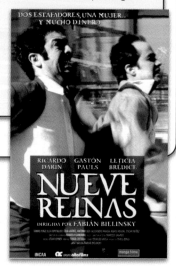

Libro: *El sueño del celta* (2010)

Autor: Mario Vargas Llosa. Premio Nobel de Literatura 2010

Para amantes de la Historia, de la aventura y de la lucha por las libertades.

Ficha: ¿Cómo nos han contado la Historia? ¿Quién nos la ha contado? En este libro, el premio Nobel de Literatura, Vargas Llosa, nos lleva por la época del colonialismo del Congo y de la Amazonia. Nos descubre la vida de un personaje de leyenda cuyas conversaciones y detalles, imaginados y añadidos a la historia, bien podrían haber sido ciertos. La narración nos demuestra cómo podemos cambiar en las etapas de la vida y qué diferentes se ven las cosas desde distintos puntos de vista.

B Rueda de prensa con...

Vuestro grupo favorito latinoamericano (cuatro componentes) ha venido de gira y está en vuestra ciudad. Hay una rueda de prensa en un hotel muy importante y vosotros/as sois periodistas.

a Poned un nombre al grupo.

b Decidid quiénes son sus componentes, qué instrumentos tocan y quién es el/la cantante.

c Una vez escogidos a los cuatro estudiantes del «grupo musical», el resto de la clase elige el nombre de un periódico o de una revista (en papel o virtual) y prepara sus preguntas que deben ir dirigidas a cada uno de los miembros del grupo. ¡Que disfrutéis en la rueda de prensa!

2 **Habla.**

A Elige uno de estos dos temas. Tienes unos minutos para prepararte y, cuando ya estés listo, exponlo durante unos cinco minutos. Después, tus compañeros/as (y tu profesor/a) te harán preguntas.

1 Va de música.

¿Qué es para ti la música?
Te proponemos algunos pensamientos de personajes famosos sobre la música. Léelos y después, opina.

> Atribuida a **Shakespeare**: *La música amansa a las fieras.*
>
> **Karl von Weber**: *La música es el único lenguaje universal.*
>
> **Yehuda Menuhim**: *Estoy seguro de que la buena música alarga la vida.*
>
> **Kurt Cobain**: *La música es sinónimo de libertad, de tocar lo que quieras y como quieras, siempre que sea bueno y tenga pasión, siempre que la música sea el alimento del amor.*
>
> **Leon Duadet**: *He oído que la música es el único lenguaje universal y no estoy de acuerdo, pues observo que en este lenguaje las diferentes generaciones no se ponen de acuerdo.*

2 Incitar a la lectura.

a ¿Te gusta leer?

b ¿Cómo crees que se podría incitar a la lectura?

c ¿Qué te parece la viñeta de Forges?

d ¿Crees que sería útil un programa así en la tele?

e ¿Qué opinas de la viñeta de Romeu?

f ¿Prefieres leer libros en papel o en versión digital?

B Maldito regalo.

a Mira bien las viñetas.

b Busca en el diccionario las palabras que no sabes.

c Describe y narra todo lo que ves.

d Cuarta viñeta. Primero, decide si eres el hombre o la mujer y haz un diálogo con otro/a estudiante.

3 Escucha.

A Hablemos el mismo idioma.

Este es el título de una canción de Gloria Estefan. Búscala en internet.

1 Antes de escuchar.

a ¿De qué crees que tratará? Proponed ideas en grupo.

b Os damos una serie de palabras que aparecen en la canción. Comentadlas en parejas e imaginad por qué están incluidas en la canción: *tantos senderos*; *nos alumbra*; *costumbres, raíces y herencias*; *fronteras*.

2 Ahora escucha la canción.

a Disfruta de la música, del ritmo. ¿Te gusta?

b Escribe sensaciones que te produce. Luego compáralas con las del resto de la clase.

c Mientras la escuchas, apunta palabras o frases que entiendes.

3 Después de escuchar.

a ¿Se han verificado las hipótesis iniciales?

b ¿Coincidís con los autores en la forma de usar las palabras que os hemos dado al principio?

4 Volved a escuchar la canción.

a Tomad nota de la estrofa que más os ha gustado. Comparad con las que han elegido otras personas de la clase y explicad la razón de vuestra elección.

b ¿Estáis de acuerdo con lo que se dice en esta canción? Haced un breve resumen de su contenido; para ayudaros, podéis leer la transcripción en la p. 207.

B Los planes de la reina Ardid para Gudú. 🎧 38

Ahora vamos a leer y escuchar, como si este fragmento fuera un audio-libro.

1 Antes de leer y escuchar.

a Busca en internet información sobre los trasgos. Puedes entrar aquí:

http://www.mitos.com.es/trasgos.php

o en la wikipedia:

http://es.wikipedia.org/wiki/Trasgo

b Suponemos que sabes lo que es un hechicero. Pero toda la clase debe ponerse de acuerdo en cuáles son sus funciones y poderes.

c Haced lo mismo con las del escudero.

d Pensad ahora en estas palabras que encontraréis en el texto: *bebedizo; extirpar; capacidad de amar; aversión* ¿Qué función tendrán?

Podéis usar el diccionario o consultar el de la RAE en línea *http://www.rae.es/rae.html* o el Clave también en línea: *http://clave.librosvivos.net/*

2 Durante la lectura y la audición.

Tomad notas. Para ayudaros podéis completar este cuadro.

Lugar donde se reúnen	Qué desea la reina	Qué peligro anuncia el Hechicero	Qué añade el Trasgo del Sur	Cómo reacciona la reina

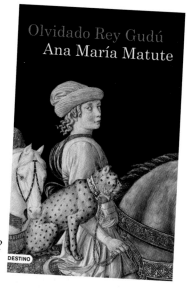

3 Después de leer y escuchar.

a ¿Cómo os habéis sentido leyendo y escuchando?

b Comentad el contenido del fragmento.

c ¿Qué os parece el deseo de la reina? ¿Por qué creéis que quiere algo así para Gudú?

d ¿Os gusta la literatura fantástica?

e Si habéis leído algún libro de este género, recomendadlo a la clase.

f A nosotras nos gusta la autora española Laura Gallego y su trilogía *El valle de los lobos*. Si queréis saber más, podéis entrar en su web: *http://www.lauragallego.com/*

Te presentamos un fragmento de la novela de Ana M.ª Matute *Olvidado rey Gudú*, que se publicó en 1996, un año antes de que lo hiciera el primer libro de la serie de *Harry Potter*. En el fragmento aparecen los peculiares amigos de la reina: un escudero muy atractivo (apuesto); el Trasgo del Sur y el Hechicero. ¿Por qué creéis que la reina Ardid tiene estos amigos?

Una vez reunidos en las habitaciones privadas del Hechicero, el Trasgo del Sur y el apuesto Almíbar, la reina manifestó a sus verdaderos —y quizá únicos— amigos:

— Queridos, ha llegado el momento de tomar una importante decisión respecto a Gudú. Y es la de asegurarle de forma definitiva la corona del Reino. Y como me han mostrado vuestras enseñanzas y mi propia experiencia, una condición indispensable se ha hecho muy patente para dotarle de una especial virtud.

— Queridos míos —repitió con la dulzura y firmeza que solía—, la cuestión es simple y complicada a la vez, y para ello necesito de vuestras artes y sabiduría. Se trata de incapacitar totalmente a Gudú para cualquier forma de amor al prójimo.

— Querida niña —dijo el Hechicero— no deseo contradecirte, pero creo que exageras en tu aversión hacia ese sentimiento. Pero ten por seguro que si hallamos un bebedizo o cosa parecida, no será perfecto, porque no se puede extirpar la capacidad de amar de forma condicionada; si se extirpa, será en todas sus manifestaciones.

— Lo sé —dijo ella con paciencia—. No veo inconveniente.

— Es que —dijo el Trasgo— también le será negada la capacidad de amistad y la capacidad de cualquier afecto. Y, por tanto, tampoco te amará a ti.

— Ya lo he pensado —respondió Ardid—. No tengo nada que oponer a que Gudú no me ame. Con que lo ame yo a él, basta.

(Ana M.ª Matute *Olvidado rey Gudú*)

C Esta portera no sabe nada. 39

Y ahora vas a escuchar un fragmento de la película
Hable con ella, de Pedro Almodóvar (2002).

**1 Escucha una primera vez y corrige los
errores que comete la portera:**
Dice: paparrazi.
Debería decir: _____

Dice: masa media.
Debería decir: _____

2 Vuelve a escuchar y di si estás de acuerdo con estas afirmaciones.

a La portera no tiene interés en Benigno.
b Marcos es una persona habladora.
c La portera quiere saber detalles de lo que le ha pasado a Benigno.
d La portera ofrece ayuda a Marco.
e Cuando la portera pregunta, Marco se lo cuenta todo.
f Benigno está en la cárcel.

g La portera opina que los medios de comunicación son basura.
h Marco y la portera creen que Benigno es inocente.
i La casa que alquila Marco es propiedad de la portera.
j La portera no ha podido limpiar la casa.

3 Escucha una vez más y dinos qué significan estas expresiones:

a Me tiene *terminantemente* prohibido que entre a limpiarla.
Tu explicación: _____

b Como es tan calladito, la última vez que vino... *no dijo ni pío*.
Tu explicación: _____

c No me lo quiere decir, *se lo sacaré*.
Tu explicación: _____

> Si quieres saber más sobre esta película, puedes entrar en:
> *http://www.clubcultura.com/*

Un paso más

1 En la primera audición has oído:

- *En la vida hay tantos senderos **por** caminar.*
- *Hay tanto tiempo que hemos perdido **por** discutir, **por** diferencias que entre nosotros no deben existir.*
- *Hablemos el mismo idioma, que hay tantas cosas **por** que luchar.*

A ¿Qué significado aporta *por* en cada caso?
Uno de ellos (tres veces) lo conoces muy bien, ¿verdad?
Por en tres casos significa _____.

B ¿Y en el otro? Elige una de esas dos posibilidades para parafrasearlo.
a Por culpa de.
b Sin.
c A causa de.

**C Ahora sustituye *por* para comprobar tu hipótesis.
Usa *por culpa de*, *a causa de* o *sin* y reescribe la oración si es necesario.**

a ¡Uf! Todavía tengo un montón de exámenes *por* corregir.
b No creas que lo sabes todo, seguro que cerca de ti hay cosas *por* descubrir.
c Nos quedamos sin entradas *por* esperar demasiado para sacarlas.
d Se adelantó la publicación del libro *por* la enorme demanda del público.
e Cortes de carreteras *por* las lluvias.

2 En la audición B encontramos lo siguiente:
*Pero **ten por seguro** que si hallamos un bebedizo o cosa parecida, no será perfecto.*

A ¿Qué crees que significa *tener por seguro*?

_____

B En la unidad 1 aprendiste a usar 'darle a uno por'. ¿Recuerdas cómo se usa?

Pues completa con una de estas dos expresiones: *tener por seguro* o *darle a uno por*.

a ● ¿Cómo es que últimamente_____
leer, si decías que eso estropeaba la vista?

▼ Es que desde que me regalaron una *tableta*, leer me parece menos aburrido.

b ● Está usted muy preocupado, ¿no?

c ▼ Sí, sí que lo estoy, es que si no controlamos la crisis, (imperativo) _____ que perderemos nuestro trabajo.

> **Para aclarar las cosas:**
> **Tableta**: algunas personas la llaman bookreader o ipad.

3 En la audición B también aparecen los sustantivos *dulzura* y *firmeza*.

A ¿Sabes a qué adjetivos corresponden?

a Dulzura _____

b Firmeza _____

B Y ahora, a ver si puedes formar los sustantivos correspondientes a estos adjetivos. Después, haz una frase usándolos.

a Amable _____

b Sucia _____

c Exagerado _____

d Irónico _____

e Libre _____

f Pobre _____

---

4 **Lee.**

Joaquín Sabina y Chavela Vargas.
Os presentamos la letra de una canción de Joaquín Sabina que interpreta junto a Chavela Vargas. Si queréis saber algo más de ellos entrad en: *www.jsabina.com*; *www.mipunto.com* y una vez allí marcar Chavela Vargas.

1 Antes de leer.
Estas palabras y expresiones pueden tener alguna dificultad.

1 *Ciento volando* viene del refrán: *Más vale pájaro en mano que ciento volando*.

2 *Dar la razón a los espejos* remite al cuento de Blancanieves, en el que una bruja preguntaba a un espejo mágico si era la más hermosa y el espejo siempre decía que sí (hasta que llegó Blancanieves).

3 *La última cena* se refiere a la que celebró Jesucristo con sus discípulos, y que fue una cena especial porque fue la última antes de morir.

4 *Dormir a alguien con cuentos de hadas* corresponde a la costumbre de contar cuentos a niños y niñas antes de dormir. Muchos artistas se rebelan contra el hecho de que creamos en esos cuentos porque nos engañan sobre la realidad de la vida.

2 Lee.
Título: Noches de boda
Año: 1999
Letra: Joaquín Sabina
Música: Joaquín Sabina
Disco: *19 Días y 500 Noches* (1999)

Que el maquillaje no apague tu risa,
que el equipaje no lastre tus alas,
que el calendario no venga con prisas,
que el diccionario detenga las balas.

Que las persianas corrijan la aurora,
que gane el quiero la guerra del puedo,
que los que esperan no cuenten las horas,
que los que matan se mueran de miedo.

Que el fin del mundo te pille bailando,
que el escenario me tiña las canas,
que nunca sepas ni cómo, ni cuándo,
ni ciento volando, ni ayer ni mañana.

Que el corazón no se pase de moda,
que los otoños te doren la piel,
que cada noche sea noche de bodas,
que no se ponga la luna de miel.

Que todas las noches sean noches de boda,
que todas las lunas sean lunas de miel.

Que las verdades no tengan complejos,
que las mentiras parezcan mentira,
que no te den la razón los espejos,
que te aproveche mirar lo que miras.

Que no se ocupe de ti el desamparo,
que cada cena sea tu última cena,
que ser valiente no salga tan caro,
que ser cobarde no valga la pena.

Que no te compren por menos de nada,
que no te vendan amor sin espinas,
que no te duerman con cuentos de hadas,
que no te cierren el bar de la esquina.

Que el corazón no se pase de moda,
que los otoños te doren la piel,
que cada noche sea noche de bodas,
que no se ponga la luna de miel.

Que todas las noches sean noches de boda,
que todas las lunas sean lunas de miel.

Un paso más

1 Y ahora, en parejas o pequeños grupos, contestad a estas preguntas.

a Hay un verbo omitido del que dependen todos los *que* de la canción, ¿sabes cuál es?

b ¿Por qué crees que el maquillaje puede apagar las risas?

c Si el corazón se pasa de moda, ¿qué será lo que ocupe su lugar?

d Para poder volar, ¿cómo deben ser las alas: ligeras o pesadas?

e ¿Cómo puede el equipaje 'lastrar' las alas?

f ¿Qué hay en el diccionario?

g Con tu respuesta anterior puedes contestar a esta pregunta: ¿cómo puede el diccionario 'detener las balas'?

h *Que las mentiras parezcan mentiras*: ¿qué quiere el autor decir con esto?

i *Que ser valiente no salga tan caro, que ser cobarde no valga la pena.* ¿A qué nos está animando el poeta con estos dos versos?

j *Que no te vendan amor sin espinas.* Con este verso Sabina habla del sufrimiento en el amor, ¿estáis de acuerdo con él?

2 Si quieres, escucha la canción en la dirección que te hemos dado y apunta cualquier sentimiento o sensación que te produzca. Al final, tendrás que explicar por qué esta canción lleva el título de *Noches de boda*.

5 Escribe.

Opción A

Ya has leído y escuchado la canción de Joaquín Sabina. Sabemos que era difícil, pero la has trabajado mucho y ahora ya eres capaz de escribir sobre los sentimientos que ha despertado en ti (tienes ya algunas ideas apuntadas). Escribe sobre lo que más te ha gustado, lo que menos; con lo que estás de acuerdo y con lo que no. Ya sabemos que exteriorizar los sentimientos es difícil y en otra lengua aún más, pero también sabemos que lo conseguirás. ¡Ánimo!

Opción B
Escritura colectiva.
Volved a leer el fragmento de *Olvidado Rey Gudú*.
¿Ya está?
Ahora os proponemos que colaboréis con Ana M.ª Matute y escribáis una continuación con los siguientes elementos.

- *Para realizar el conjuro hay que aceptar una cláusula importante*, elegid esa cláusula.
- *Si se extirpa la capacidad de amar, también se extirpará la capacidad de...* pensad en algo relacionado con lo que desea la reina Ardid.
- *El peligro es que si algún día Gudú...* ¿qué podría hacer Gudú?, *entonces desaparecerá para siempre él y todo lo que le haya rodeado.*

Repaso

1 Interactúa.

¿Serías un buen empresario o una buena empresaria?

En parejas, haced este test. Primero uno/a de vosotros/as lee las preguntas y el otro o la otra las contesta. Después cambiáis: quien ha preguntado contesta, y quien ha contestado pregunta. Necesitáis papel y lápiz para ir escribiendo los resultados.

1) ¿Fuiste, has sido o eres un buen estudiante?
(Apunta menos cuatro en caso afirmativo; más cuatro en caso negativo)

2) ¿Cuando eras estudiante, disfrutabas de actividades en grupo, por ejemplo, en clubes, equipos deportivos...?
(Apunta menos uno en caso afirmativo; más uno en caso negativo)

3) ¿Cuando eras más joven, te apetecía estar solo con frecuencia?
(Apunta más uno en caso afirmativo; menos uno en caso negativo)

4) ¿De niño/a, hacías la cama, ponías la mesa...?
(Apunta dos puntos si es afirmativo. Caso contrario, quita dos puntos)

5) ¿Cuándo eras niño/a, eras obstinado/a?
(Si la respuesta es sí, suma un punto. Si la respuesta es no, resta un punto)

6) ¿Eras un niño/a miedoso/a? ¿El/la último/a en saltar del trampolín más alto?
(Apunta menos cuatro en caso afirmativo. Más cuatro en caso negativo. Y si eras muy atrevido/a, pon otros menos cuatro)

7) ¿Te preocupa lo que los otros piensen de ti?
(Quita un punto si las opiniones de los demás te importan mucho; caso contrario suma uno)

8) ¿Estás cansado/a de la rutina diaria?
(Si has contestado que sí, suma dos; si has contestado que no, resta dos)

9) ¿Estarías dispuesto/a a gastar todos tus ahorros para independizarte?
(Respuesta afirmativa suma dos puntos; en caso contrario quita dos)

10) ¿Si fracasaras en tu nueva empresa, empezarías a trabajar inmediatamente para montar otra?
(Si has contestado que sí, más cuatro. No, menos cuatro)

11) ¿Eres optimista?
(Si eres optimista, suma dos, en caso contrario resta dos)

RESULTADOS

Si has obtenido 20 puntos o más, significa que tienes todo a tu favor.

Entre cero y 19, no es tan prometedor, pero puede ser un buen comienzo.

Entre menos 10 y cero, las posibilidades de prosperar en tu propio negocio son limitadas.

Las puntuaciones de menos 11 o más bajas son una clara señal de que no sirves para ser empresario/a.

Como todos los tests, los resultados indican, pero no afirman. Y este te habrá servido para enterarte de las faltas o carencias que puedes tener si decides ser empresario.

2 Habla.

A **Sobre gustos no hay nada escrito.**

Prepara el tema durante cinco minutos. Exponlo durante otros cinco.
Al terminar la exposición, tus compañeros/as te harán preguntas.

- ¿Películas o series?
- ¿Cine o DVD?
- ¿En versión original, con subtítulos o dobladas?
- ¿Qué tipo de música escuchas normalmente?
- ¿Qué lees habitualmente?
- ¿Qué prefieres: escuchar un buen disco en silencio o ir a un concierto?
- ¿Un libro en papel o un libro electrónico?

3 Escucha.

A **El duro camino de las emprendedoras** **latinoamericanas.**

1 Antes de escuchar.
Fijaos en el título y haced una lluvia de ideas sobre las palabras que creéis que pueden salir en la audición. Empezamos nosotras:

Mercados; negocio...

2 Después de escuchar.
Di si son verdaderas o falsas las siguientes afirmaciones.

		V	F
a	Las empresas fundadas por mujeres hispanoamericanas superan en número a las fundadas por europeas.		
b	Los mercados confían plenamente en ellas, ya que los datos demuestran que cumplen mejor sus obligaciones.		
c	*CEEM* son las siglas de Curso de Estudios Emprendedores de la Mujer.		
d	La mujer emprendedora latinoamericana monta su negocio a edad más temprana que el hombre.		
e	Resulta más fácil para una mujer emprender un negocio en un lugar pequeño y apartado que en un lugar muy poblado y desarrollado.		

3 Lee la transcripción. Subraya las palabras de la lista inicial que aparecen en ella.
Luego, expresa tu punto de vista sobre lo que has oído y leído.

B El negocio de las flores. 41

1 Escucha y completa.

a Colombia es después de Holanda _____.

b Colombia exporta a _____ el 92% de _____ vendidos.

c El auge del negocio de las flores es rentable, de ahí que _____ se hayan dedicado a él.

d La consumidora más típica es la mujer mayor _____ con ingresos medios a altos.

e Los principales días de venta son el día de _____ y en España el día de Todos los Santos (1 de noviembre).

f La esencia de la flor de Loto, una de las más solicitadas, hace su viaje desde _____ hasta Francia, la cuna de las más _____.

g Recordemos los girasoles de Van Gogh, _____ de Monet, las rosas de _____, y los lirios y _____ de Antonio López, entre muchos.

2 Después de escuchar.
Contesta a estas preguntas.

a ¿En tu país es normal regalar flores?

b Si tuvieras mucho dinero, ¿te gustaría tener muchos floreros en tu casa con flores?

c ¿Sabías, antes de escuchar la audición, que España, Colombia y Ecuador son países productores y exportadores de flores cortadas?

d ¿Te gustaría tener una empresa de jardinería o de flores cortadas? Razona tu respuesta.

4 Lee.

| INICIO | SOBRE NOSOTROS | | SUSCRIBE: POST | COMENTARIOS |

Soledad Puértolas. *Compañeras de viaje.*

Biografía

Soledad Puértolas nace en Zaragoza, el 3 de febrero de 1947. A los catorce años se traslada con su familia a Madrid. Estudió Periodismo y Ciencias Políticas. Después de casarse, pasa una temporada en Tronheim, Noruega, y unos años en Santa Bárbara, California. De regreso a Madrid, empieza a darse a conocer como escritora en 1979, cuando obtiene el Premio Sésamo con *El Bandido doblemente armado*. Está casada y tiene dos hijos. Reside en Pozuelo de Alarcón, Madrid.

En el año 1989, ganó el premio Planeta con *Queda la noche*.

En el año 1993, fue recompensada con el premio Anagrama de Ensayo con *La vida oculta*.

En el 2000, fue galardonada con el premio NH al mejor libro de relatos con *Adiós a las novias*. En el 2001, obtuvo el premio Glauka 2001 en reconocimiento a su obra literaria y a su trayectoria intelectual y personal en el ámbito de la cultura. En el 2003, recibió el Premio de las Letras Aragonesas 2003. Con este Premio, Aragón celebra a una autora «consagrada» y «netamente aragonesa».

A partir de 2006 y hasta 2012, forma parte del Patronato del Instituto Cervantes.

En enero de 2010, fue elegida miembro de la Real Academia Española y ocupa el sillón 'g'.

INICIO | SOBRE NOSOTROS | SUSCRIBE: POST | COMENTARIOS

Compañeras de viaje.

Lo siento, no he podido resistirme. No he podido esperar a leer este libro que, sin duda, pasará por mis manos, para hablaros de él. No quería dejar de comentaros esta gran novedad que aparece en este mes de marzo. Se trata del nuevo libro de la recientemente nombrada académica de la lengua, Soledad Puértolas, que nos trae *Compañeras de viaje*, editado por Anagrama desde el pasado dieciocho de marzo.

Además, se trata de un libro de relatos, el quinto de la autora, con lo que os podéis hacer una idea de las ganas que tengo de leerlo. En esta ocasión todos los relatos giran en torno a personajes femeninos que, por diversos motivos, acompañan a alguien en un viaje. Generalmente un hombre, que puede ser su marido o su amante, y aunque en principio el viaje nos las concierne a ellas, las situaciones que se dan irán dejando ver las relaciones con el otro y la verdadera naturaleza de cada una de ellas.

Así, nos encontraremos desde una mujer en un coche conducido por su marido camino de las vacaciones familiares, hasta otra que se encuentra en un tren rodeada de estudiantes que, como ella, se dirigen a Londres, donde la espera un empleo de cuidadora de niños. Otra se encuentra en una ciudad californiana donde el marido va a la universidad mientras ella busca ocupaciones y una más que navega en un velero que compite en unas regatas.

En todos los casos, las mujeres parten como personajes secundarios para, de repente, tomar la palabra y convertirse así en las verdaderas protagonistas de la historia. Si algo tienen todas estas protagonistas en común es que son mujeres soñadoras e inquietas que sienten una gran obstinación por ser ellas mismas, signifique eso lo que signifique. No hay nada como un viaje para que nos despojemos de los lugares habituales y saquemos nuestro verdadero yo.

Por mi parte, ya os había comentado en alguna ocasión que tengo muchas ganas de leer algo de Soledad Puértolas, y al tratarse este *Compañeras de viaje* de un libro de relatos, me parece una ocasión inmejorable que no voy a desaprovechar. Lo único que me falta es buscarle un hueco, pero seguro que se lo encontraré, cuando se quiere de verdad, se encuentra.

Fausto Beneroso. 26 de marzo de 2010.
http://www.papelenblanco.com

Contesta a estas preguntas y justifica tu respuesta con la información del texto.

a ¿Es Soledad Puértolas una persona viajera?
b ¿Por qué le dieron el premio Glauka?
c ¿Qué relación tiene con el Instituto Cervantes?
d ¿Qué hecho importante en su vida ocurrió en 2010?

e ¿De qué tiene ganas la persona que escribe el texto?
f ¿Es *Compañeras de viajes* una novela?
g Resume el argumento de este libro.

5 Escribe.

Tu amiga española, Marta, tiene una bitácora o *blog* donde comenta el último libro que ha leído, la última canción que le ha gustado, el último concierto al que ha asistido, la última película que ha visto. A ella le gusta que sus amigos añadáis comentarios.

Comenta en el *blog* de Marta el último libro que has leído, o la última canción que te ha gustado, o el último concierto al que has asistido, o la última película que has visto. El LEE anterior

6 Elige la opción correcta.

1 ● Aunque no se lo _____, hay personas que no tienen televisión en sus casas.
   ▼ La verdad, sí que me _____ creerlo.
   a. creéis / convence
   b. creen / parece
   c. crean / cuesta
   d. crean / cueste

2 'Ser un caso', significa:
   a. Comportarse de manera rara. Unas veces tiene sentido positivo y otras de crítica.
   b. Ser una cosa repugnante.
   c. Poner toda la atención en lo que se hace.
   d. Comportarse de una forma excéntrica y grosera.

3 _____ no traiga un certificado médico, tendremos que descontarle dos días de su trabajo.
   a. Porque
   b. Que
   c. Como
   d. Para que

4 ● Si no _____ el laboratorio farmacéutico, ahora _____ suficiente dinero para acabar el mes sin apuros.
   ▼ ¡Marta, teníamos que hacerlo! No podíamos seguir así...
   a. hubiéramos ampliado / tendríamos
   b. ampliamos / tendríamos
   c. ampliáramos / tendremos
   d. hubiéramos ampliado / habríamos tenido

5 ● Pero si siempre _____ que tu trabajo era estupendo, creativo...
   ▼ Creo que en el fondo lo pienso. Pero, a veces, _____ creativo que sea, me cuesta seguir.
   a. dijiste / por más
   b. decías / aún
   c. habías dicho / porque
   d. has dicho / por muy

6 ● ¿Has acabado ya el informe?
   ▼ Sí, _____ mí ya puedes irte.
   a. por
   b. para
   c. según
   d. acuerdo de

7 Nuestra empresa ha mejorado la velocidad de conexión a la red _____ ofrecer un mejor servicio.
   a. con tal
   b. en
   c. con el objeto de
   d. para que

8 A pesar de que lo _____, volvió a preguntármelo.
   a. sabería
   b. conocería
   c. haya sabido
   d. sabía

9 ● ¿Te has fijado en lo sencilla que es? _____ haya llegado en la empresa, sigue siendo la misma de siempre.
   ▼ Sí, ya me he dado cuenta.
   a. Por muy lejos que
   b. Por poco que
   c. Aun
   c. Por poco

10 ● Trabajaré todo el domingo _____ que me des dos días libres.
   ▼ No sé si podré dártelos, estamos muy justos de tiempo.
   a. excepto
   b. a condición de
   c. como
   d. si

11 ● Si _____ más durante el curso, ahora _____ vacaciones.
   ▼ Eso es fácil de decir, pero difícil de hacer.
   a. estudiaras / tendrás
   b. hubieras estudiado / tendrías
   c. hubieras estudiado / habrías tenido
   d. estudias / hubieras tenido

12 ● ¿_____ qué has venido?
   ▼ _____ que me _____ la batidora, te la devuelvo dentro de media hora.
   a. Para / Para / prestas
   b. A / Por / prestas
   c. Por / Al fin / prestes
   d. A / A / prestes

13 ¿Has copiado en el examen? Como _____ el profesor, _____.
   a. se entera / vamos a ver
   b. se dé cuenta / verás
   c. lo nota / veremos
   d. lo observa / ya se verá

14 ● ¿Qué planes tienes _____ hoy?
   ▼ He quedado _____ ir _____ compras _____ Manuel.
   a. de / en / a / con
   b. por / a / en / con
   c. para / para / a / con
   d. para / en / de / con

15 _____ trabajaba, bien lo _____.
   a. Aunque / despidieron
   b. Por eso / echaban
   d. De ahí que / despidieran
   c. A pesar que / despedían

16 ● Muchas gracias, ha sido una cena estupenda.
 ▼ Gracias _____ ti _____ venir.
  a. a / para
  b. por / de
  c. a / a
  d. a / por

17 ● Aunque _____, debo decírselo.
 ▼ Pues vas a pasar un mal rato.
  a. se moleste
  b. se beneficia
  c. se molesta
  d. se obtenga

18 ● ¡Con la de cosas que _____ hacer y te pasas la vida viendo la tele!
 ▼ Pues soy así. ¡Qué le vamos a hacer!
  a. podrás
  b. puedas
  c. hayas podido
  d. puedes

19 Empezó a _____ y en cinco minutos estábamos tan mojados que parecía que salíamos de la ducha.
  a. cantarear
  b. nublar
  c. diluviar
  d. carraspear

20 Me parece absurdo estar siempre ante la pantalla de la computadora.
  ¡_____ posibilidades que hay fuera!
  a. Con el de
  b. Con las de
  c. Con lo de
  d. Con la de

21 ● Tu nieto está muy alto _____ su edad.
 ▼ Sí, se parece a su padre.
  a. para
  b. por
  c. comparado
  d. con

22 ● ¿Le contaste a Mario lo que pasó?
 ▼ Sí. Y _____ cómo se enfadó cuando se enteró.
  a. no verás
  b. no veas
  c. no viste
  d. no ves

23 ● Siempre te estás quejando _____ todo.
 ▼ Es que esta oficina es un desastre.
  a. de
  b. para
  c. a
  d. en

24 ● _____ que se lo digo, no mejora.
 ▼ Ten paciencia.
  a. Por eso
  b. Por poco
  c. Por más
  d. Por lo

25 No dejo de pensar _____ todo lo que hablamos y sigo _____ tomar una decisión.
  a. a / sin
  b. de / en
  c. en / a
  d. en / sin

26 ● ¿Otra vez tengo yo que escribirte el informe? Y eso que _____ que el del mes pasado era el último.
 ▼ De verdad que este sí que es el último, te lo juro. Y no pongas _____, hombre. Ya verás que es verdad.
  a. has dicho / este rostro
  b. prometías / esa mueca
  c. prometiste / ese modo
  d. dijiste / esa cara

27 ● Te dejaré salir _____ te portas bien.
 ▼ Gracias.
  a. a condición de que
  b. excepto que
  c. de ahí que
  d. si

28 ● ¿Qué te pasa? Pareces muy enfadada
 ▼ _____; acabo de enterarme de que me van a despedir del trabajo.
  a. No me hablarás.
  b. No me dirijas la palabra
  c. No me mires.
  d. No me hables

29 ● Lo _____ cuando salió de la sala.
 ▼ Es que a todo el mundo le cae muy mal.
  a. pusieron verde
  b. pusieron rojo
  c. pusieron blanco
  d. pusieron amarillo

30 ● Las dietas rápidas de adelgazamiento son peligrosas _____ la salud.
 ▼ Sí, ya lo sé. A ver si como mejor y empiezo a hacer senderismo…
  a. por
  b. para
  c. con
  d. ante

10

A través de la ciencia

Al terminar esta unidad, serás capaz de...

• Leer, escuchar y hablar sobre la ciencia y la ciencia ficción.

• Expresar relaciones temporales en indicativo y subjuntivo con nuevos recursos.

• Usar nuevas fórmulas para establecer comparaciones.

• Hacer un resumen para *twittearlo*.

• Reconocer el mal humor en las preguntas.

• Reconocer y usar las palabras formadas por el sufijo *−dor*.

• Descubrir falsas creencias sobre la ciencia.

• Interpretar el humor de algunos chistes gráficos.

• Escribir un texto argumentativo o explicativo sobre la ciencia y/o la ficción.

1. Pretexto

¿Sabías que...

...el Terciario fue un período que empezó hace 65 millones de años, cuando los dinosaurios se extinguieron, y que terminó hace 1,7 millones de años?

...mucho **antes de que** el hombre habitara la tierra, existía la vid?

...en el futuro el hombre vivirá **más de lo que** imaginábamos?

...nuestro planeta es **más** caliente **cuanto más** lejos nos encontramos del sol?

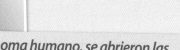

...**apenas** se descubrió el mapa del genoma humano, se abrieron las puertas a conflictos ético-morales?

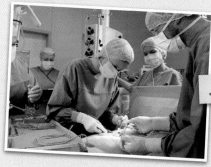

...La cirugía ha avanzado **más que** otras ramas de la Medicina?

---

1 **Escucha, lee y contesta.** 42

a ¿Conocías algunas de estas afirmaciones? ¿Cuáles?

b ¿Puedes continuar con tu propia lista *Sabías que...*?

2 **Ahora reflexiona.**

a Señala los conectores temporales que aparecen en el texto. ¿De qué tiempos verbales van acompañados? ¿Por qué? ¿Qué marcador temporal expresa una acción simultánea con otra?

b ¿Cuál expresa la idea de anterioridad?

c Señala las oraciones comparativas. ¿Son todas iguales o hay diferentes tipos de comparación? En esta unidad ampliarás tus recursos para establecer diferentes tipos de comparaciones.

2. Contenidos gramaticales

1 Oraciones temporales con *cuando*.

**Marcan el momento en que ocurren dos acciones y las relacionan entre sí.
Esta relación puede ser en presente, pasado o futuro.**

Lo que ya sabes	Lo que vas a aprender
PRESENTE	
1 Presente + ***cuando*** + presente / ***Cuando*** + presente + presente • ***Cuando*** <u>leo</u> *un artículo científico, a veces no lo* <u>comprendo</u> *totalmente.* 2 Presente con valor de pasado + ***cuando*** + presente / ***Cuando*** + presente con valor de pasado + presente • ***Cuando*** *el hombre* <u>llega</u> *a la Luna,* <u>comienza</u> *la era espacial.*	***Cuando*** + presente + imperativo / Imperativo + ***cuando*** + presente En estos casos el imperativo tiene carácter habitual. *No me* <u>distraigas</u> ***cuando*** *estudio.* **Ahora tú:** ***Cuando termines,*** _____ . 

PASADO	
Lo que ya sabes	
Idea o expresión de pasado + ***cuando*** + pasado / ***Cuando*** + pasado + pasado   • *Nos conocimos* ***cuando*** *los dos* <u>trabajábamos</u> *en una empresa farmacéutica.*   • *Pedro* <u>llegó</u> *a la reunión* ***cuando*** *todo lo importante* <u>había acabado</u>.
Ahora tú: ***Cuando terminó de estudiar*** *todos los temas de física,* _____ .   ***Nos hemos levantado cuando*** _____ .

FUTURO	
Lo que ya sabes	**Lo que vas a aprender**
Futuro + ***cuando*** + presente/p. perfecto de subjuntivo / ***Cuando*** + presente / p. perfecto de subjuntivo + futuro • *Te* <u>explicaré</u> *el tema de física* ***cuando*** <u>tenga</u> *tiempo.* • <u>Van a cambiar</u> *el laboratorio* ***cuando*** <u>consigan</u> *la subvención.* En las oraciones temporales el presente y el perfecto de subjuntivo alternan cuando no se produce ambigüedad en la información. • *Iremos de vacaciones* ***cuando nos hayas dicho / nos digas*** *las fechas en las que puedes.* • *Hablaremos sobre la subvención* ***cuando me informe / me haya informado***.	Usamos el imperativo en la oración principal cuando expresamos instrucciones, consejos u órdenes. Imperativo + ***cuando*** + presente/p. perfecto de subjuntivo / ***cuando*** + presente/p.perfecto de subjuntivo + imperativo (En estos casos el imperativo se refiere al futuro). • ***Devuélveme*** *el libro de Biología* ***cuando*** *lo* <u>hayas terminado</u>. • ***Cuando*** <u>sepas</u> *el resultado de los análisis, llámame, por favor.* **Ahora tú:** ***Escúchame cuando*** _____ . 

2 Otras construcciones temporales.

Algunas pueden construirse con infinitivo. Funcionan igual que *cuando*, es decir, llevan indicativo y subjuntivo en los mismos casos, excepto *antes de que*.

A Después de (que).

Expresa la idea de posterioridad.

Con infinitivo

Con el mismo sujeto: ***Después de*** *leer (yo) tanto sobre ese tema, estoy (yo) harto de él.*

Con indicativo: *Todos los del laboratorio fuimos a ver a Luisa cuatro días **después de que** dio a luz.*

Con subjuntivo: *Hablaremos más tranquilamente **después de que** hayan pasado estos momentos de nerviosismo.*

Ahora tú: _____

_____.

B Hasta (que).

Señala el límite de una acción.

Con infinitivo

Con el mismo sujeto: *No vamos a dar una opinión **hasta** saber la versión definitiva del laboratorio.*

Con indicativo: *La clase no empieza **hasta que** llega la profesora.*

Con subjuntivo

También aparece con el mismo sujeto: *Puedes quedarte en casa **hasta que** termines, pero, por favor, apaga todas las luces.*

Ahora tú: _____

_____.

C Tan pronto como / En cuanto / Apenas (formal).

Expresan la idea de inmediatez: una acción ocurre a continuación de otra.

Con indicativo: ***Tan pronto como*** *explicamos la situación financiera, las cosas empezaron a mejorar.*

Con subjuntivo: ***En cuanto*** *llegue el pedido, avísame.*

Ahora tú: _____

_____.

D Siempre que.

Expresa la idea de costumbre.

Con indicativo: *De pequeño, **siempre que** veía películas de miedo, luego no podía dormir por la noche.*

Con subjuntivo

En algunos casos adquiere un matiz condicional: ***Siempre que*** *quieras hablar conmigo, llámame.*

Ahora tú: _____

_____.

E Mientras / A medida que.

Expresan una acción simultánea a otra.

Con indicativo: ***Mientras*** *tú recoges las muestras, yo relleno los informes.* (Aquí sí que es temporal.) ***A medida que*** *pasa el tiempo, vamos desarrollando técnicas más precisas.*

Con subjuntivo

En este caso, *mientras* adquiere matiz condicional: ***Mientras*** *esté usted en esta empresa, tendrá que venir a trabajar con bata blanca.* ***Mientras*** *no te pregunten, no digas nada.* ***Iremos*** *buscando soluciones **a medida que** se presenten los problemas.*

Ahora tú: _____

_____.

F Antes de (que).

Se comporta de manera distinta a los otros marcadores: no admite el indicativo. Expresa la idea de anterioridad.

Con infinitivo

Con el mismo sujeto: *Todos los días saco (yo) al perro **antes de** irme a trabajar (yo).*

Con subjuntivo: *Tienes que terminar este informe **antes de que** llegue el jefe.*
*La jefa se marchó **antes de que** llegara el director general del laboratorio.*

Ahora tú: _____

_____

_____.

3 Oraciones comparativas.

Lo que ya sabes	Lo que vas a aprender
1 Superioridad Verbo + *más que* • *En algunos países se investiga* **más que** *en otros.* **2 Inferioridad** Verbo + *menos que* • *Es verdad que trabajo* **menos que** *mi jefa, pero,* *¡claro! ella gana mucho más que yo.* **3 Igualdad** Verbo + *tanto como* • *En muchas áreas científicas en diez años se ha avanzado* **tanto como** *en todo el siglo xx.* **4 Comparativos irregulares** bueno ➔ mejor grande ➔ mayor malo ➔ peor pequeño ➔ menor **Ahora tú:** • *El avance en la creación de nuevas vacunas ha sido* **menor que** _____.	**5** Cuando comparamos algo con una idea previa o una suposición, usamos: **más / menos / mejor / peor / mayor / menor** **... de lo que** • *Ese trabajo es* **más** *interesante* **de lo que** *creía.* • *Todo ha salido* **mejor de lo que** *imaginábamos.* • *La Bioquímica es* **menos** *difícil* **de lo que** *me habían dicho.* **Ahora tú:** _____. **6 Oraciones comparativas proporcionales.**

<table>
<tr><td rowspan="6">Cuanto</td><td>más</td><td rowspan="6">+ ... +</td><td>más</td></tr>
<tr><td>menos</td><td>menos</td></tr>
<tr><td>mejor</td><td>mejor</td></tr>
<tr><td>peor</td><td>peor</td></tr>
<tr><td>mayor</td><td>mayor</td></tr>
<tr><td>menor</td><td>menor</td></tr>
</table>

Funcionan igual que las oraciones temporales:
- ***Cuanto más*** *oscura es la noche* ***más*** *cerca está el amanecer.* (Presente/presente.)
- *Antes* ***cuanto más*** *me invitaban a dar conferencias sobre el ADN,* ***mejor*** *me sentía. Ahora, no me apetece ya casi nada.* (Pasado/pasado.)
- ***Cuanto más*** *avance la Arqueología,* ***más*** *sorpresas nos llevaremos sobre las antiguas civilizaciones.* (Presente de subjuntivo/futuro.)

3. Practicamos los contenidos gramaticales

1 **A Pon el verbo entre paréntesis en el tiempo correcto (puede haber más de una posibilidad).**

1 Cuando Juan Sebastián Elcano (dar, él) *dio* la vuelta al planeta en barco por primera vez en 1522, (tener, él) _____ que pasar por muchas dificultades.

2 Cuando los romanos (conquistar, ellos) _____ Hispania, (introducir, ellos) _____ su lengua.

3 Cuando en el futuro cualquier tipo de cáncer (poder) _____ curarse, es probable que (aparecer) _____ otras enfermedades.

4 Cuando el hombre (llegar) _____ a la Luna, (comenzar) _____ la era espacial.

5 Actualmente cuanto más se (investigar) _____, mayores avances (aparecer) _____.

6 Las nuevas tecnologías (desarrollarse) _____ más de lo que (pensar, nosotros) _____.

7 En el departamento de Biología Nuclear (tener, ellos) _____ tantos proyectos que no (poder, ellos) _____ con todos.

8 Antes de que el hombre (llegar) _____ a Marte, no se sabía si (haber) _____ agua.

9 Cuando en el futuro se (saber) _____ más de las células madre, (ser) _____ más fácil curar enfermedades.

10 En los próximos siglos cuanto mejor se (conocer) _____ el Cosmos, más posibilidades de explicación (haber) _____ sobre su origen.

B Si no estáis de acuerdo con algunos de estos enunciados, expresad vuestra opinión.

* A través de la ciencia

2 A Completa el texto con los conectores del recuadro.

> en cuanto • antes de que • cuando • hasta que • siempre que • mientras

● ¿Sí?

▼ ¿Cariño? Hola, soy yo, te llamo porque no podré volver a casa (1) _____ haya terminado en el laboratorio.

● ¿Qué pasa? ¿Tienes mucho trabajo?

▼ ¿Que si tengo mucho trabajo? ¡Qué risa me da! Tengo muchísimos análisis y (2) _____ no haga todos los informes, no puedo moverme de aquí.

● Quizá deberías ser un poco más rápida.

▼ ¿Más rápida? ¡Qué fácil es hablar! En este laboratorio te querría ver yo, (3) _____ alguien necesita algo: Marisa, ven; Marisa te necesito; Marisa haz esto, Marisa haz lo otro, pero ya estoy harta y (4) _____ vea al jefe se lo digo. Es que estoy a punto de estallar.

● Pero, Marisa, ya te dije que ese trabajo…

▼ Sí, ya sé que me advertiste (5) _____ empezara, pero, ¿qué quieres? A mí me gusta y (6) _____ algo te gusta, pues lo aceptas casi todo, pero esto ya es demasiado. Bueno te dejo. A ver si consigo adelantar algo.

● Chao, Marisa, y tranquilízate un poco, que si no, te va a dar un ataque. Un beso.

B Después, escúchalo y compruébalo. En parejas, repetid el diálogo en voz **43 alta poniendo toda la atención en la entonación. Recordad que la chica está enfadada y estresada.**

3 A Lee y completa esta entrevista. Hay seis huecos y diez opciones. Después, escúchala y **44 corrígela. En parejas, repetid la entrevista en voz alta poniendo toda la atención en la entonación.**

> tanto como • más • cuanto más • de lo que imaginaban • menores • cuantas más
> menos • que podían imaginar • menor que • tan como

La bióloga Margarita Salas es una de las grandes de la ciencia española. Estos días está preocupada, después del recorte de financiación de la investigación.

Pregunta: ¿Cómo ve la situación actual?
Respuesta: Es muy preocupante que el presupuesto destinado a la investigación sea (1) _____ el actual.
P. ¿Tendrá esto impacto en los investigadores jóvenes?

R. Sí. Creo que los jóvenes científicos que están empezando la investigación son los que más van a sufrir. Pero me preocupa mucho también el gran desánimo que va a producir en ellos. Muchos que acaban los estudios y podrían elegir una carrera investigadora, están desanimados; (2) _____

tiempo pasa, hay (3) _____ jóvenes para hacer la tesis doctoral en los laboratorios. Si encima ahora se les desanima más con un recorte así, pensarán que la ciencia no tiene futuro en nuestro país.

P. ¿Son útiles los créditos para la ciencia?

R. No, para nada. Los científicos necesitamos subvenciones porque los créditos hay que devolverlos y nosotros no tenemos oportunidad de hacerlo. Sin embargo, (4) _____ subvenciones se den (5) _____ oportunidades tendrán los jóvenes investigadores.

P. ¿Hay inquietud en la comunidad científica?

R. Mucha, es preocupante que pueda haber recorte de becas y contratos.

Hay jóvenes que acaban el doctorado o que han ido al extranjero y que quieren regresar a trabajar aquí, pero si ganan todavía menos (6) _____, vamos a perder la oportunidad de contar con jóvenes científicos bien formados, ya que se van a quedar en países extranjeros. Espero que haya más sensibilidad en el debate parlamentario del presupuesto y se repare un poco esto. Se siembra hoy para cosechar mañana, y si no se siembra, no habrá nada que recoger dentro de unos años.

B **Tras escuchar y leer la entrevista, quieres compartirla con tus colegas: haz un breve resumen con los problemas de los que habla Margarita Salas para enviarlo a través de Twitter.**

4 **En parejas o en grupos de tres, unid correctamente las dos columnas (en algunos casos hay más de una posibilidad) y poned el infinitivo en el tiempo verbal correcto.**

La vida de la humanidad será mejor…

cuando haya agua potable para todos.

1 **cuando**
2 en cuanto
3 después de que
4 tan pronto como
5 apenas
6 a medida que
7 mientras
8 antes de que
9 cuanto más
10 cuanto menos
11 cuanto menor
12 cuanto mayor

a ser la preparación y la cultura de toda la población.
b desaparecer las diferencias entre países ricos y países pobres.
c justos ser entre los seres humanos.
d los niños nacer todos sanos.
e se distribuir mejor la riqueza.
f **haber agua potable para todos.**
g se acabar el hambre en los países empobrecidos.
h (darse, nosotros) cuenta de que no puede existir tanta pobreza.
i inventar(se) más vacunas.
j ser la violencia.
k haber una guerra planetaria.
l egoístas (ser, nosotros).

Cuando todos/as hayáis terminado el ejercicio, leedlo en voz alta para comparar los resultados con las otras parejas o grupos y debatidlos con toda la clase.

5 **Recuerda lo que has leído y escuchado. Reflexiona y contesta.**

1 ***Apenas*** *se descubrió el mapa del genoma humano,* ***se abrieron*** *las puertas a conflictos ético-morales.*

A ¿Recuerdas lo que significa *apenas*? Danos dos sinónimos de los que has estudiado.

_____.

B Ahora fíjate en estas oraciones y dinos qué crees que significa *apenas* en ellas.
• *Anunciaban mucha lluvia para este fin de semana, pero* ***apenas*** *ha llovido.*
• ***Apenas*** *hay luz en esta habitación.*

C Y ahora sustituye *apenas* por uno de los sinónimos que hayas elegido antes.

   a Apenas salí de casa, se puso a llover.

   _____.

   b Apenas sepa algo, te llamo.

   _____.

   c No puedo decirte cómo iba vestido porque apenas lo vi.

   _____.

   d Apenas sale de casa. Me tiene muy preocupado.

   _____.

2 ● *¿Qué pasa? ¿Tienes mucho trabajo?*
   ▼ *¿Que si tengo mucho trabajo? ¡Qué risa me da! Tengo muchísimos análisis y mientras no haga todos los informes, no puedo moverme de aquí.*

A Leed en parejas este diálogo. ¿Qué tono será el adecuado?

B La persona que pregunta *¿qué pasa?*:
   a Está preocupada.
   b Pregunta por cortesía.

C La persona que responde:
   a Está de muy mal humor.
   b No ha entendido bien la pregunta.

D ¿Por qué crees que repite la pregunta de su interlocutor?

   _____.

3 ● *Quizá* **deberías** *ser un poco más rápida.*
   ▼ *¿Más rápida? ¡Qué fácil es hablar! En este laboratorio te* **querría** *ver yo.*

A Claro que recuerdas el condicional y para qué se usa. En este diálogo lo usan los dos interlocutores. Pero, ¿lo hacen con la misma intención comunicativa?
¿Cuál de los dos aconseja y cuál expresa un deseo?

B Y ahora, con tu compañero/a escribe dos diálogos usando ambas funciones del condicional.

   _____

   _____

4 *Cuantas más subvenciones se den, más oportunidades tendrán los jóvenes* **investigadores**.

A La palabra 'investigador/a', lleva el sufijo *-dor/a*, que se usa para indicar la persona que realiza una acción. Investigador/a ➜ persona que investiga.
Completa esta lista y añade tus propios ejemplos:

   a Persona que habla mucho: _____.
   b Persona que sueña: _____.
   c Persona que pesca:_____.
   d Persona que diseña: _____.

B El sufijo *–dor/a* también sirve para referirse a lugares y objetos.
Completa esta lista y añade tus propios ejemplos:

   a Lugar donde se come: _____.
   b Lugar de la casa donde se recibe: _____.
   c Máquina que ordena o computa: _____.
   d Máquina que lava: _____.

C Y ahora piensa en el primer grupo de palabras. Algunas se han convertido en profesiones. ¿Cuáles? Elabora una lista. Te damos un ejemplo: *pescador*.

   _____

   _____.

5 *No, para nada.*

A Está claro que en este contexto, la construcción 'para nada' sirve para negar rotundamente. ¿Significa lo mismo en este diálogo? Explica la diferencia.

   ● *¿Te sirve esto para algo?*
   ▼ *No, para nada.*

B Y ahora, en parejas, escribid dos diálogos en los que aparezcan ambos sentidos.

   _____

   _____

   _____

4. De todo un poco

1 Interactúa.

A **Mitos, curiosidades y leyendas urbanas sobre la ciencia.**

a Primero, tu compañero/a te pregunta y tú le respondes sí o no razonando tu respuesta. Él (o ella) tiene la solución. Después cambiáis: quien ha preguntado contesta, y quien ha contestado pregunta. Necesitáis papel y lápiz para ir escribiendo los resultados.

Alumno A

1 Los pollos pueden vivir sin cabeza.
2 El agua gira en dirección contraria en los desagües del hemisferio sur a causa de la rotación terrestre.
3 En el espacio no hay gravedad.
4 Los humanos solo emplean el 10% de su cerebro.
5 Comerse un panecillo con semillas de amapola tiene el mismo efecto que el opio.
6 Una moneda arrojada desde lo alto de un rascacielos puede matar a un peatón.
7 Los adultos no desarrollan nuevas neuronas.
8 La sopa de pollo puede curar el resfriado común.
9 El bostezo es «contagioso».
10 Los rayos nunca golpean dos veces en el mismo sitio.

1 Sí, o al menos sin buena parte de la cabeza. 2 No, en realidad hay fuerzas mucho más poderosas que intervienen también. 3 No, en todas partes hay gravedad. 4 Casi con toda certeza usamos más de un 10% del cerebro y esta afirmación probablemente tenga su origen en una mala cita o en una mala interpretación de ciertos trabajos científicos. 5 No, pero sí es cierto que puedes dar positivo en un control de drogas. 6 No, la resistencia del aire le impide alcanzar una velocidad suficiente para eso. 7 Afortunadamente no es cierto, aunque hasta hace no mucho se creía que sí lo era. 8 No tanto como curar, pero ayuda. ¡Cuánto saben las madres! 9 No se sabe si hay algo fisiológico pero, cuando nos aburrimos y alguien bosteza, inmediatamente otras personas bostezan. 10 No solo no es cierto, sino que los rayos parecen preferir ciertos objetos y lugares como el Empire State.

Alumno B

1 La boca de un perro está más limpia que la de un humano.
2 El pelo y las uñas continúan creciendo después de muerto.
3 Los gatos siempre caen de pie.
4 Los hombres piensan en el sexo cada siete segundos.
5 Cuando corres bajo la lluvia, te mojas menos.
6 Un alimento cuando cae al suelo tarda cinco segundos en contaminarse.
7 Los animales pueden predecir los desastres naturales.
8 Las estaciones son causadas por la proximidad de la Tierra al Sol.
9 La Gran Muralla china es la única construcción humana visible desde el espacio.
10 Se tarda siete años en digerir un chicle.

1 En realidad es difícil de comparar por lo específicas que son las bacterias de cada especie, así que probablemente no sea correcto decir esto. Pero si quieres, puedes llevar a analizar tus babas y las de tu perro. Lo último es una broma, claro. 2 No, en realidad la piel se deshidrata levemente al morir, por lo que se contrae y entonces parece que crecen pelos y uñas, pero no es cierto. 3 Sí, si caen desde la altura suficiente. 4 No hay forma de comprobarlo, pero en cualquier caso parece un poco exagerado, ¿no te parece? 5 Los científicos dicen que sí es cierto. 6 Pues no, se contamina al momento. 7 No, como mucho pueden notarlos un poco antes gracias a sus sentidos normalmente más agudos que los nuestros, pero aún así muchos mueren en estos desastres. 8 No, en realidad tienen que ver con la inclinación de la Tierra. 9 No, en realidad no se ve, y si se viera, tendrían que verse muchas carreteras y autopistas que son más anchas. 10 No. Puede que tus jugos gástricos no lo digieran, pero en poco más de 24 horas habrá abandonado tu cuerpo.

b ¿Conocéis algún mito o leyenda urbana más? En caso afirmativo, contádselo a los/as compañeros/as.

B Einstein.

Aquí tenéis unas citas de Einstein, comentadlas con vuestros/as compañeros/as.

> «*Hay dos cosas infinitas: el universo y la estupidez humana, y del universo no estoy seguro*».
>
> «*Hay una fuerza motriz más poderosa que el vapor, la electricidad y la energía atómica: la voluntad*».

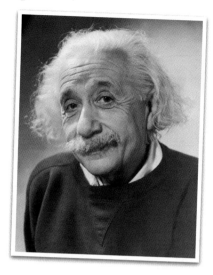

2 Habla.

A Primero lee este texto. Puedes consultar el diccionario, preguntar al profesor o a la profesora o a los/as compañeros/as.

Sabes que tienes diez minutos para preparar este tema. Tienes que explicar por qué has elegido un tema u otro. Exponlo durante cinco minutos, después el profesor o la profesora, los/las estudiantes te harán preguntas sobre este tema durante cinco minutos aproximadamente.

Argumenta e intenta llegar a una conclusión.

Vago/a a letras; empollón/a a ciencias

Los estereotipos condicionan la elección de estudios en el bachillerato.

El alumno de letras es sociable, simpático y abierto, pero vago, incapaz, despreocupado e indeciso. El de ciencias es inteligente, serio y responsable, pero individualista, insociable, aburrido y materialista. Así opinan de sí mismos y de sus compañeros 36 alumnos madrileños de entre 14 y 18 años que fueron reunidos para hablar de la elección de estudios que han hecho o la que están a punto de hacer. Se trata de parte de una investigación dirigida por la profesora de Sociología de la UNED Mercedes López Sáez, en la que los chicos reproducen el estereotipo clásico: los vagos, a letras; los empollones, a ciencias.

Los estereotipos conllevan simplificación y generalización. Son injustos, pero acaban por introducirse en la realidad de manera que resulta difícil saber si es así.

Los propios profesores, en otra parte del estudio en el que se entrevistó a once docentes madrileños, lo constatan. La estadística dice que los alumnos de Ciencias de la Naturaleza y la Salud y Tecnología repiten menos en 2.º de bachillerato (el 22,9% y 28,9%, respectivamente) que los de Sociales y Humanidades (29,6%), y mucho menos que los de Artes (45,5%).

(Texto adaptado de: *http://www.elpais.com*)

B Pasen, señores, pasen a mi consulta.

a Mira bien las viñetas.

b Busca en el diccionario las palabras que no sabes.

c Describe y narra todo lo que ves.

© *Quino*

3 Escucha.

A **Científicos españoles destacados.** ·)) 45

1 Antes de escuchar.
¿Podrías decir el nombre de algún científico de
tu país? ¿Y de España o Hispanoamérica?

2 Durante la primera audición.
Pon atención al nombre de los científicos y a
sus avances o descubrimientos.

3 Vuelve a escuchar la grabación (seguramente necesitarás hacerlo dos veces más) y después contesta:

a ¿Cómo se llama el primer científico?
¿Qué inventó? ¿Cuál era su especialidad?

b ¿Cómo se llama el segundo científico?
¿En qué año nació? ¿En qué año recibió
el Premio Nobel de Medicina? ¿Cómo se llamó
su teoría?

c ¿Cómo se llama la tercera persona de la que
se habla? ¿Qué inventó? ¿En qué se convirtió
su invento posteriormente?

d ¿Cómo se llama el cuarto científico?
¿Qué premio recibió? ¿En qué año murió?

e ¿Cómo se llama la quinta científica?
¿De quién fue discípula? ¿Qué le ocurrió en
mayo de 2007?

4 Despues de escuchar.

Y a ti, ¿qué te gustaría inventar? ¿Cuándo te gustaría inventar algo, ahora, de mayor? Contesta
a estas dos preguntas y comprueba lo que han respondido tus compañeros/as. ¡Quién sabe si
en el futuro tu invento se hará realidad!

B Ciencia ficción. 🎧⁴⁶

Y ahora hablemos de algo que podría ser ciencia o ficción, dependiendo de la época.

> ¿Sabía usted que la ciencia ficción tiene su origen en la Antigüedad?
> ¿Y que el primer viaje a la Luna fue imaginado por Luciano de Samósata en el siglo II, y no por Julio
> Verne en el XIX? ¿Sí? ¿No? Pues escuche atentamente nuestro espacio de Onda Meridional «A través
> de la ciencia», el programa de hoy titulado «Entre la ciencia y la ficción».

1 Antes de escuchar.

a ¿Te interesa la literatura fantástica? ¿Y la ciencia ficción?
b ¿Qué te interesa más la literatura de ciencia ficción o el cine de este género?
c ¿Puedes nombrar alguna obra escrita de ciencia ficción? ¿Y alguna película?
d ¿Crees que la ciencia ficción es ciencia?
e Ahora mira las fotografías y los nombres de escritores que aparecen en la audición.

Luciano de Samósata

Julio Verne

Jorge Luis Borges

Arthur Clarke

Robert Louis Stvenson

H.G. Wells

Jack London

Conan Doyle

Theodore Sturgeon

Mary Shelley

f ¿Sabes quiénes son? Entre todos, con ayuda de internet o, si no, con la de vuestro profesor o vuestra profesora explicad quién es quién.

g ¿Has leído algunas de sus obras o has visto alguna adaptación al cine de estas obras? Cuéntaselo a tus compañeros/as.

2 Durante la audición.
Tomad notas de lo más importante.

3 Después de escuchar.
Di si son verdaderos o falsos los siguientes enunciados según el texto.

	V	F
1 La ciencia ficción es una rama de la llamada literatura fantástica que ya se escribía en la Antigüedad.		
2 El término fue acuñado en 1939 por Hugo Gernsback, escritor de una de las primeras revistas del género.		
3 En *La Odisea* se narran los viajes de Odiseo o Ulises.		
4 La primera obra del género de ciencia ficción, tal y como lo conocemos hoy, es la obra *El mundo perdido*.		
5 Verne encarna el prototipo de autor de ciencia ficción actual, que utiliza los últimos descubrimientos científicos para desarrollar un mundo imaginario.		
6 Este tipo de literatura nos ha servido para imaginar y encontrar respuestas ciertas a nuestras inquietudes, respuestas que parecen tranquilizar nuestra alma.		

Un paso más

1 En las dos audiciones aparecen una serie de oraciones pasivas construidas con *ser* (las estudiaste en la unidad 5 de Nuevo Avance 5). Aquí las tienes. ¿Puedes convertirlas en activas? Fíjate que en las dos primeras y en la última no hay complemento agente. Observa el ejemplo para hacer lo mismo.

a Una nueva y revolucionaria teoría que empezó a *ser llamada* la «doctrina de la neurona».
*Una nueva y revolucionaria teoría **a la que llamaron** la «doctrina de la neurona».*

b En mayo de 2007 *fue nombrada* miembro de la Academia Nacional de Ciencias de Estados Unidos.
_____
_____.

c Y El primer viaje a la Luna *fue imaginado* por Luciano de Samósata.
_____
_____.

d El término *fue acuñado* en 1929 por Hugo Gernsback.
_____
_____.

e Este camino artístico aparentemente ilimitado *fue iniciado* en la Antigüedad.
_____
_____.

2 En la segunda audición encontramos «*narraciones fantásticas entremezcladas con hechos científicos y visiones proféticas*».
Imaginamos que comprendes el significado de 'entremezcladas'.
Lo interesante es que el verbo está formado así: *entre* + *mezclar*. Te damos otros verbos formados de la misma manera. Busca su significado en el diccionario y haz una oración usándolos.

a Entresacar: _____
_____.

b Entreabrir: _____
_____.

c Entrecortar: _____
_____.

d Entrelazar: _____
_____.

4 Lee.

A *El Semanal.* Viajar al futuro.

1 Antes de leer.
  a Imaginad de qué va a hablarse en el texto.
  b Enumerad los cambios que habrá en el futuro.

2 Después de leer.
  a Comparad vuestras hipótesis con lo que habéis leído.
  b Señalad la opción correcta.

La máquina del tiempo, la que nos transportaría a través de los siglos, no está contemplada por la ciencia. No obstante, usted se habrá planteado alguna vez a qué lugar del tiempo querría ir si ello fuera posible. La mayoría elige momentos de esplendor de su ciudad o su país y, habitualmente, iría al Jerusalén del siglo cero para saber todo lo que no sabe de Jesucristo. Unos viajarían en el barco del que bajó Colón poco después de que Rodrigo de Triana gritara haber visto tierra; otros al día en que Cortés llegó al centro de México; otros, a conocer personalmente a Leonardo da Vinci, aunque fuese haciéndose pasar por su lechero; otros, a la Roma imperial en una tarde cualquiera de circo; otros, al periodo en el que se construía la Ciudad Prohibida de la dinastía Ming en Pekín. Pocos, en cambio, viajarían hacia el futuro, cuando, realmente, es mucho más desconocido y apasionante. Lo que ocurrió en el

Descubrimiento o lo que inventó Da Vinci más o menos lo sabemos, pero no somos capaces de imaginar lo que habremos inventado dentro de trescientos años. De la misma forma que un gran científico que vivió a principios del siglo xx habría sido incapaz de anunciar que podría inventarse el teléfono móvil, nosotros hoy tenemos cierta limitación –no tanta, es cierto– para imaginar la vida dentro de tanto tiempo teniendo en cuenta la progresión con la que avanza la ciencia. ¿Cómo será su ciudad en el año 2310? ¿Existirá? ¿El criterio conservacionista permanecerá o le dará a todo el mundo por destruirlo todo y crear un mundo nuevo? Sin embargo, algunas cosas sabemos: los científicos adelantan algunos de los escenarios futuros más inmediatos y queda claro que no habrá que esperar tres siglos para presenciar innovaciones espectaculares. Dentro de unos años, por ejemplo, viajar dejará de ser una pesada espera y un largo recorrido entre lugares distantes: bien saliendo de la atmósfera o bien viajando dentro de ella, unir Moscú y Nueva York será cosa de menos de una hora; de hecho, algunos prodigios de la aeronáutica ya unen Tokio y Washington en sesenta minutos.

Cuenta un diario chileno especialista en estas cuestiones que todo lo anterior es cosa de no más de diez años. Olvídense de las dieciocho horas de Madrid hasta Shangai. Los edificios ya no tendrán cables ni enchufes (los muros servirán de conductores electromagnéticos), las imágenes saldrán de la pantalla al modo de hologramas y las conversaciones en diferentes idiomas no serán problema al disponer de traductores simultáneos prácticamente perfectos. La medicina dará pasos de gigante –hasta ahora los ha dado la cirugía– y la reparación de tejidos dañados resultará accesible mediante las célebres `células madre´, la ceguera será un problema superado mediante ojos biónicos y las adicciones serán superadas con facilidad mediante el uso de vacunas de ultimísima generación. Las fuentes de energía habrán cambiado, dejarán de ser altamente contaminantes y la contaminación será cosa del pasado, es decir, de hoy. Conducir será infinitamente más seguro que hoy en día: vehículos inteligentes permitirán un tipo de piloto automático que hará posible hasta dormir un poco entre Bilbao y Burgos. Todo ello es posible que no ocurra en todas partes y al mismo tiempo, ya que previsiblemente la velocidad de desarrollo tendrá desniveles territoriales, pero la distancia entre avance y retraso que hoy se marca claramente en el mapa sociopolítico de los países de la Tierra se acortará. Lo único que no nos dice la previsión científica es si el ser humano será más feliz. Tendrá instrumentos que le harán la vida más agradable, pero no sabemos si será más justa, como esperamos y deseamos. Lo apasionante, pues, es conocer lo que nos espera, no solo lo que nos precede.

3   En el texto se afirma que:

1   **a**   A todo el mundo le gustaría viajar a los acontecimientos más importantes del pasado de su lugar de origen.

    b   A muchos les molestaría venderle leche a Leonardo da Vinci.

    c   A una minoría no le gustaría viajar al pasado.

2   **a**   Los científicos de principios del siglo xx tenían la misma capacidad de predicción que los del siglo xxi.

    b   Solo deberemos esperar una década para ver prodigios aeronáuticos.

    c   El instinto de conservación será de máxima utilidad para la Humanidad.

3   **a**   Las 'células madre' servirán para recuperar a los adictos de sus adicciones.

    b   Los edificios prescindirán de los sistemas actuales de electricidad.

    c   Posiblemente los avances tecnológicos futuros ocurran al mismo tiempo en todo el planeta.

4 Entre todos/as comentad el final del artículo y expresad vuestra opinión justificándola.

Lo único que no nos dice la previsión científica es si el hombre será más feliz. Tendrá instrumentos que le harán la vida más agradable, pero no sabemos si será más justa, como esperamos y deseamos. Lo apasionante, pues, es conocer lo que nos espera, no solo lo que nos precede.

Un paso más

1 En este texto aparecen muchos futuros; es lógico porque se habla de eso, del futuro. Pero nosotras queremos que subrayes los futuros perfectos (hay tres) y que nos digas: ¿a qué son anteriores?

_____.

2 En el ejercicio 5 de *Contenidos gramaticales* hemos comparado dos funciones del condicional.

a Escribe aquí cuáles son:

_____.

b Vuelve a leer el texto y subraya los condicionales que hay en él. ¿Tienen la misma función que los anteriores?

_____.

c Escribe con tu compañero/a ejemplos en los que aparezcan esas funciones.

_____.

5 Escribe.

Opción A

Aquí tienes una serie de citas escritas por autores españoles sobre la ciencia. Elige una de ellas y coméntala. Puedes presentarlo como un texto explicativo o argumentativo.

- Recuerda que **los textos argumentativos** expresan opiniones para convencer.
  Los modelos suelen ser artículos de opinión, crítica de prensa, discursos, publicidad, ensayos. Normalmente se usan conectores explicativos, conectores de causa y consecuencia, conectores **ordenadores** *(en primer lugar, primeramente; en segundo/tercer/cuarto... lugar; por un lado, por otro lado...; por una parte... por otra;* **aditivos** *(asimismo, igualmente),* **intensificadores** *(incluso, hasta, para colmo),* **opositivos** *(a pesar de todo, pero, sin embargo, no obstante, en cierto modo, por el contrario, en cambio).*
  Su estructura consta de presentación, desarrollo y conclusión.
  El registro es estándar y algunas veces culto.
- **Los textos explicativos** hacen comprender un tema y explican por qué es así. Los modelos suelen ser los libros de texto, los libros y artículos divulgativos, las enciclopedias y los diccionarios.
  Normalmente se utilizan conectores explicativos, causales, consecutivos y ordenadores. Su estructura consta de presentación, desarrollo y conclusión. El registro es el estándar.

- *La ciencia es, sin disputa, el mejor, el más brillante adorno del hombre.* **Gaspar de Jovellanos (1744-1811) literato, economista y político español.**

- *Ciencia es todo aquello sobre lo cual siempre cabe discusión.* **José Ortega y Gasset (1883-1955) filósofo y ensayista español.**

Ninguna ciencia, en cuanto a ciencia, engaña; el engaño está en quien no la sabe. **Miguel de Cervantes (1547-1616) escritor. Su obra más famosa es** El Quijote.

- *La verdadera ciencia enseña, por encima de todo, a dudar y a ser ignorante.* **Miguel de Unamuno (1864-1936) filósofo y escritor español.**

- *La ciencia no me interesa. Ignora el sueño, el azar, la risa, el sentimiento y la contradicción, cosas que me son preciosas.* **Luis Buñuel (1900-1983) cineasta español.**

Opción B

Ciencia ficción: ¿Cómo será el mundo dentro de quinientos años? ¿Habrá cambiado mucho? ¿No habrá cambiado casi nada? Si lo viéramos, ¿nos resultaría irreconocible? Escribe un texto exponiendo tus ideas.

11

¿A qué dedicas el tiempo libre?

Al terminar esta unidad, serás capaz de...

• Leer, escuchar y hablar sobre aficiones y tiempo libre.
• Reconocer expresiones coloquiales y usarlas.
• Interpretar un test para conocerte y conocer mejor a tus compañeros/as.
• Rectificar ideas previas que se consideran negativas.
• Usar construcciones reduplicadas en subjuntivo.
• Expresar dudas y deseos usando nuevos recursos.
• Formar sustantivos derivados a partir de adjetivos.
• Rechazar por escrito una invitación de forma que tu interlocutor/a no se ofenda.
• Escribir proponiendo a tus amigos/as un viaje para hacer el Camino de Santiago.

1. Pretexto

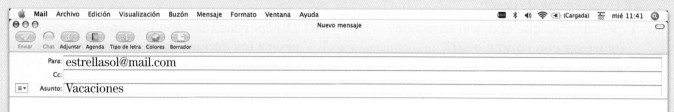

Hola, Estrella:

¿Qué tal va todo? ¡Tía! ¡Vaya tentación lo de ir a Tarifa contigo para hacer *kitesurf*! Sabes que me apetecería un montón. Pero esta vez no va a poder ser. Te cuento. Por un lado, mis padres van a mudarse y he prometido echarles una mano, así que, quizá, no tenga tiempo, y, además, el 9 de septiembre, como es mi cumpleaños, ya sabes, veintitrés, van a venir mis abuelos de Menorca. Entonces, lo veo dificilísimo, o casi imposible.

¡Ojalá pudiera ir! Sería lo más... Me apetecería un montón... la playa, el viento, volar sobre las olas, los amigos, las fogatas por la noche en la playa... De todas formas, pase lo que pase, ya te diré algo seguro. Que disfrutes muchísimo.

Nos llamamos.

Jorge

1 **Lee, escucha y contesta.** 🔊 47

a Di con tus propias palabras por qué cree Jorge que no va a poder ir a Tarifa.

b ¿Dice Jorge que no va a ir definitivamente? ¿Cómo lo expresa?

c Señala si la forma de escribir de Jorge es formal o informal.

2 **Ahora reflexiona.**

a Señala la(s) oración(es) que expresa(n) deseo. ¿En qué tiempo verbal está(n)?

b Subraya las oraciones que expresan duda o probabilidad. ¿En qué tiempo verbal están?

c Hay una oración que tiene el mismo verbo dos veces y va unido por un relativo. ¿Podrías decir cuál es?

3 **Escribe el correo electrónico que Estrella ha escrito antes a Jorge.**

2. Contenidos gramaticales

1 La expresión de deseo.

A ¿Recuerdas que el deseo se puede expresar con condicional?

- *Sería estupendo que pudieras venir a Tarifa.*

Completa estas frases.

1 A Antonio le _____ tener mucho dinero para viajar por todo el mundo.
2 A mis padres les _____ comprar una casa de campo en Mallorca para cuando se jubilen. Quieren tener un jardín y un huerto.

Y ahora, expresa tú dos deseos reales que quieras *compartir* con tus compañeros.

_____.

B ¿Recuerdas también que para expresar deseos a los demás, usamos *que* + presente de subjuntivo?

- *Voy a hacer el Camino de Santiago a pie.*
- ▼ *Que disfrutes mucho y que todo te vaya bien.*

Contesta.

1 ● Estoy muy cansada; me voy a la cama.
  ▼ (Tú) _____

2 ● Me voy a pasar una semana a Lanzarote.
  ▼ Ojalá no haga demasiado calor.
  ■ (Tú) _____

C Además, ¿recuerdas que los deseos para los demás y para ti puedes expresarlos usando *ojalá* + presente de subjuntivo?

- *El próximo fin de semana voy a tirarme en paracaídas.*
- ▼ *Ojalá no haga viento y caigas bien.*

Contesta.
- *Mañana vamos a subir al Teide.*
- ▼ _____

Elabora con tu compañero/a dos diálogos usando esta fórmula.

D Ahora vas a aprender a usar *ojalá* + todos los tiempos de subjuntivo.

Ojalá + presente	*Ojalá* + pretérito perfecto	*Ojalá* + pretérito imperfecto	*Ojalá* + pretérito pluscuamperfecto
Para expresar deseos posibles referidos al presente o al futuro.	Para expresar deseos posibles recientes, en relación con el p. perfecto.	Para expresar deseos imposibles referidos al presente y al futuro.	Para expresar deseos imposibles referidos al pasado.
Ojalá llueva pronto; el campo está muy seco.	● *Me han dicho que las notas de Estadística ya han salido. Ojalá haya aprobado.* ▼ *Seguro que sí; llevabas los temas muy bien preparados.*	● *Ojalá estuviera aquí mi hermano, así podría echarme una mano, que buena falta me hace. Me encanta el bricolaje, pero no consigo montar estas piezas. (Mi hermano no está aquí, por eso mi deseo es imposible.)* ▼ *Si quieres te ayudo yo, aunque no sea lo mismo.*	● *Ojalá Marta no hubiera participado en el campeonato de patinaje, así no se habría roto el pie.* (Marta participó y se rompió el pie; el deseo es imposible.) ▼ *Ya... pero nunca sabemos qué puede pasar...*

> **FÍJATE**
> *Ojalá* puede aparecer seguido de *que*, pero no es necesario.

Recuerda que también sabes usar *esperar* para expresar deseos. ¿Puedes ponernos un ejemplo?

2 **La expresión de la duda o la probabilidad.**

A **Ya sabes que para expresar la duda o la probabilidad puedes usar los siguientes tiempos verbales.**

SEGURIDAD	DUDA, PROBABILIDAD
1 Presente	→ Futuro simple
2 Pretérito perfecto	→ Futuro compuesto
3 Pretérito imperfecto	→ Condicional simple
4 Pretérito indefinido	→ Condicional simple

Contesta a estas preguntas, usando los tiempos adecuados. No estás seguro/a.

1 ● ¿Cuántos años **tiene** Rafael Nadal?
   ▼ _____.

2 ● ¿Qué selección **ganó** los mundiales de fútbol de 2010?
   ▼ _____.

3 ● ¿Quién **era** la chica que iba ayer con tu hermano?
   ▼ _____.

4 ● ¿Por qué **no se ha presentado** al concurso de relatos breves?
   ▼ _____.

B **También sabes que para expresar la duda y la probabilidad usamos:**

QUIZÁ(S), TAL VEZ	Van seguidas de indicativo o subjuntivo.	Con indicativo cuando se quiere expresar más seguridad, y con subjuntivo posibilidad más remota.	● *¿Sabes que hay un concierto en la Catedral?* ▼ *Sí, **quizás** iré con unos amigos.* ▼ *Sí, **quizás** vaya, no sé, es que espero una llamada importante a la misma hora.*
A LO MEJOR	Se construye siempre con indicativo.	Informa de una acción o un hecho de realización muy probable.	● ***A lo mejor** me dan unas entradas para el partido.*
PUEDE (SER) QUE	Se construye siempre con subjuntivo.	Expresa una hipótesis posible.	● *No lo recuerdo bien, pero **puede que** sí, que el verano pasado estuvieron de vacaciones en la península de Yucatán.*

FÍJATE
Pueden aparecer después del verbo:
*Vendrán, **quizá**, a la excursión con nosotros.*

Úsalos adecuadamente.

1 ● Me dijo Pedro que vendría a ayudarme a montar los muebles y no vino.
   ▼ Puede (ser) que no (tener) _____ tiempo. Ya sabes que últimamente trabaja mucho.

2 ● ¡Mira qué feo nos ha quedado el color de la pared!
   ▼ Quizá nos (equivocar) _____ al elegir este color.

FÍJATE
Algo nuevo: coloquialmente puedes usar *igual* para expresar duda.
Contesta: ● *¿Vamos a pescar este fin de semana?*
▼ *Igual* _____

3 Las oraciones reduplicadas.

> Son un tipo de estructuras concesivas, por eso, expresan en general un obstáculo a pesar del cual se realiza lo expuesto en la oración principal.
> Verbo en subjuntivo + cualquier relativo + el mismo verbo en subjuntivo, + oración principal (en indicativo).
>
> **ATENCIÓN**
> No se usan los relativos *que*, *el/la/los/las cual(es)*, pero sí, *cual*.

- **Pase lo que pase**, *no te abandonaré.*
- **Fuera quien fuera**, *no debiste abrir la puerta.*
- **Venga cuando venga**, *se lo diremos.*
- **Lo dijera como lo dijera**, *no deberías haberte enfadado tanto con ella.*
- **Esté donde esté**, *lo encontraréis.*
- **Sea cual sea tu decisión**, *la aceptaremos.*

Y ahora tú termina estas oraciones:

1 Preguntes a quien preguntes, _____.

2 Te diga lo que te diga, no _____.

3. Practicamos los contenidos gramaticales

1 A Transforma el infinitivo en la forma verbal correcta. Atención, puede haber más de una posibilidad.

1 ● Han dicho en la información del tiempo que quizá (llover) *llueva / lloverá* este fin de semana.
  ▼ Pues hay que hacer caso porque últimamente no (equivocarse) _____ nada.

2 ● (Ser) _____ estupendo que (poder, nosotros) _____ pasar las vacaciones juntos.
  ▼ Desde luego, pero lo (ver, yo) _____ casi imposible.

3 ● A lo mejor la próxima maratón (ser) _____ en São Paulo.
  ▼ Pues no sé si (ser) _____ un sitio ideal para una maratón en verano.

4 ● ¿Vas a ir al cumpleaños de Rafa?
  ▼ Puede que (ir) _____, pero depende de si me (dar) _____ permiso o no.

5 ● Me han ofrecido un trabajo de monitora de natación e igual lo (aceptar) _____.
  ▼ Pues, que (irte) _____ fenomenal.

6 ● Abandonó la competición *a todo correr* y llorando.
  ▼ ¡Qué extraño! Tal vez (sentirse) _____ mal de repente, porque Luz siempre me ha parecido una mujer muy *equilibrada*.

7 ● No sé nada de Serafín, ¿sabes tú algo de él?
  ▼ A lo mejor (marcharse) _____ a Egipto. Dijo que lo (hacer, él) _____ en cuanto tuviera suficiente dinero.

8 ● Me encantaría hacer escalada, pero, no sé, igual me (dar) _____ un poco de miedo.
  ▼ (Deber, tú) _____ probarlo. ¡Es estupendo!

9 ● Voy a presentarme a un concurso de construcción de maquetas.
  ▼ Ojalá lo (ganar, tú) _____. *Eres una manitas.*

10 ● (Apetecer, a mí) _____ que Julieta Venegas viniera a actuar aquí este verano.
  ▼ Sí, a mí también (gustar) _____ un montón.

B **Señala las frases que expresan deseo y las que expresan duda o probabilidad.**

C *A todo correr* **significa:** a Corriendo   b Al correr

D **Define a una persona** *equilibrada.* **¿Cuál es su contrario?**

E **¿Qué crees que significa** *ser un/a manitas***?**   a Ser habilidoso/a   b Ser torpe

2 **A** **Completa con el tiempo adecuado de subjuntivo y relaciona las dos columnas.**

1 ● El concierto empieza a las 21:00 y son las 20:45. ¡Ojalá (llegar) _____ a tiempo!

2 ● Marta me ha dicho que *está de tres meses.*

3 ● La situación actual del club deportivo es muy crítica, ¿qué piensan hacer ustedes para resolverla?

4 ● Mañana me voy de vacaciones al Caribe.

5 ● ¡Ojalá (aceptar, yo) _____ el trabajo de profesor de ajedrez que me ofrecieron en Francia!

6 ● ¿Me acompañas a las rebajas? Es que ayer vi unas botas de montaña preciosas, pero no llevaba dinero, ni la tarjeta de crédito. Ojalá no las (vender, ellos) _____.

7 ● Luis está enfadado conmigo, ¡ojalá no le (contar, yo) _____ lo que pasó en el gimnasio!

8 ● El sábado vamos a alquilar *una avioneta* durante una hora.

9 ● Hoy tengo el último examen de la *carrera.*

10 ● La *cosecha* va a perderse por la *sequía.*

a ▼ Ojalá no (hacer) _____ viento.

b ▼ No te quejes; este que tienes ahora está bastante bien.

c ▼ ¡Ojalá (poder, yo) _____ acompañarte!

d ▼ Venga, vamos, a ver si tienes suerte.

e ▼ Ojalá (ser) _____ niña esta vez después de tres niños.

f ▼ Que lo (hacer, tú) _____ bien y (aprobar) _____.

g ▼ ¡Ojalá (tener, nosotros) _____ la respuesta!

h ▼ No lo creo, hay mucho tráfico.

i ▼ Sí, habría sido mejor, pero ya sabes lo que dice el antiguo refrán: *A lo hecho, pecho.*

j ▼ He oído en la radio que puede que (llover) _____ la próxima semana.

B Y ahora contesta.

1 ¿Sabes el participio de qué verbo está omitido en esta frase? *Marta me ha dicho que está (_____) de tres meses.*

2 ¿Puedes imaginar qué le ha contado a Luis para que este esté tan enfadado con ella?

3 ¿Qué diferencia hay entre *un avión* y *una avioneta*?

4 ¿Qué significado tiene aquí la palabra *carrera*? ¿Conoces otros significados para esta misma palabra?

5 Explica qué quieren decir las palabras *cosecha* y *sequía*.

6 Intenta deducir el significado del refrán: *A lo hecho, pecho.*

3 A Completa con una de las frases propuestas.

> pase lo que pase • sea cual sea • Lo diga quien lo diga • Lo haga como lo haga
> venga cuando venga • ~~esté donde esté~~ • hiciera lo que hiciera

1 ● Me ha dicho la secretaria que no me preocupe, que encontrará mi ficha de inscripción *esté donde esté*.
 ▼ Pues a ver si es verdad porque, si no, no vas a poder participar en el concurso.

2 ● _____ no me lo creo, eso no puede ser verdad.
 ▼ Tú siempre tan escéptico.

3 ● No se preocupe señora Torija, _____ _____ el señor Dávila la llamará y le dará toda la información sobre el torneo de ajedrez.
 ▼ Muchas gracias por todo, adiós.

4 ● Marta ha decidido pintar ella misma toda su casa.
 ▼ _____ le quedará estupendamente, ya sabes que es muy habilidosa y, además, tiene muy buen gusto.

5 ● Juan echa muchísimo de menos a su antiguo entrenador.
 ▼ Es normal que lo eche de menos, ya sabes que _____ Juan, a él le parecía perfecto.

6 ● Te llamaré _____.
 ▼ Sí, por favor, mantenme informado.

7 ● El director de la empresa Ocio y Tiempo Libre me ha dicho que _____ mi decisión, la respetará.
 ▼ Entonces, estarás contenta, ¿no?

B Define a una persona *escéptica*.

C ¿Qué características tiene una persona *habilidosa*? ¿Cuál es el contrario de *habilidosa*?

D Pensamos que ahora es un buen momento para que entre todos/as, hagáis una lista de adjetivos de carácter y digáis sus contrarios. ¡Ánimo!

4 **A** **Aquí tienes una serie de aficiones y deportes. Haz oraciones de acuerdo con el modelo. Si quieres, puedes añadir la causa.**

2 *Practicar ala delta*
   Tal vez *el próximo verano* _____
   _____

1 *Cultivar bonsáis*
   Quizá *de mayor me dedique a cultivar bonsáis,* **porque** *es una afición muy tranquila.*

3 *Hacer maquetas*
   Puede que *algún día*
   _____
   _____

5 *Coleccionar LPs*
   Igual _____
   _____

4 *Escalar*
   A lo mejor _____
   _____

B **Ahora comparad los resultados. Si queréis, podéis añadir otras aficiones y deportes y, así, continuáis con esta actividad.**

5 **A** **Te presentamos una serie de imágenes emparejadas. Escribe una frase usando *ojalá* + el tiempo correcto de subjuntivo. Te ofrecemos un modelo.**

2 **Ojalá** (llover / sequía)
   _____
   _____

1 **Ojalá** *no hubiera comido tanto, así ahora no me dolería el estómago.*

3 *Ojalá* Ojalá (aterrizar el avión / no tener que esperar)

_____

_____

4 *Ojalá* (tocar la lotería / comprar)

_____

5 *Ojalá* (estudiar más / tener un trabajo mejor pagado)

_____

_____

B Ahora comparad los resultados. Si queréis, podéis añadir más ejemplos que expresen deseo y, así, continuáis con esta actividad.

6 **Recuerda lo que has leído y escuchado. Reflexiona y contesta.**

> **1** ● ***Pase lo que pase***, *ya te diré algo seguro.*
> ● *Me ha dicho la secretaria que no me preocupe, que encontrará mi ficha de inscripción **esté donde esté**.*
> ● ***Lo diga quien lo diga*** *no me lo creo, eso no puede ser verdad.*
>
> **A Lee estas oraciones y dinos: ¿qué intención comunicativa tiene la parte en negrita?**
>
> a Demuestra ignorancia.
> b Refuerza lo afirmado o negado de la oración principal.
>
> **B Elige, entre estas dos posibilidades, la que tenga el mismo sentido:**
>
> a No sé lo que / No importa lo que
> b No sé dónde / No importa dónde
> c No sabemos quién / No importa quién
>
> **C Y ahora escribe tres oraciones similares.**
>
> **2** *¿Qué tal va todo? ¡Tía! ¡Vaya tentación lo de ir a Tarifa contigo para hacer* **kitesurf***! Sabes que me apetecería un montón. Pero esta vez no va a poder ser. Te cuento. Por un lado, mis padres van a mudarse y he prometido echarles una mano, así que, quizá, no tenga tiempo, y, además, el 9 de septiembre, como es mi cumpleaños, ya sabes, veintitrés, van a venir mis abuelos de Menorca. Entonces, como acabo de decirte, lo veo dificilísimo, o casi imposible.*
>
> Este texto es muy interesante. En él Jorge rechaza una invitación, pero no lo hace abiertamente. ¿Qué recursos usa para que su amiga no se enfade?
>
> _____
>
> _____

3 *Eres una manitas.*

A ***Ser un / una manitas*** **es una expresión coloquial que significa, como sabes, ser hábil con las manos.**
En español existen otras construcciones en las que aparece un sustantivo en plural con un artículo en singular. Tienen un significado especial. A ver si lo deduces.

a Pedro es un **bocazas**, no le cuentes nada o se lo contará a todo el mundo.
Ser un / una bocazas significa _____.

b No toques nada, anda, que seguro que rompes algo. ¡Eres un verdadero manazas!
*Ser **un** / **una manazas** significa* _____.

B ¿Podrías tú usar esas expresiones? ¡Inténtalo!

_____
_____
_____

4 ● *Luis está enfadado conmigo, ¡ojalá no le hubiera contado lo que pasó en el gimnasio!* ▼ *Es verdad, habría sido mejor, pero ya sabes lo que dice el antiguo refrán:* ***A lo hecho, pecho***.

A Ya has deducido lo que significa el refrán que está en negrita. ¿Lo recuerdas?

_____

B Ahora, con tu compañero/a, escribe un diálogo para usarlo adecuadamente.

● _____   ● _____
▼ _____   ▼ _____

5 ***Ojalá estuviera*** *aquí mi hermano.*

A Cuando usamos *ojalá* **+ imperfecto de subjuntivo estamos diciendo indirectamente que ese deseo es imposible ahora (como en el ejemplo), o en el futuro.**

Si decimos, *ojalá esté aquí mi hermano*, **¿qué estamos expresando? ¿Cómo imaginas la situación?**

_____

B Analiza estas parejas de oraciones y explica cuál es el contexto de cada una.

a Ojalá la abuela *viva* muchos años.   c Ojalá *llegue* la primera a la meta.

_____   _____

b Ojalá la abuela *viviera* muchos años.   d Ojalá *llegara* la primera a la meta.

_____   _____

4. De todo un poco

1 Interactúa.

A **Tiempo libre.**

En parejas, haced este test sobre el tiempo libre para conoceros mejor. Recordad que primero uno/a de vosotros/as lee las preguntas y el otro o la otra las contesta. Después cambiáis: quien ha preguntado contesta, y quien ha contestado pregunta. Necesitáis papel y lápiz para ir escribiendo los resultados. Comentadlos con todo el grupo.

1 ¿Qué sueles hacer los fines de semana?
a ¿Sales a pasear o te ocupas en alguna actividad concreta?
b ¿Te quedas en casa sin hacer nada?
c ¿Aprovechas para ordenar y limpiar?

2 Todos tus días…
a tienen algo diferente.
b son iguales y aburridos.
c están llenos de obligaciones.

3 ¿Intentas hacer actividades que te hagan sentir bien?
a Sí.
b No.
c ¿Cuándo? No tengo tiempo.

4 ¿Qué haces un día festivo?
a ¿Levantarte temprano para disfrutar más el día?
b ¿Dormir hasta tarde y ver la tele?
c ¿Preparar la comida para ese día y para el día siguiente?

5 ¿Te molesta perder tu tiempo libre?
a Sí, es una sensación que odio.
b No, el tiempo libre está para descansar.
c No puedo perder lo que no tengo.

6 ¿En los momentos de ocio haces lo que más te gusta?
a Sí.
b No.
c Momentos de ocio, ¿qué es eso?

7 Al volver de las vacaciones, en general sientes que…
a lo has pasado muy bien, bárbaro.
b ya echabas de menos volver a la rutina.
c vuelves tan cansado que necesitarías unas vacaciones para descansar.

8 ¿Mantenerte activo/a te hace sentir bien?
a Sí.
b No.
c No tienes otra opción.

9 En el tiempo libre prefieres:
a Organizar de antemano lo que vas a hacer.
b Decidir qué vas a hacer dependiendo del estado de ánimo del momento.
c ¡Un respiro!

10 ¿Piensas en qué cosas te gustaría hacer y cómo lo harías?
a Sí.
b No.
c No tienes tiempo ni para pensar.

RESULTADOS:

Mayoría de A:
Casi nunca te aburres y siempre estás buscando cosas nuevas que te hagan sentir feliz. Divertirse también requiere dedicación y en eso eres un/a experto/a. Sigue sacándole partido a tu tiempo libre y no pierdas ese modo de disfrutar de la vida.

Mayoría de B:
En algunas ocasiones disfrutas del tiempo libre, pero a menudo te dejas llevar por la pereza y no consigues hacer nada para sentirte bien. Organiza mejor el tiempo, reflexiona sobre lo que te gustaría hacer y busca actividades que te ayuden a realizarte. Te sentirás libre y feliz.

Mayoría de C:
Desperdicias el tiempo libre en obligaciones que no te ayudan a ser feliz. Piensa en actividades que te resulten placenteras y no trabajes tanto. Exígete menos y disfruta más.

B Aficiones.

1 Primero, individualmente, rellenad este cuestionario y después hacedlo de forma oral, es decir, interactuad. De este modo os conoceréis todos/as mucho mejor.

I. Aficiones que puedes realizar sin salir de casa	II. Aficiones que cuestan dinero
1 Leer.	1 Ir al cine.
2 Escuchar música.	2 Ir a bares, cafeterías, restaurantes.
3 Pintar / Dibujar.	3 Viajar.
4 Hacer un puzzle.	4 Ir al teatro.
5 Jugar a las cartas.	5 Ir a la ópera.
6 Ver la tele.	6 Visitar parques temáticos.
7 Coser.	7 Ir al hipódromo.
Y ahora tú, añade tres más.	**Y ahora tú, añade tres más.**
8 _____	8 _____
9 _____	9 _____
10 _____	10 _____
III. Aficiones gratis fuera de casa	**IV. Aficiones que necesitan equipo especial**
1 Pasear.	1 Bucear.
2 Nadar.	2 Escalar.
3 Jugar al fútbol en la playa.	3 Esquiar.
4 Tomar el sol.	4 Patinar.
5 Observar los pájaros.	5 Pescar.
6 Mirar escaparates.	6 Cazar.
Y ahora tú, añade dos más.	**Y ahora tú, añade dos más.**
7 _____	7 _____
8 _____	8 _____

2 Explica ahora.

a ¿Cuál es tu afición favorita?

_____

b ¿Prefieres realizar tus aficiones en solitario o acompañado/a?

_____

c ¿Te gustan los juegos de mesa como el ajedrez, las damas, etc.? ¿Consideras que este tipo de juegos son para personas inteligentes, pasivas, etc.?

_____

d ¿Cambian tus aficiones en verano o en invierno?

_____

3 Interactuad.

Haced un recuento de todas las aficiones escritas en las listas. ¿Cuáles han sido las más nombradas? ¿Las más extrañas?

2 **Habla.**

A **Elige uno de estos dos temas. Recuerda que, después de leerlos, tienes diez minutos para preparar uno de ellos. Luego tienes que exponerlo en público durante unos cinco minutos. Al acabar la exposición, tus compañeros/as y tu profesor/a te harán preguntas.**

La Wii Fit Plus, ¿una nueva forma de hacer deporte?
Lee la siguiente opinión.

Después de una gran experiencia con el primer Wii Fit, no dudé ni un instante en conseguir la nueva versión, que más que un juego yo diría que es como una expansión, ya que es lo mismo que el Wii Fit pero con ejercicios nuevos y algunas novedades muy interesantes. Pero ojo, aunque diga «expansión», no lo es, ya que no es necesario tener el primer Wii Fit para poder jugar a este, así que en el caso de que no tengas ninguno, lógicamente te sale mejor adquirir este último.

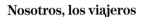

Como seguramente sabréis se trata de un juego que utiliza la Wii Balance Board, una tabla que capta nuestros movimientos y que calcula nuestro peso. Su objetivo es que hagamos deporte de una forma muy divertida, alejándose de otros títulos del catálogo de Wii más serios en este aspecto, como por ejemplo el Ea Active. Hay una gran variedad de ejercicios divididos en categorías: **Tonificación**, **Yoga** y **Equilibrio** (aquí están los más divertidos), espero no dejarme ninguno atrás.

Un saludo y ¡gracias por leerme!

(Texto adaptado de: *http://www.ciao.es/*)

Nosotros, los viajeros

«DADME UNA MOCHILA» Pocas veces un relato consigue emocionarme como lo ha hecho Paulo Coelho con *El viaje* (El semanal, 788). Como siempre, me emociono cada vez que escucho la palabra viaje. Definitivamente, creo que no hay remedio para lo mío. ¿Qué puedo hacer cuando me muero por conocer gente, por vivir como nunca he vivido antes, por sentir, por descubrir, por ver todo lo que no he visto hasta ahora y que seguramente no volveré a ver? No puedo hacer nada por evitarlo, solo vivir y disfrutar de ello. Disfrutar de todo lo que viajar me regala: tantos amaneceres, tantas puestas de sol, tantas sensaciones y, por

encima de todo, tantos recuerdos, que no se ven pero permanecen, porque yo soy lo que los viajes hacen de mí (y qué fantástico es dejarse hacer por ellos). Hay gente que me dice que esta pasión por viajar es capricho o vicio. No entienden que a mí me da la vida. Al igual que Joseph Conrad: «Creí que era una aventura pero en realidad era la vida». Dadme una mochila y seré feliz.

Martina Bastos Andreu. Cesantes-Redondela (Pontevedra, España)

(*El Semanal: Revista semanal que acompaña a El Sur y ABC*)

B **Un día de pesca.**

1 Mira bien las viñetas.
2 Busca en el diccionario las palabras que no sabes.
3 Describe y narra todo lo que ves.
4 Cuarta viñeta. Primero, decide si eres el pescador o uno de sus amigos y haz un diálogo con otros dos estudiantes.

3 **Escucha.**

A El monopatín, el deporte callejero. 48

1 Escucha y señala la opción correcta.

En el texto se afirma que...

1 a En la década de los setenta, en España, siempre se llamaba 'tabla' a los actuales 'monopatines'.
  b La marca reina de aquellos tiempos en España era «Sancheski».
  c El «Sancheski», en comparación con los modelos de ahora, era 'pan comido' es decir, facilísimo.

2 a Entre los años 76 y 86 se produjo el mejor momento para el *skate* en España.
  b Este deporte decayó entre los años 77-80.
  c Entre los años 76 y 86 este deporte sufrió altibajos en España.

3 a España en la actualidad tiene uno de los mejores grupos de *skaters* a nivel mundial.
  b La capital mundial del *skate*, según mucha gente, es Barcelona.
  c Esta práctica está muy bien consolidada en España a nivel profesional.

2 Y tú ¿qué opinas de este deporte? ¿Y de las personas que lo practican? ¿Y de la ropa que llevan y de la música que escuchan? ¿Existen en las ciudades grandes de tu país «tribus urbanas»? ¿Cuáles son? ¿Y cómo son?

B Los adolescentes y el tiempo libre.

1 Escucha y completa los espacios libres. 49

Muchas gracias. Para los adolescentes, el tiempo libre y el ocio son muy importantes y normalmente se basan en: (1) _____ es uno de esos conceptos: pertenecer a un grupo de amigos e identificarse con ellos es fundamental, ya que para ellos, el ocio consiste más en el hecho de estar con este grupo de amigos que en las propias actividades. El otro concepto es el (2) _____: Se produce principalmente como un deseo de reafirmar su autonomía. Por eso suelen buscar actividades propias y que no se identifiquen con sus mayores. Por estas razones, a los adolescentes les gusta imitar a sus iguales y (3) _____ que se establecen en su grupo de amigos.

Según estos dos conceptos, (4) _____ para el desarrollo de los adolescentes deben cubrir sus diferentes necesidades de actividad física, desarrollo cultural y participación social. Por ejemplo, las (5) _____. La actividad física, que tiene una importancia vital en la niñez, en cierto modo empiezan a perderla cuando llegan a la adolescencia, pero sería muy recomendable que los adolescentes siguieran haciendo ejercicio y practicando algún deporte, ya que (6) _____

beneficios desde el punto de vista fisiológico porque reduce el riesgo de producir ciertas enfermedades y ayuda a combatir la obesidad y desde el punto de vista psicológico, ya que aumenta la seguridad en uno mismo y, también social al desarrollar la solidaridad y la sociabilidad.

Por eso es muy positivo que los padres y monitores les hagan ver desde pequeños el deporte como una manera de disfrutar con los amigos y de pasarlo bien. En cuanto a (7) _____ hay que decir que deben ser atractivas para que participen en ellas y desarrollen toda su creatividad. En este sentido, hay que tener en cuenta que por su manera de ser, los adolescentes preferirán normalmente actividades que puedan realizar con otros jóvenes, como grupos de teatro, bandas de música, etc. Por supuesto, la lectura es un objetivo que todos los padres deben perseguir en sus hijos adolescentes, pero por desgracia (8) _____ los adolescentes aficionados a los libros. Los videojuegos e internet han sustituido a la lectura como entretenimiento individual.

Para terminar, (9) _____ las actividades sociales. También es bueno estimular la participación de los jóvenes en actividades de este tipo para que tomen conciencia social y aprendan a ser solidarios.

Es importante que los adolescentes tengan alguna afición y que no identifiquen el tiempo de ocio con no tener nada que hacer. El estar horas y horas tumbado viendo la televisión solo aportará desencanto y aburrimiento al adolescente. Sin embargo, hay que tener en cuenta que

(10) _____. Tampoco es positivo el otro extremo y no debemos buscarles a nuestros hijos un gran número de actividades extraescolares, que lo único que conseguirán será añadir más estrés al producido por su actividad académica.

(Texto adaptado de: *http://www.pulevasalud.com/*)

C ¿Cuáles son tus aficiones? 🎧 50

1 **Nuestra entrevistadora de Onda Meridional se ha acercado a una céntrica plaza de Salamanca a preguntar a un grupo de jóvenes cuáles son sus aficiones. Escucha y marca con una cruz las aficiones de cada uno de ellos y especifica qué tipo de música y qué deportes les gustan.**

Aficiones	música	deporte	bailar	pintar	video-juegos	cine	series	salir por la noche	viajar
Marina									
Javi									
Rafa									
Claudia									

2 **¿Con cuál de estas cuatro personas coincides más en tus aficiones?**

Un paso más

1 **En la primera audición se dice lo siguiente:** *El deporte extremo empezaba en el mismo momento en que te subías al monopatín. Mantener el equilibrio era todo un desafío y si lo lograbas ya podías considerarte todo un héroe.*
¿Recuerdas con qué sentido se usa la segunda persona del singular?
_____

2 **En el texto del Escucha B se habla de la niñez. Es el sustantivo relacionado con 'niño'.**
a Lee la transcripción y busca el sustantivo relacionado con 'adolescente': _____.

b Y ahora dinos cuáles son los sustantivos relacionados con estos otros adjetivos:
Joven: _____. Maduro/a: _____. Viejo/a: _____.

3 **En la tercera audición la reportera dice:** *Para que luego digan que los jóvenes son pasivos.* **Lo dice para rectificar una idea equivocada: la de que los jóvenes son pasivos. Se contrasta esa idea con todo lo que han dicho sobre sus aficiones. La estructura es:** *para que (luego)* + verbo de la cabeza *(decir, comentar, ver...)* **en presente de subjuntivo.**

¿Crees que la puedes usar?
Idea: los jóvenes españoles no investigan.
Hecho: un grupo de españoles ha ganado un premio de investigación.

Idea: piensas que nunca hago nada en casa.
Hecho: llegas y todo está en orden.

4 **Lee.**

1 Antes de leer.

a Te damos el significado de estas palabras para que las subrayes en el texto mientras lees.

> **Peregrino:** persona que por devoción va a visitar un lugar santo.
>
> **Pórtico:** sitio cubierto y con columnas, construido delante de iglesias y otros edificios importantes.
>
> **Muesca:** hueco que se ha hecho por poner allí continuamente las manos.
>
> **Sendos:** respecto de dos o más, uno para cada uno.

b Además de estas palabras, ¿qué sabes del Camino de Santiago? Con tus compañeros/as, haz una lista.

2 Después de leer.

Contesta a estas preguntas.

a ¿Cuándo se dice que es un 'Año jacobeo'?

b ¿En qué siglo empezaron las peregrinaciones a Santiago de Compostela?

c ¿Qué es el *Compostela*?

d ¿Qué lugares artísticos hay que visitar?

e ¿Por qué hace hoy en día la gente el Camino?

f ¿En qué coinciden todos los peregrinos actuales?

g ¿Habías oído hablar antes de las peregrinaciones a Santiago?

h ¿Existe en tu país algún lugar de peregrinaje?

Viajar es una de las grandes aficiones de muchísimas personas. Pero hay distintas formas de hacerlo y diversos motivos para emprender un viaje. Te contamos un viaje que existe desde la Edad Media y que cada día tiene más adeptos.

El camino de Santiago

El año Jacobeo se repite cada vez que la fiesta de Santiago Apóstol, 25 de julio, cae en domingo. Si ahora es fácil llegar a Santiago, antiguamente no lo era tanto. Hace mucho tiempo, la ciudad compostelana crecía con peregrinos que solían elegir los meses de verano para llegar hasta los pies del apóstol.

Este peregrinaje dio origen a la primera guía de viajeros de la historia: el Códice Calixtino o «Libro Santo Jacobeo», donde se explicaban las diferentes etapas para llegar a Santiago.

Esta ciudad sonaba ya en el mundo antes que muchas otras. Hay que retroceder al siglo XII, cuando cruzando llanuras, valles y montañas, no por un camino solo, sino por varios, llegaban de toda Europa peregrinos jacobeos. Los que conseguían volver a sus hogares traían el «Compostela», un escrito que certifica que habían cumplido su promesa.

Santiago sigue viviendo en plena Edad Media y cada monumento tiene su tradición. El bello Pórtico de la Gloria, de la espléndida catedral, que es considerado como la obra cumbre del románico, fue, durante siglos, la entrada del templo. En la base de la columna central se puede observar cinco muescas por las que pasan sus manos todos los peregrinos porque da suerte, la misma que el golpear con la cabeza en la figura del autor del pórtico: el maestro Mateo, para poder coger algo de sabiduría del escultor.

En la biblioteca de la catedral está el «botafumeiro», un incensario de hierro, de más de un metro de altura y 80 kilos de peso y que se utiliza solo en ocasiones especiales.

Al lado de la catedral está el Hostal de los Reyes Católicos, actual Parador Nacional.

El número de personas que recorre el camino hacia Santiago de Compostela crece a medida que los peregrinos cuentan sus experiencias. Cada año se les sella la credencial que asegura que han realizado el camino a más de 120 000. Pero, ¿qué lleva a tanta gente hasta Santiago de Compostela haciendo un alto en sus vidas?

Hay quienes lo hacen por motivos religiosos, pero mucha gente busca establecer contactos con otras personas. Otros vienen por motivos culturales o deportivos. Incluso hay quienes persiguen el progreso personal y recorren la

ruta para conocerse mejor. Pero todos coinciden en que el camino hacia Santiago resulta muy enriquecedor en cualquier aspecto, sea espiritual o cultural.

En los últimos años ha aumentado el número de peregrinos asiáticos y alemanes. Este curioso dato se debe a que el alemán Hape Kerkeling y la coreana Kim Mamhee, relataron sus experiencias de caminantes en sendos libros que se convirtieron en *best-sellers*.

También coinciden todos en recomendar la experiencia, aunque solo sean unas etapas, porque según ellos, lo que vives allí te cambia.

Buen Camino, como dirían los peregrinos al cruzarse por la ruta.

Si quieres saber más sobre el camino, entra en:
http://www.caminosantiago.org/cpperegrino/federacion/inicio.asp
http://www.caminosantiago.com
http://caminodesantiago.consumer.es

Un paso más

1 Cada vez que el 25 de julio *cae en domingo*.

a ¿Qué sentido tiene aquí el verbo 'caer'? Sustitúyelo por otro verbo.

_____

b ¿Recuerdas lo que significa el mismo verbo en esta otra construcción?
- ¿Cómo se llamaba nuestra entrenadora de gimnasia rítmica?
▼ Pues no caigo.

2 Esta ciudad *sonaba* en el mundo antes que muchas otras.

a Aquí también te pedimos que sustituyas el verbo 'sonar' por otro.

_____

b ¿Qué queremos decir con esto: *tu cara me suena de algo*.

3 Cada año se les sella la credencial. ¿Qué otras cosas podemos 'sellar'?

_____

5 Escribe.

A Te ha interesado tanto lo que has leído sobre el Camino que quieres más información la puedes buscar en Youtube: Vídeos Camino de Santiago.

Definitivamente vas a hacer El Camino de Santiago, pero no quieres hacerlo solo/a. Manda a tus amigos de habla hispana de todo el mundo un correo electrónico comunicándoles tu proyecto y animándolos a que te acompañen, para ello debes hablarles de:

- fechas aproximadas
- alojamiento
- duración del viaje
- equipo necesario
- número de etapas y los sentimientos que te han hecho tomar esta decisión.

Recuerda, también, todos los contenidos gramaticales que has aprendido en esta unidad; para ello puedes volver al *Pretexto*.

B Se compra o se vende.

A veces las personas, con el paso del tiempo, pierden o adquieren nuevas aficiones. Cuando esto ocurre, mucha gente intenta vender su equipamiento o, viceversa, comprarlo de segunda mano. Contesta a este anuncio y después escribe uno diciendo que vendes tu equipo de *surf*, tu raqueta de tenis, tu ajedrez o lo que quieras, siempre que sea algo que esté relacionado con aficiones o deportes.

VENDO TIENDA DE CAMPAÑA DE ALTA MONTAÑA CUATRO ESTACIONES EN SANTANDER

Vendo tienda de alta montaña (cuatro estaciones) Artiach Modelo Everest usada en dos ocasiones. El precio es negociable e incluye los gastos de envío.

Persona de contacto:
Pilar Moreno Zurita

Contacta con el anunciante
673205169 (Pilar)

12

Un viaje alrededor de los sentidos

Al terminar esta unidad, serás capaz de...

- Leer, escuchar y hablar sobre aprender una lengua en relación con los cinco sentidos.
- Hablar y escribir sobre sensaciones asociadas a paisajes, comidas, ciudades, costumbres, música.
- Hablar sobre el amor y los sentidos.
- Manejar nuevos recursos léxicos relacionados con los sentidos.
- Captar el humor de una viñeta.
- Usar nuevos recursos para expresar cambios.
- Captar la diferencia entre la presencia y ausencia de los artículos.
- Mejorar tu manejo de los pasados.
- Disfrutar de diferentes textos literarios.

1. Pretexto

INICIO | SOBRE NOSOTROS | SUSCRIBE: POST | COMENTARIOS

Martes, 18 de mayo
Escrito a las 12:12

Hace tiempo abrí este *blog* en español para obligarme a pensar y escribir sobre mi experiencia de estos años estudiando, aprendiendo, sintiendo la lengua y todo lo que la rodea. Estoy a punto de terminar el nivel B2 y hay muchas cosas que quiero contarles en esta entrada.

UN VIAJE ALREDEDOR DE LOS SENTIDOS

Me parece que aprender una lengua es como un viaje alrededor de los sentidos. Y les pongo unos ejemplos:

El sentido del gusto. Antes de venir a España (escribo desde Cádiz), el aceite de oliva me daba asco, ¡puag, toda esa grasa! Después de casi un año aquí, me he hecho un fan incondicional. Y puesto que estoy en Cádiz, ¿qué me dicen de las gambas y los langostinos de Sanlúcar? Tomarlos cerca de la playa, en un chiringuito, acompañados de un buen vino blanco es pa-

ra volverse loco… de gusto. Y voy a cambiar a otro sentido porque me estoy poniendo morado solo con imaginar todo lo bueno que he probado en este país.

El sentido de la vista. Para mostrar mi experiencia con este sentido, tendría que poner fotos de todos los lugares que he visitado. Les voy a hablar, por ejemplo, de las telas de Guatemala. Vean y gocen. Sobran las palabras. Y si tuviera que elegir un paisaje o un lugar, mirándolos, no sabría si elegir la Plaza Mayor de Salamanca y su casco antiguo; o los glaciares del Perito Moreno en Argentina, o la Cordillera de los Andes. Ahí sí que me quedé

boquiabierto. Claro, ustedes pensarán que hay monumentos más impresionantes o lugares más bellos, pero yo les hablo de los que he visto.

El sentido del olfato. Una compañera de curso un día me dijo: «Cuando llegué a Salamanca por primera vez, sentí que olía a colonia». Yo solo había percibido el olor de la contaminación en algunas ciudades. Pero me puse a buscar los olores

de España y decidí que había muchos diferentes: a comidas, claro, pero también huelen los millones de olivos de Jaén; y los árboles del Parque del Oeste de Madrid o el azahar en Sevilla. Y la pólvora de Valencia por las fiestas de San José… En fin, les propongo que busquen los suyos.

El sentido del oído. Aquí podría referirme al ruido de las calles llenas de vida. Al bullicio de los mercados donde se mezclan los sentidos. Al jolgorio de las fiestas populares en ciudades y pueblos. Pero quiero destacar el sonido espectacular de los Tambores de Calanda. Es algo que solo se puede entender si se vive en directo. Al principio, al escucharlos, no sabes si ponerte furioso o salir corriendo. Al final, si te dejas llevar, llegan a formar parte de ti.

Y termino con el sentido del tacto. ¿Qué es mejor, acariciar las distintas frutas de cualquier país del mundo hispano o tocar sus cerámicas artesanas? También me gusta sentir la lluvia en la cara, por eso he visitado lugares como Santiago de Compostela, donde llueve mucho, o pisar la arena fina de las playas… En fin, lo dejo o me pondré triste aunque si lo pienso bien, debo estar feliz por haber podido disfrutar de todo esto.

1 **Lee, escucha y contesta.** 🎧 51

a ¿Qué lugares se mencionan en el texto?

b ¿Con qué sentido se asocian?

c ¿Qué te ha llamado la atención de cada sentido?

d Ya has estudiado en el nivel B2.1 la palabra 'bullicio'. ¿La recuerdas? Si no, no importa: deduce por el contexto si es un ruido agradable o desagradable.

e ¿Y 'jolgorio'? Es un ruido que podemos asociar a _____.

2 **Comenta.**

a ¿Qué opinas de la comparación entre aprender un idioma y el viaje alrededor de los sentidos?

b Para entender lo que se dice sobre los Tambores de Calanda pincha aquí: *http://www.youtube.com/watch?v=VaCegZ5b08c*
Después, cuéntanos qué te ha parecido. ¿Conoces algo equivalente?

c En tres minutos, elige un sentido y escribe todo lo que asocias con él. Luego compara con lo que ha escrito el resto de la clase.

3 **Reflexiona.**

a ¿Recuerdas los verbos de cambio? Subraya los que aparecen en el texto.

b ¿Cuál de ellos expresa un cambio más duradero? ¿Y cuál se refiere a un cambio puntual?

c ¿Qué diferencia crees que hay entre estas dos oraciones: *Aprender* **una** *lengua es como un viaje / Aprender* **la** *lengua es como un viaje?*

d De estas dos parejas de oraciones una no es correcta, ¿cuál? ¿Podrías decir por qué?
1 a. *Cuando llegué a Salamanca, sentí que olía a* **colonia** / b. *Cuando llegué a Salamanca, sentí que olía a* **la colonia**.
2 a. *Hay* **monumentos** *más impresionantes.*
   b. *Hay los* **monumentos** *más impresionantes.*

e *Tomarlos cerca de* **la** *playa.* ¿Por qué crees que se usa *la*?
1 Se habla de una playa conocida.
2 Se presenta la playa como algo único.

Para aclarar tus dudas, lee con atención los *Contenidos gramaticales*.

---

2. Contenidos gramaticales

1 **Expresar indeterminación o especificación por medio de los artículos.**

Un / Una	*El / La*	Ø

Usamos el artículo indeterminado cuando nos referimos a algo que:
- mencionamos por primera vez
- no podemos identificar porque hay varios iguales
 	
• *Aprender* **una** *lengua es como* **un** *viaje.*
• *Y si tuviera que elegir* **un** *paisaje o* **un** *lugar…*
	Usamos el artículo determinado cuando nos referimos a algo que:
	- ya hemos mencionado previamente
	- es único o lo presentamos así
	
	• *Abrí este* blog *en español para pensar sobre lo que he sentido aprendiendo* **la** *lengua.*
	• **La** *Plaza Mayor de Salamanca.*
		No usamos ningún artículo cuando:
		- hablamos de una cantidad indeterminada:
		  • en singular para sustantivos no contables
		  • en plural para sustantivos contables
		- no hablamos de algo concreto
		
		• *Cuando llegué a Salamanca por primera vez, sentí que olía a* **colonia**.
		• *Hay* **monumentos** *más impresionantes o* **lugares** *más bellos, pero yo les hablo de los que he visto.*

> **FÍJATE**
>
> **a** El artículo indeterminado se usa con nombres **no contables** si van especificados.
> **Está cayendo una lluvia → Está cayendo una lluvia* **torrencial**.
> ** Tengo un hambre → Tengo un hambre* **de lobo**.
> Pero en oraciones exclamativas podemos decir: *¡Está cayendo* **una** *lluvia…! ¡Tengo* **un** *hambre…!*
>
> **b** El artículo no se usa delante del número de los reyes y de los Papas.
> *Alfonso* **X** *(décimo), Juan Pablo* **II** *(segundo).*

2 **Expresar cambios en español.**

A **Ya has aprendido a usar algunos verbos de cambio como *ponerse, hacerse, volverse* y *quedarse*. ¿Los recuerdas? Pues vamos a comprobarlo. Usa el más adecuado.**

1 ● Cuando lo vi con mis propios ojos _____ boquiabierta.

  ▼ No me extraña, es que fue muy fuerte*.

2 ● _____ muy desconfiado. No sé si fue bueno para él que le tocara tanto dinero a la lotería.

  ▼ Es verdad, a veces parece que todo el mundo quiere robarle.

3 ● ¿Qué te pasa? Estás sudando con el frío que hace.

  ▼ Es que _____ nervioso cuando tengo que hacer un examen oral.

4 ¿Que no cuente la verdad a mis lectores? ¿ _____ usted loco? Si _____ periodista fue para contar la verdad.

> * ***Ser muy fuerte*** / ***¡Qué fuerte!***: expresión coloquial que significa impresionante. Se usa con sentido positivo o negativo.

B **También has aprendido para qué se usan *ser* y *estar*. Pero vamos a refrescar la memoria completando estas reglas y ejemplos.**

Usamos _____ para definir las características de una persona, animal o cosa, para clasificar los sujetos.	Usamos _____ para localizar o para expresar el estado de las personas, los animales y las cosas.
Por ejemplo:	*Por ejemplo:*
1 Mis amigas _____ estupendas ☺.	1 Mis amigas _____ estupendas con esa ropa que les queda tan bien. ☺
2 La fruta _____ muy buena para la salud.	2 Esta fruta _____ buenísima, en su punto.
3 Dicen que los gatos _____ animales independientes.	3 Si los gatos _____ enfadados, ten cuidado.

C **Ahora vamos a ver la relación que existe entre *ser* y *estar* y los verbos de cambio.**

Verbos de cambio	
Relacionados con *ser* **Porque expresan cambios relacionados con características definitorias.**	**Relacionados con *estar*** **Porque expresan cambios relacionados con el estado.**
Hacerse + sustantivo + (adjetivo) + adjetivos excepto los que expresan estado (*cansado/a, harto/a, contento/a*). ● ***Se hará famoso*** con este libro. ● ***Me he hecho un fan*** incondicional del aceite de oliva.	**Ponerse** + adjetivos / adjetivos de color + expresiones que indican estados ● ***Nos pusimos morados*** de comer langostinos en Cádiz. ● Voy a dejar de escribir o ***me pondré triste***.
Volverse + adjetivo + *un / una* sustantivo + adjetivo ● Es para ***volverse loco***... de gusto. ● Antes era intratable, parece que ***se está volviendo más sociable***.	**Quedarse** + adjetivos que expresan estado + complementos preposicionales ● El Perito Moreno es un lugar para ***quedarse boquiabierto***. ● ***Se quedó viuda*** muy joven y no ha vuelto a casarse.

D Y dos verbos de cambio más relacionados con *ser*.

> **Llegar a ser**   + sustantivo / oración de relativo
>   + adjetivo (sustantivados)
>   + pronombres indefinidos
>
> Expresa cambios en los que ha habido un proceso; los cambios se presentan como logros y, normalmente, el cambio implica una mayor duración.
>
> * ***Llegarás a ser la persona*** *más importante de su vida /* **lo que te propongas***.*
> * *Llegarás a ser* **importante** */* **alguien** *muy importante.*

> **Convertirse en**   + sustantivo (suelen ir precedidos de artículos)
>   + adjetivos sustantivados
>
> Expresa un cambio de cualidad o naturaleza sin que haya participación del sujeto. Alterna con *volverse* y con *llegar a ser*.
>
>
>
> * *Entrar todos los días en* Facebook **se ha convertido en una adicción***. No puedo dejar de hacerlo.*
> * *El hada* **convirtió la calabaza en una carroza***.*
> * *Esa cerveza* **se ha convertido en la** *preferida por los jóvenes.*

3. Practicamos los contenidos gramaticales

1 Completa usando el artículo determinado o indeterminado más adecuado.

1 Me gusta más *el* té que *el* café.
2 _____ aceite de oliva es bueno para _____ salud.
3 Hemos recibido _____ carta certificada.
4 Aquí venden _____ alfombras preciosas y ahora están rebajadas.
5 Te espero a _____ 16:00 en _____ café de la calle Garibay.

6 Voy a yoga _____ lunes.
7 ¡Tengo _____ dolor de cabeza...!
8 _____ controladores aéreos ganan mucho dinero.
9 Tengo _____ coche en el garaje.
10 _____ español se habla cada día más.

2 Completa con los artículos determinado o indeterminado, solo si son necesarios.

1 En cuanto llegó a casa, se quitó *los* zapatos de tacón.
2 _____ simpatía es necesaria para ser _____ vendedor.
3 Te espero aquí dentro de _____ media hora.
4 En esta escuela hay _____ cien personas europeas.
5 Mañana no hay _____ clase, porque es _____ fiesta.

6 El rey de España se llama Juan Carlos _____ I (primero).
7 Este libro se publicó en _____ 2011.
8 El otro día mi nieto me preguntó si _____ Reyes Magos existen.
9 No quiero _____ tomate en _____ ensalada.
10 ¿Me invitas? No he traído _____ dinero.

3 A Antes de realizar la práctica siguiente, te proponemos que te fijes en las diferencias y completes las oraciones adecuadamente.

1 Me gusta _____ calabacín.

2 Mi madre es _____ abogada.

3 Escucho _____ música cuando trabajo o estudio.

4 En esta ciudad no hay _____ playa.

5 En ese restaurante solo hay _____ pasta.

6 Me gustan _____ pimientos.

7 Mi madre es _____ abogada famosa.

8 Hoy no he escuchado _____ noticias.

9 En mi ciudad hay _____ playa estupenda.

10 En ese restaurante hay _____ pastas muy originales.

B Elige la opción correcta. Si las dos son posibles, explica ⁵² la diferencia. Luego escucha la grabación para comprobar tus respuestas.

● ¿Desde cuándo es usted **un** / **el** / **ø** vegetariano?

▼ Desde (1) **ø** / **los** 18 años. Dejé de comer (2) **la** / **ø** carne cuando empecé a vivir con (3) **una** / **la** chica que no la comía. Al principio (4) **ø** / **la** comida no me sabía a nada, me sentía como (5) **el** / **un** conejo o (6) **la** / **una** vaca, todo el día *rumiando*, pero ahora, me he acostumbrado a esa forma de alimentación y me siento mejor. (7) **La** / **ø** verdad es que me alegro de haber cambiado.

● ¿Qué es lo que más trabajo le ha costado?

▼ Personalmente creo que lo más difícil es aprender a cocinar de otra manera, pensar en (8) **los** / **ø** menús apetitosos que sean vegetarianos no es nada fácil, no se crea. ¡Ah! Hay (9) **ø** / **una** otra cosa. Todos los vegetarianos nos quejamos de que en (10) **unos** / **los** restaurantes convencionales solo podemos comer (11) **las** / **ø** ensaladas o verduras rehogadas y a veces ni eso porque llevan (12) **el** / **ø** jamón. ¿Por qué no tienen

(13) **el** / **un** menú alternativo para vegetarianos? Estoy seguro de que no solo lo elegiríamos nosotros y les saldría rentable.

● La gente cree que comiendo así, uno se queda con hambre, ¿es cierto, eso?

▼ ¡Hombre! Eso es como todo, si usted se pone morado de (14) **los** / **ø** filetes de pollo, no tiene (15) **un** / **ø** hambre, pues lo mismo pasa si se llena de (16) **las** / **ø** hamburguesas vegetarianas. Yo solo le digo que si algo no se prueba, no se puede opinar sobre ello. Yo soñaba con (17) **unos** / **los** chuletones de Ávila y no he tardado casi nada de tiempo en pasarme a (18) **unos** / **los** «chuletones» de *seitán*.

Y también le digo (19) **ø** / **una** otra cosa: que es falsa esa idea de que los que no comen carne son como acelgas. ¿Le parece a usted que soy (20) **el** / **un** tipo *canijo*?

▼ No señor, al contrario.

Para aclarar las cosas:

Rumiar: forma de comer propia de vacas, camellos, etc.

Seitán: especie de trigo con el que se hacen «filetes» que se parecen a los de carne, pollo, etc.

Canijo/a: persona de aspecto débil, sin energía, ni fuerza.

4 **A** **En parejas, reaccionad usando los verbos estudiados:** *ponerse, volverse, quedarse, llegar a ser.*

Te han concedido una beca para estudiar español en cualquier país hispano, ¿cómo te sientes?
→ *Me pongo muy contento/a.*

1 Te nombran académica/o de tu especialidad (Medicina, Historia, Lengua, Arte, etc.). ¿Qué piensas?
Por fin _____ lo que había soñado. (pretérito perfecto / indefinido).

2 Antes, siempre te levantabas tarde, eras un poco perezoso, ahora madrugas y te pones en movimiento. ¿Qué te ha pasado?
Las personas cambiamos y yo _____ _____ activo/a. (pretérito perfecto).

3 Unos amigos extranjeros a quienes no les gustaban los horarios españoles, ahora comen entre las dos y las tres, se acuestan entre la una y las dos, salen hasta muy tarde, ¿qué les dices?
Parecéis otros, _____ españoles. (presente de *estar* + gerundio).

4 Hace un frío tremendo y tu compañero/a de piso sale de casa sin abrigo. ¿Qué le dices para que no salga así?
Ponte algo de abrigo o _____ _____ helado/a. (futuro).

5 Vuelves a ver a un/a amigo/a después de mucho tiempo. Te cuenta los cambios que han ocurrido en su vida: ha hecho la carrera de Periodismo y trabaja en el extranjero, por eso viaja mucho. La parte triste es que su marido / su mujer murió. ¿Qué piensas?
¡Hay que ver cuántos cambios! _____ _____ viudo/a. (pretérito perfecto).

6 Hay una asociación ecologista que te gusta mucho y quieres formar parte de ella. Llamas por teléfono y preguntas.
¿Qué tengo que hacer para _____ _____ socio/a? (infinitivo).

7 Ibas a declararle tu amor y en el momento de abrir la boca no te salió la voz. ¿Qué pasó? ¿Cómo reaccionó él / ella?
Yo _____ mudo/a y él / ella _____ de piedra. (pretérito indefinido).

8 Estáis en una boda y la comida es estupenda. Miras a tu amigo que está comiendo muchísimo. ¿Qué le dices?
Parece que no has comido en un mes.
_____ morado.
(presente *estar* + gerundio).

9 Una compañera de trabajo no sabe qué hacer para conseguir que su jefa deje de criticarla. ¿Puedes darle algún consejo?
Podrías _____ amiga suya. (infinitivo).

10 De pequeña siempre le decían que valía mucho y que _____ una persona importante. (condicional).

B **En parejas, contestad a las preguntas usando los verbos de cambio que has estudiado.**

1 ¿Cómo está este señor que parece una estatua viviente?
Ejemplo: *Se ha quedado quieto, parado, «congelado».* ☺

2 ¿Qué transformaciones podemos prever en estos niños?
- Relacionadas con el carácter.
- Relacionadas con su profesión.

3 Antes estaba despierta, ¿qué le
    ha pasado?

4 ¿Siempre van vestidas así?
    Entonces, ¿qué han hecho?

5 Les ha pasado algo. ¿Qué?
    ¿Cómo están ahora?

5 **Recuerda lo que has leído y escuchado. Reflexiona y contesta.**

1 *Quedarse de piedra* significa, como sabes,
quedarse sorprendido.
En español hay otras expresiones relacionadas
con materiales.
Aquí indicamos alguna con un ejemplo. Deduce
qué significan y busca un equivalente en tu
lengua.

a Este libro es un **ladrillo**; no he podido llegar a
la página 30.
_____

b El abuelo tiene una mala salud de **hierro**.
_____

c Dentro de poco mis padres celebrarán sus bodas
de **oro**.
_____

2 **Me he hecho un fan** *incondicional del aceite.*
Además de 'fan', ¿qué otras cosas puedes hacerte?
_____

3 *Me estoy poniendo morado.*
¿Qué significa? Lo puedes deducir por el contexto,
seguro. Se asocia siempre con… Y tiene un sentido
de crítica o ironía.
_____

4 *Pensar en menús apetitosos que sean vegetarianos
no es nada fácil,* **no se crea**.
A ¿Para qué crees que se utiliza ese 'no se crea'?
    a Para reforzar el hecho de que no es fácil.
    b Para sugerir al interlocutor que no crea lo
    que oye.

B Ahora, fíjate en este diálogo y con tu compañero/a
escribe uno parecido.
    ● Pero, ¿por qué no buscas trabajo?
    ▼ Pero si lo busco; lo que pasa es que en estos
    tiempos encontrarlo es complicado, **no se crea**.

    ● _____
    ▼ _____
    ● _____
    ▼ _____

5 *Me sentía como un conejo o una vaca, todo el día*
rumiando.
En el ejemplo, el sentido de rumiar es literal, pero
¿qué significará el mismo verbo en este otro caso?
*Deja de rumiar las cosas, no vale la pena pensar
tanto.*
_____

4. De todo un poco

1 **Interactúa.**

A **Dibujar textos: ver, leer y dibujar. Hablar, escuchar y ponerse de acuerdo: sentir.**

1 Preparad cartulinas y pinturas de colores.

2 Formad grupos y elegid un texto que os guste.

3 Leedlo y después dibujad en una cartulina lo que os sugiera.

4 Si en el texto hay personajes, elegid uno y dibujadlo según aparece en el texto. Os damos unos ejemplos.

5 Poneos de acuerdo para seleccionar breves fragmentos que estén relacionados con el dibujo.

6 Exponed vuestros dibujos y comentadlos.

Os damos unos textos para ayudaros. Os proponemos también comentar lo que os sugiere el contenido de cada texto.

Texto 1.

Un fragmento de ***La casa del río verde***.

Hoy, al llegar a su barrio, Elena se encuentra con todos los vecinos en la calle. Tiene dificultades para avanzar. Mientras lo intenta, oye frases sueltas: «que no iba atado...», «fue por culpa del balón...», «si se conocían...», «ay qué desgracia, Dios mío...», «eso lo deberían prohibir de una vez...». Cuando por fin llega hasta ellos, se encuentra a la señora Aranda llorando: su perro, un *rottweiler* de diez años, ha atacado a su nieto de cuatro con el que estaba jugando. Afortunadamente el niño solo tiene heridas sin importancia, pero ha sido un buen susto.

Ahora en el barrio todo el mundo tiene miedo: unos dicen que hay que matar al perro, otros, que esa raza es muy violenta y que no debería estar permitido tenerlos como animales de compañía. Los Aranda no entienden lo que ha podido pasar. Llevan veinte años viviendo en el barrio. Siempre han tenido perros grandes. Al *rottweiler* se lo encontraron tirado en un contenedor cuando solo tenía unos días. Lo criaron con biberón y con todo el cariño de una pareja ya sin hijos a los que cuidar. Todos los vecinos lo conocían y sabían que era un perro noble. Los Aranda se preguntan si esos que piden la muerte del animal no se dan cuenta de que ha sido un accidente.

«¡Vaya día!», piensa Elena, a la que el suceso le ha dejado mal sabor de boca.

Taxi corretea por el jardín y mueve el rabo con alegría al verla llegar. Este animal que es puro músculo y que pesa treinta kilos está a punto de tirar a Elena al suelo cuando quiere mostrarle su alegría.

-¡Taxi! ¡Taxi! ¡Quieto! El perro se ha echado a sus pies, obedeciendo a la voz. Elena lo mira pensativa, preguntándose cómo un taxi podría convertirse en tanque de combate de la noche a la mañana.

-¡Puf!, menudo susto –comenta Mario al entrar en casa detrás de su mujer-. Tenías que haber visto el lío que se ha montado en cinco minutos. Juan, el veterinario, llegó enseguida, para poner un tranquilizante al perro. Tampoco entiende muy bien lo que le ha pasado a *Wolf*. Dice que a veces a estos perros les entran celos y los manifiestan mordiendo. ¡Y pensar que es el mismo que sacó a Carlitos de la piscina cuando tenía solo un año! ¿Te acuerdas? Si no lo salva *Wolf*, el niño se ahoga. Los Aranda no saben qué hacer.

Martina Tuts. SGEL. Madrid.

Texto 2.
El grillo maestro

Allá en tiempos muy remotos, un día de los más calurosos del invierno, el director de la Escuela entró sorpresivamente al aula en que el Grillo daba a los Grillitos su clase sobre el arte de cantar, precisamente en el momento de la exposición en que les explicaba que la voz del Grillo era la mejor y la más bella entre todas las voces, pues se producía mediante el adecuado frotamiento de las alas contra los costados, en tanto que los pájaros cantaban tan mal porque se empeñaban en hacerlo con la garganta, evidentemente el órgano del cuerpo menos indicado para emitir sonidos dulces y armoniosos. Al escuchar aquello, el Director, que era un Grillo muy viejo y muy sabio, asintió varias veces con la cabeza y se retiró, satisfecho de que en la Escuela todo siguiera como en sus tiempos.

Augusto Monterroso

Texto 3 y 4.
En este caso os proponemos que alguien lea estos poemas en voz alta y que el resto de la clase dibuje lo que oye. Comparad después las diferentes versiones.

Abril

El chamariz en el chopo.
¿Y qué más?
El chopo en el cielo azul.
¿Y qué más?
El cielo azul en el agua.
¿Y qué más?
El agua en la hojita nueva.
¿Y qué más?
La hojita nueva en la rosa.
¿Y qué más?
La rosa en mi corazón.
¿Y qué más?
¡Mi corazón en el tuyo!

Juan Ramón Jiménez

Chamariz

Chopo

Estados de ánimo

Unas veces me siento
como pobre colina
y otras como montaña
de cumbres repetidas.
Unas veces me siento
como un acantilado
y en otras como un cielo
azul pero lejano.

A veces uno es
manantial entre rocas
y otras veces un árbol
con las últimas hojas.
Pero hoy me siento apenas
como laguna insomne
con un embarcadero
ya sin embarcaciones
una laguna verde
inmóvil y paciente
conforme con sus algas
sus musgos y sus peces,
sereno en mi confianza
confiando en que una tarde
te acerques y te mires,
te mires al mirarme.

Mario Benedetti

Embarcadero

Manantial

B El idioma y los sentidos.

En español los sentidos aparecen en refranes y expresiones fijas. Os vamos a dar algunos y os proponemos lo siguiente:

a Explicad su significado con vuestras propias palabras.
b Buscad un equivalente en vuestro idioma.
c Elaborad diálogos para usarlas.

Aquí tenéis las expresiones y dos diálogos como ejemplo.

1 ● No me gusta.
  ▼ Pero si no lo has probado.
  ● Ya, pero *es que no me entra por los ojos.*

2 *Este asunto huele muy mal.*

3 ● Creo que sospecha algo de lo que estamos preparando.
  ▼ Sí, *tiene la mosca detrás de la oreja.*

4 *Mi mujer tiene mucha vista para los negocios.*

5 Me *sabe mal* no poder ir a su fiesta.

6 Este chico *ha oído campanas y no sabe dónde.*

7 *Para darle esa noticia tan triste hay que tener mucho tacto.*

8 *Me da en la nariz / Me huelo* que este negocio nos va a salir bien.

9 *A nadie le amarga un dulce.*

2 Habla.

A Elige uno de estos dos temas. Tienes unos minutos para prepararte y, cuando estés listo/a, exponlo durante unos cinco minutos. Después, tus compañeros/as (y tu profesor/a, si así lo desea) te harán preguntas.

1 ¿Cómo aprendes mejor?

Te proponemos que hables de cómo «te entra» mejor un idioma. Hay personas para las que lo importante es ver escritas las palabras y asociarlas con imágenes. Otras personas sienten que el idioma les «entra» a través de lo que oyen. Otras, en cambio, tienen muy desarrollado el olfato porque, dicen, es el sentido más unido al recuerdo. ¿Cómo es tu caso?

- ¿Prefieres las presentaciones orales, los debates?
- ¿Te gusta hablar con gente nativa aunque no lo entiendas todo?
- ¿Aprendes mucho oyendo canciones o viendo la televisión?
- ¿Tienes que escribirlo todo para recordarlo?
- ¿Asocias los olores con lugares y palabras?

2 El amor y los sentidos.

Se dice que a los hombres se les conquista por el estómago, así que imaginamos que su sentido más desarrollado será el del gusto. También se dice que a las mujeres se las conquista con la palabra, hablando. Deducimos, pues, que el oído es muy importante para ellas. Esto, claro, son estereotipos, pero nos sirven para proponerte que hables de lo que te conquista a ti de una persona: su mirada, su manera de hablar o de moverse, su sonrisa, su voz, su perfume... ¿Conoces estos versos de una canción popular? «Cinco sentidos tenemos, los cinco necesitamos, pero los cinco perdemos, cuando nos enamoramos».

B El sentido común es el menos común de los sentidos.

© *Pepo*

a Mira bien las viñetas y describe y narra lo que ves.

b Busca en el diccionario las palabras que no sabes.

c En la última viñeta completa lo que dice Condorito. Piensa en algo absurdo que sorprende mucho a su interlocutor. Luego, decide si eres Condorito o su interlocutor y habla con un compañero/a imaginando la conversación que siguió.

3 Escucha.

A Una mujer desconocida. 🎧)) 53

Vas a oír este texto de Antonio Muñoz Molina.

1 Antes de escuchar.

Imagina que quieres leer en un lugar tranquilo (que no sea tu casa). ¿Cuál elegirías? Cierra los ojos y dinos cómo «ves» la escena.

2 Escucha y contesta.

Según el texto...		V	F
a La mujer estaba en una torre junto al mar.			
b Primero leía y luego bebía cerveza.			
c Fumaba lentamente.			
d La mujer estaba seria.			
e Se tocaba el pelo mientras leía.			
f Quien escribe cree que la mujer es extranjera.			

3 Después de escuchar.

Sin duda, has podido responder a las preguntas aunque hay expresiones y palabras que quizá no hayas comprendido. Vamos a trabajar con algunas. Contesta a las preguntas eligiendo entre las opciones que te damos.

a Cristaleras.
    1 Ventanas grandes.   **2** Cristales de colores.
    ¿Dónde las podemos encontrar? _____
    _____

b Estar ajena a.
    1 Estar concentrada.   **2** No prestar atención a lo que pasa.
    ¿Cuándo te has sentido así? _____
    _____

c Estar de paso.
    1 Ir a pie.   **2** Estar de visita.
    ¿Cuándo has estado así y por qué? _____
    _____

d Doblar el pico de la página delicadamente.
    Aquí no te damos a elegir. Tendrás que hacer algo. Toma un libro, ¿qué haces con una hoja para señalar por dónde vas leyendo?

e Anochecer.
    Y ahora, dinos, ¿con qué asocias 'anochecer'? ¿Con el día o la noche?
    Entonces, ¿de qué hora se hablará?

f Trago.
    Lee la transcripción y dinos qué entiendes que hace la mujer con la cerveza.
    Traduce esta palabra a tu lengua.

g Ahora compara la imagen de ti mismo/a del principio con la que nos da el texto y escribe las semejanzas y diferencias.

Semejanzas	Diferencias

h Al acabar la audición, haz frases utilizando el vocabulario que desconocías.

B La comida nos entra por todos los sentidos. 54

1 Antes de escuchar.

a Comenta con tus compañeros/as el título de esta audición.

b ¿Qué sentidos intervienen cuando comemos? Justifica tu respuesta.

c ¿Qué sabes de las patatas y los tomates?

Asegúrate de que conoces estas expresiones:

- Estar a la vuelta de la esquina.
- Sin ir más lejos.
- No quedarse atrás.

Y estas palabras relacionadas con los sabores:

- Insípido/a.
- Apetitoso/a.

d En el texto aparecen las palabras correspondientes a estas imágenes. Escribe debajo de cada una su nombre y luego comprueba si has acertado.

1 _____ **2** _____ **3** _____

4 _____ **5** _____ **6** _____

2 Durante la audición.

a Apunta a qué sentidos se alude.

b Escribe los nombres de los alimentos que se mencionan.

c Fíjate en los datos referidos a las patatas y los tomates.

d Vuelve a oír y completa la información que falta.

3 Después de escuchar, contesta a estas preguntas.

a ¿De qué cambios en la alimentación se habla?

b ¿Cómo se consigue que los alimentos sean más apetitosos?

c Se habla de revoluciones alimentarias de otras épocas, ¿de cuáles?
   Comentad las preguntas finales.

Comemos por necesidad, claro está, pero también por placer. Pero, ¿es siempre un placer natural? Escuchen y opinen.

Una ensalada de tomates muy suaves y arroz (1) _____ _____ _____, un bocadillo de mortadela sin grasa y, de postre, un plátano que protege contra la hepatitis y un café (2) ___ _____. No es un menú de ciencia ficción, sino lo que podríamos comer en un plazo relativamente cercano. Los nuevos alimentos están *a la vuelta de la esquina*. De hecho, algunos se encuentran ya a nuestra disposición en los supermercados y otros, incluso, han podido llegar ya a (3) _____ _____: es el caso de la soja transgénica, que forma parte de algunos productos de panadería y de alimentos para bebés, o de una margarina que reduce los niveles del colesterol malo (4) ___ ___ _____.

¿Sorprendente? No tanto si tenemos en cuenta que la técnica siempre ha tenido un papel de extraordinaria importancia en los alimentos y que muchos de los que tradicionalmente han formado parte de la dieta han sido producto de la (5) _____ _____.

¿Se han fijado alguna vez en cómo huele el café nada más abrir el paquete, o en el apetitoso color que tienen algunas salsas de tomate? Pues ninguna de esas características es innata, al menos en la mayoría de los casos.

Comer es un placer para los sentidos y las empresas están intentando que lo sea más todavía. Así, científicos de todo el mundo investigan cómo dar a los alimentos colores más atractivos o texturas más agradables. Por ejemplo, en Suiza el salmón que se cría en piscifactorías se tiñe de rosa para eliminar el color gris que tendría naturalmente. Tampoco el ruidito que hacen los cereales del desayuno al servirlos en una taza es (6) _____ _____: se estudia y se mejora con un *crujómetro*. Y es que estas características influyen más de lo que creemos en nuestra percepción de la comida. Además, la población pide alimentos cada vez más seguros. En todo caso, la revolución a la que estamos asistiendo con los nuevos alimentos no ha sido la primera en la historia de la (7) _____ humana. *Sin ir más lejos*, el tomate no llegó a Europa hasta el siglo XVI, procedente de Latinoamérica y en aquella época se consideró una planta (8) _____. Algo similar ocurrió con la patata, que también llegó en el siglo XVI del mismo sitio y que se consideraba un alimento insípido. El siglo XIX tampoco *se quedó atrás* en cuanto a alimentos nuevos. Por ejemplo, la leche en polvo nació en Estados Unidos en (9) _____, donde se patentó la deshidratación como método para transportar este alimento con mayor facilidad. En 1869, el emperador Napoleón III convocó un concurso para encontrar un sucedáneo de la mantequilla que fuera más asequible. El (10) _____ nos dio la margarina. En fin, ¿qué les parece que la comida se vuelva más sensual −es decir, más agradable a los sentidos− de manera artificial? ¿Renunciarían al olor del café, al color del salmón o al ruidito crujiente de los cereales después de saber que están un poquitín manipulados?

Al acabar la audición, haz frases utilizando el vocabulario que desconocías.

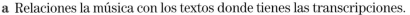

C Vas a oír fragmentos de música típica de diferentes
países. Te pedimos que:

a Relaciones la música con los textos donde tienes las transcripciones.
b Digas con qué país relacionas cada fragmento musical.
c Te tomes un momento y asocies cada fragmento con otras sensaciones, con alguna ciudad, con algunos momentos especiales.
d Escribas palabras inspiradas por la música al tiempo que la escuchas.

Un paso más

1 Lee la transcripción del Escucha A y dinos:

a ¿Qué tiempo verbal predomina?

_____

b Cuando se usa este tiempo verbal, ¿qué estamos expresando?

_____

2 Vuelve a leer la transcripción y fíjate en cómo se expresan las acciones que realiza. Escríbelas aquí.

_____

_____

_____

3 En el Escucha B han aparecido estas expresiones:

Estar a la vuelta de la esquina.   *Sin ir más lejos.*   *No quedarse atrás.*

Completa estos diálogos usando la más adecuada.

a ● Los restaurantes famosos siempre están a la última.
  ▼ Sí, es cierto, pero algunos de los pequeños tampoco _____.

b ● Deberías ponerte a estudiar. Los exámenes
  _____.
  ▼ No me lo recuerdes, que me pongo como un flan.

c ● No encuentro a nadie inteligente a mi alrededor.
  ▼ ¿Ah, no? Pues _____. Aquí me tienes a mí.

4 Lee las transcripciones del Escucha C.

a En ellos aparecen colores y tonos. ¿Puedes escribirlos aquí?

_____

b En el tango *Volver* se dice: *Volver con la frente marchita.* ¿Qué es lo que 'se marchita' en sentido literal?

c En ese mismo tango oímos 'mirada febril' y 'alma aferrada'. ¿Podrías explicarnos qué imágenes te evocan esas construcciones?

_____

_____

_____

4 Lee.

1 Antes de leer.

a ¿Recuerdas palabras relacionadas con el sentido del gusto? Te damos unos ejemplos, continúalos con toda la clase:

- *Saber a...*; *masticar...*; *morder...*

b En el texto se habla de partes de la gramática, como el artículo (*el, la*, etc.). ¿Recuerdas otros? Escríbelos aquí con un ejemplo.

_____

_____

_____

2 Durante la lectura.

a Subraya las palabras relacionadas con los sentidos.

b Busca lo que dice el autor sobre el diccionario.

3 Después de leer.

a Compara tu lista inicial de palabras relacionadas con el sentido del gusto y las que aparecen en el texto.

b ¿Qué opinas de los sabores de las diferentes partes de la gramática?

c ¿Y el diccionario? ¿Te parece adecuada la comparación o prefieres otra?

4 Y ahora contesta con lo que se dice en el texto.

a Las palabras son _____.

b El sabor del sustantivo se parece a _____
_____.

c Los artículos y las preposiciones son como _____
_____.

d El padre no podía dormir y por eso _____
_____.

e En el diccionario y en la enciclopedia las palabras
_____.

El orden alfabético

Yo no tenía sueño, de manera que tomé el libro de gramática de debajo de la almohada y me dispuse a leerlo con la intención de encontrar las diferencias entre el sustantivo y el adjetivo o entre el verbo y el adverbio.

El verbo tenía una textura fibrosa y un sabor concentrado. Me quedé pensando y traté de imaginarme el momento de la historia, o de la prehistoria, en el que de pronto apareció el tiempo o los tiempos y fue posible mirar hacia adelante y hacia atrás, hacia ayer y mañana. Ayer se murió mi abuelo y mañana lo enterraban. Vistas así, las palabras eran ventanas por las que te asomabas a la realidad. Gracias a la existencia de un verbo en pasado o en futuro, las cosas desaparecidas continuaban durando y las que no habían llegado comenzaban a suceder.

El adjetivo me pareció algo insípido, aunque al morderlo, producía un ruido excitante, como una lámina de caramelo.

El sustantivo era sin duda alguna el rey. Te llenaba la boca con su olor ya antes de empezar a masticarlo y, al romperse por la presión de los dientes, liberaba más jugos de los que parecía contener. El sabor del sustantivo estaba cerca de las sensaciones que producen las frutas al contacto con la lengua. Y los había amargos, dulces, ácidos, empalagosos, agridulces y picantes. Algunos no se podían tragar excepto envueltos en un adjetivo. Los artículos y las preposiciones no sabían a nada, pero al colocarlos entre los dientes y presionar, se rompían como las pipas de girasol. En cierto modo eran semillas: si plantabas un artículo o una preposición debajo de la lengua, enseguida les nacía un sustantivo: no podían estar solos. El adverbio desprendía el olor característico de algunas vísceras como los riñones, y las conjunciones tenían también algo de fruto seco. Era entretenido masticarlas, pero no podían sustituir una comida.

No sabía qué hora era cuando terminé de repasar los accidentes gramaticales, pero aunque apagué la luz, continuaba excitado, sin sueño. Mi padre se había levantado varias veces recorriendo el pasillo de un extremo a otro. Podía distinguir sus pasos de los de mi madre como un verbo de un adverbio. En una de las ocasiones en que pasó por delante de mi dormitorio, papá abrió sigilosamente la puerta y asomó la cabeza. Iba a fingir que dormía cuando casi sin querer le llamé.

–Papá– Se acercó hasta la cama y tras buscar la expresión de mi rostro entre las sombras se sentó en el borde.

–¿Cómo va el inglés?– pregunté.

–Mal, hijo. Nunca ha ido bien. No tengo facilidad para los idiomas. Creo que nunca llegaré a aprenderlo.

Cuando papá abandonó el dormitorio encendí la luz y cogí el diccionario escolar para hacerme una idea del orden de las cosas. Una cosa parecía cierta, y es que el diccionario y su versión gigante, la enciclopedia, eran como neveras. En su interior las palabras se mantenían disponibles, frescas. No tenías más que abrir la puerta de ese raro objeto por la letra que más rabia te diera, la E, por ejemplo, y ahí estaban las excitaciones, las excusas, los expedientes, las explanadas y las explosiones, pero también las expresiones y el éxtasis. Con la ventaja, frente a la nevera, de que podías consumir todas las palabras y misteriosamente continuaban allí. No era necesario, como los yogures y los huevos, que las repusieras cada vez que las gastabas.

Texto adaptado. *Juan José Millás.*
El orden alfabético.

Un paso más

1 **Hablemos de sabores.**

En el texto se dice que el adjetivo era insípido. ¿Puedes decir qué sabor tienen estos alimentos?

a El azúcar es _____.   c El limón es _____.   e El yogur es _____.

b El café es _____.   d El bacalao es _____.

2 **Qué alimento dirías que es...**

a Jugoso _____.   b Empalagoso _____.   c Picante _____.

3 En el texto se dice: *No tenías más que abrir la puerta de ese raro objeto por la letra **que más rabia te diera**.*

Usamos la construcción... 'que más rabia te dé' cuando queremos decir a alguien que elija lo que quiera. Para elegirlo puede usar cualquier criterio, incluso si es absurdo.

Completa estos diálogos usándola.

a ● ¿Qué camiseta me pongo?

   ▼ _____.

b ● ¿Qué cubiertos pongo, los de todos los días o los de plata?

   ▼ ¡Qué más da! Pon _____.

5 **Escribe.**

Opción A

Siguiendo el modelo del *Pretexto*, escribe un texto en el que hables de tu propio viaje alrededor de los sentidos. En él tienes que hablar de:

- Los sabores que has descubierto en tus viajes (puedes hablar de cualquier país).
- Las sensaciones que te producen los lugares, los paisajes.
- Con qué asocias los olores.

Opción B

Experiencias sensoriales en la mesa. Sabores de colores. Una excelente comida en un lugar perfecto.

Hemos entrado en este blog *http://www.saboresdecolores.com/* y hemos encontrado algo que nos ha gustado mucho.
Lee este texto y escribe algo parecido.
Si además de una buena comida, estamos en un lugar perfecto... Describe el lugar donde te gustaría tomar una excelente comida.

Y de pronto, volvió el frío... pero... no pasa nada si al llegar a casa podemos disfrutar de un plato caliente, reconfortante y delicioso.

Hoy os propongo una crema, diferente y sabrosa, con contraste de sabores: el dulce de la zanahoria asada, el toque de acidez de la naranja. Y si os animáis y le añadís una cucharada de nata, le daréis un toque deliciosamente cremoso. Cuando la preparaba, mi memoria viajó a Inglaterra, a un viaje que hicimos A. y yo. Paramos en el camino a tomar algo caliente y era una crema que llevaba naranja. ¡Oh! ¡Qué rica estaba! Y el pan con la que la acompañamos... No tengo palabras.

Repaso

1 Interactúa.

Recordad que primero uno/a de vosotros/as lee las preguntas y el otro o la otra las contesta. Después cambiáis: quien ha preguntado contesta, y quien ha contestado pregunta. Necesitáis papel y lápiz para ir escribiendo los resultados.

Los sentidos. Habla de lo que sientes en...

1. Un amanecer un día de primavera en medio del campo.
2. Una noche estrellada de verano junto al mar.
3. Un mediodía de otoño paseando por un bosque con una alfombra de hojas bajo tus pies.
4. Una chimenea en una casa de campo un día nevado de invierno.

El mundo de la ciencia.
(Si no conoces la respuesta, usa tu fantasía.)

1. ¿Quién ha sido en tu opinión el científico más importante de todos los tiempos?
2. ¿Cómo empezó la vida en nuestro planeta Tierra?
3. ¿Por qué se extinguieron los dinosaurios?
4. ¿Qué ocurriría si se derritiera todo el hielo de nuestro planeta?

2 Habla.

A Sobre las aficiones.

Lee el texto que te presentamos y prepara el tema durante diez minutos. Exponlo durante cinco. Al terminar la exposición, tus compañeros/as te harán preguntas. ¿Estás totalmente de acuerdo con el texto? ¿Solo parcialmente? ¿En total desacuerdo?

> *Tener algo que nos entretiene y apasiona hace nuestra vida más interesante. Estamos más sanos y mejora nuestro estado emocional. Además, a través de una afición podemos conocer personas con quienes ya tenemos algo en común. Es decir, que con la práctica de aficiones se hacen buenas amistades.*
>
> *Ortega y Gasset decía que: «Las aficiones revelan, mejor que nada, la personalidad del que las cultiva». Si alguien emplea su tiempo de ocio en algo, debe importarle. Por tanto, a través de sus aficiones podemos saber algunas cosas sobre una persona incluso antes de haberla tratado.*

Recuerda que:
- Tienes que justificar tu respuesta.

- Tienes que expresar tus ideas con orden.
- Debes presentar una conclusión.

B En el laboratorio.

a Mira atentamente esta viñeta.
b Describe lo que ves.
c ¿Qué experimento crees que están haciendo estos científicos?

d ¿Qué resultados crees que quieren obtener?
e Toma el papel de uno de ellos y dialoga con tu profesor/a.

3 Escucha.

A Poema de Pablo Neruda.

1 Antes de escuchar.

a ¿Has oído hablar de Pablo Neruda? ¿Sí? ¿No?
Te presentamos una brevísima biografía.

> Poeta chileno nacido en Parral en 1904. Su infancia transcurrió en Temuco donde realizó sus primeros estudios.
>
> Aunque su nombre real era Neftalí Reyes Basoalto, desde 1917 adoptó el seudónimo de Pablo Neruda. Fue escritor, diplomático, político, Premio Nobel de Literatura. Murió en 1973.
> En su obra poética destacan «Crepusculario», «Veinte poemas de amor y una canción desesperada», «Residencia en la tierra», «Tercera residencia», «Canto general», «Los versos del capitán», «Odas elementales», «Cien poemas de amor», «Memorial de Isla Negra» y «Confieso que he vivido».

b Ahora vas a escuchar el soneto LXXXIX (ochenta y nueve) de «Cien poemas de amor».

1.º Simplemente escúchalo.

2.º Intenta añadir las palabras que faltan, las conoces todas; algunas están relacionadas con los sentidos.

> Cuando yo muera quiero tus manos en **1** _____ : quiero la luz y el trigo de tus manos amadas pasar una vez más sobre mí su frescura: **2** _____ la suavidad que cambió mi destino.
> Quiero que vivas mientras yo, dormido, te espero, quiero que **3** _____ sigan oyendo el viento, que **4** _____ el aroma del mar que amamos juntos y que sigas pisando la arena que pisamos.
>
> Quiero que lo que amo siga **5** _____ y a ti te amé y **6** _____ sobre todas las cosas, por eso sigue tú floreciendo, florida, para que alcances todo lo que mi amor te ordena, para que se pasee mi sombra **7** _____ , para que así conozcan **8** _____ de mi canto.

2 Después de escuchar.

a Lee atentamente el poema.

b ¿Te ha gustado?

c ¿Lees poesía en tu lengua? ¿Sí? ¿No? ¿Por qué?

d ¿Crees que ahora, al terminar el nivel B2, estás ya preparado para leer ciertos poemas en español? Razona tu respuesta.

e ¿Has visto o has oído hablar de la película _El cartero y Pablo Neruda_? Te presentamos la ficha de la película.

B Buscar datos sobre la salud es la tercera acción más popular entre los internautas.

> Buenas tardes queridos oyentes de Onda Meridional. En nuestro espacio _A través de la ciencia_, nuestro corresponsal en Chile, Raimundo Cabrera, va a hablar sobre un estudio llevado a cabo sobre la tercera acción más popular entre los internautas estadounidenses.

1 Tras la audición, di si son verdaderos o falsos los siguientes enunciados.

a Al corresponsal le parece muy normal el lugar que ocupa esta actividad.	V	F
b Los internautas buscan información solo sobre las enfermedades que padecen.	V	F
c Claudia Opazo solo ofrece en su *web* información comprobada.	V	F
d Leisewitz cree que en Chile el panorama es distinto del de EE.UU. y señala que los chilenos no están a ese nivel, que allá aún funciona el boca-oído.	V	F
e Para Paula Daza, el futuro está en generar contenidos para que la gente pueda acceder a la información desde sus computadoras, pero nunca a través de los celulares.	V	F

4 Lee.

A Lee este texto de *Como agua para chocolate* de Laura Esquivel.

1 Antes de leer.

a ¿Qué crees que significa la expresión mexicana «estar como agua para chocolate»?

1 Estar listo. Quiere decir que la situación está en su punto exacto para ser resuelta o para que algo empeore o mejore.

2 Para hacer el chocolate, se hervía el agua y después se añadía este, que era muy espeso. Por analogía, «estar como agua para chocolate» es estar hirviendo. Es decir, muy alterado, excitado, etc.

b Te presentamos las imágenes que corresponden a las siguientes palabras. ¿Podrías relacionarlas?

1 _____   2 _____   3 _____   4 _____

a piso   **b** charola   **c** buñuelo   **d** licor de Noyó

2 Durante la lectura.

Subraya otras palabras que desconoces. Escríbelas en la pizarra y entre todos buscad todo el vocabulario necesario para comprender totalmente el texto.

3 Después de la lectura.

Subraya los enunciados verdaderos.

a Tita se sentía muy bien al recordar la primera visita de Pedro el año anterior.

b Recordaba todo lo referente a esa visita.

c Tuvo que irse a otro lugar cuando Pedro la miró.

COMO AGUA PARA CHOCOLATE

Cada vez que Tita cerraba los ojos podía revivir muy claramente las escenas de aquella noche de Navidad, un año atrás, en que Pedro y su familia habían sido invitados por primera vez a cenar a su casa, y el frío se le agudizaba. A pesar del tiempo transcurrido, ella podía recordar perfectamente los sonidos, los olores, el roce de su vestido nuevo sobre el piso recién encerado; la mirada de Pedro sobre sus hombros... ¡Esa mirada! Ella caminaba hacia la mesa llevando una charola con dulces de yemas de huevo cuando la sintió, ardiente, quemándole la piel. Giró la cabeza y sus ojos se encontraron con los de Pedro. En ese momento comprendió perfectamente lo que debe sentir la masa de un buñuelo al entrar en contacto con el aceite hirviendo. Era tan real la sensación de calor que invadía todo su cuerpo que ante el temor de que, como a un buñuelo, le empezaran a brotar burbujas por todo el cuerpo —la cara, el vientre, el corazón, los senos—, Tita no pudo sostenerle esa mirada y bajando la vista cruzó rápidamente el salón hasta el extremo opuesto, donde Gertrudis pedaleaba en la pianola el vals *Ojos de juventud*. Depositó la charola sobre una mesita de centro, tomó distraídamente una copa de licor de Noyó que encontró en su camino y se sentó junto a Paquita Lobo, vecina del rancho. El poner distancia entre Pedro y ella de nada le sirvió; sentía la sangre correr abrasadoramente por sus venas. Un intenso rubor le cubrió las mejillas y por más esfuerzos que hizo no pudo encontrar un lugar donde posar su mirada.

(*Como agua para chocolate*, capítulo 1, Tortas de Navidad, página 17, Mondadori)

5 Escribe.

A **El curso ha terminado. Escribe un correo a tu anterior profesor/a, o si lo prefieres, en tu cuaderno de viajes, o en tu diario. Tienes que contar todo lo que has aprendido, cómo has trabajado en clase, qué relación has tenido con tus compañeros/as, qué costumbres te han llamado la atención, tus avances, tus dificultades, los temas que te han interesado, los que no, qué te ha parecido el libro, etc.**

B **Y para terminar, escribe sobre los sentimientos que te ha despertado la lectura del Soneto LXXXIX de Pablo Neruda y el fragmento de *Como agua para chocolate* en tu diario o en tu cuaderno de viajes.**

6 **Señala la respuesta adecuada.**

1 Cuando sepas el resultado de los análisis, _____, por favor.
a. comunícastelo
b. compruébalas
c. llámame
d. me lo digas

2 ¿Qué pasa? ¿Tienes mucho trabajo?
La persona que hace la pregunta...
a. está preocupada
b. está ofendida
c. está confundida
d. pregunta por cortesía

3 Hablaremos más tranquilamente después de que _____ estos momentos de nerviosismo.
a. pasarían
b. tienen
c. tengas
d. hayan pasado

4 El alumno de letras es sociable, simpático y abierto, pero vago, _____, despreocupado e indeciso.
a. orgulloso
b. incapaz
c. poderoso
d. emprendedor

5 La clase no empieza _____ llega la profesora.
a. después que
b. antes que
c. hasta que
d. cada vez que

6 ¿Sabías que apenas se descubrió el mapa del genoma humano, _____ a conflictos ético-morales?
a. se abrieron las puertas
b. se entrecerraron las puertas
c. se cerraron los ojos
d. se abrieron las ventanas

7 Tras la discusión, y con lágrimas de profunda pena, pero con esperanza, Ana y Luis _____ sus manos.
a. se cogieron en
b. entrelazaron
c. se tomaron para
d. deslazaron

8 La Bioquímica es menos difícil _____ me habían dicho.
a. que
b. de lo que
c. que a mí
d. de la que

9 _____ no te pregunten, no digas nada.
a. Si
b. Con tal de
c. De ser
d. Mientras

10 Cuanto más oscura es la noche _____ está el amanecer.
a. cuanto más lejos
b. cuando menor
c. lejos
d. más cerca

11 ● Me han dicho que las notas de Estadística ya han salido. Ojalá _____.
▼ Seguro que sí; llevabas los temas muy bien preparados.
a. haya aprobado
b. hayan superado
c. superan el aprobado
d. aprobaría

12 Pedro *es un bocazas*, significa:
a. Dice muchísimos tacos
b. Grita muchísimo
c. Tiene la voz muy grave
d. Lo cuenta todo

13 Ojalá Marta no hubiera participado en el campeonato de patinaje, _____ se habría roto el pie.
a. así no
b. del modo así
c. por tanto
d. de ser así

14 Para _____ que los jóvenes son pasivos.
a. decir
b. que dicen
c. decir lo
d. que luego digan

15 Me encanta el bricolaje, pero no consigo montar estas estanterías. Ojalá estuviera aquí mi hermano, así podría echarme una mano, que _____.
a. lo necesario estaría
b. buena falta me hace
c. estupendo convendría
d. lo que me encantaría

16 A lo mejor me dan _____ para el partido del viernes.
a. unos billetes
b. unos bonos
c. unos invitaciones
d. unas entradas

17 ● ¿Vamos a pescar este fin de semana?
▼ Igual no _____ porque quizá trabaje el sábado por la tarde.
a. puedo
b. pueda
c. vaya
d. venga

18 Lo dijera _____ lo dijera, no deberías haberte enfadado tanto con él. ¡Es solo un niño!
a. que
b. cual
c. como
d. se

19 No toques nada, anda, que seguro que rompes algo.
¡Eres un _____!
  a. pelota   b. manazas
  c. tozudo   d. engreído

20 Abrí este *blog* en español para pensar sobre lo que he
sentido aprendiendo _____ lengua española.
  a. una   b. la

21 Este libro _____; no he podido llegar a la página 30.
  a. es un ladrillo   b. está deprimido
  c. es dormilón   d. es entretenido

22 Cuando llegué a Salamanca por primera vez, sentí
que olía a _____ colonia.
  a. sin artículo
  b. una
  c. la

23 Me he hecho _____ aceite de oliva.
  a. fan en   b. forofo en
  c. compatible al   d. adicto al

24 Y hablando del sentido del oído, podría referirme
_____ ruido de las calles llenas de vida.
  a. un
  b. al
  c. sin artículo

25 Entrar todos los días en Facebook se ha convertido en
algo más que una costumbre. No _____.
  a. parar haciéndolo
  b. puedo dejar de hacerlo
  c. pienso de hacerlo
  d. dejaría hacerlo

26 Llegarás a ser _____ te propongas.
  a. los que   b. quienes
  c. lo que   d. más que

27 Me sentía como un conejo o una vaca, todo el día
_____.
  a. votando   b. ventilando
  c. rasgando   d. rumiando

28 Me han concedido una beca para estudiar español y
_____ contentísima en cuanto he leído la noticia.
  a. me he puesto   b. me he vuelto
  c. he llegado a ser   d. me he hecho

29 No tenías más que abrir la puerta de ese raro objeto por
la letra que _____ te diera.
  a. menos importancia   b. más rabia
  c. tanto razón   d. menos tamaño

30 El libro electrónico tiene una ventaja _____ al clásico de papel y es que puedes poner el tamaño de letra
que quieras.
  a. contra de   b. de acuerdo
  c. sobre   d. frente

Apéndice gramatical

Apéndice gramatical

1 El sujeto.

A Definición de sujeto.

Es la palabra o palabras que concuerda(n) con el verbo.

- *Pues **yo** he releído* Olvidado rey Gudú.
- ***Los oyentes** pueden enviar sus comentarios a la radio.*
- *Me encanta **la voz** de Lila Downs.*
- *Me encantan **las canciones** de Lila Downs.*

B Ausencia del pronombre sujeto.

En español, la terminación del verbo conjugado marca la persona (habl-***o*** / habl-***as*** / habl-***a***), por eso, no es siempre obligatorio el pronombre sujeto.

- *Fue el primer libro suyo que **leí*** (primera persona singular: *yo*).
- *Así que hasta ahora **tenemos** dos libros y una película* (primera persona plural: *nosotros/as*).
- *La **quieren** para hacer una película* (tercera persona plural: *ellos / ellas*).

C Presencia del pronombre sujeto.

1 El uso del pronombre sujeto es obligatorio:

a Para **diferenciar/distinguir** entre varias personas que están hablando entre ellas.

- *Alicia, ¿qué nos **propones tú**?* (La locutora diferencia/distingue a Alicia entre los cuatro invitados.)
- ***Ustedes podrán** intervenir posteriormente con sus comentarios y otras sugerencias.*
  (La locutora distingue/diferencia a los invitados y a los oyentes).
- **Fran:** *¿Vas a contarle a Juan lo de su novia?*
  Eugenia: *Díselo **tú**, porque **yo** no me siento capaz de contárselo.* (Se distinguen/diferencian los sujetos.)

b Para **evitar la ambigüedad**. La tercera persona del singular puede referirse a *él*, *ella* o *usted* (*habla, come, va*, etc.). Pero, además, en imperfecto de indicativo, en condicional simple y compuesto, y en todos los tiempos del subjuntivo coincide con *yo* (*hablaría, coma, fuera*, etc.).

(En un grupo de tres personas)
- ● ***Tendría** que venir a trabajar el sábado.* (Las otras dos personas no saben a cuál de ellas se refiere.)
- ▼ *¿**Yo**? No, **yo** trabajé el sábado pasado.*

- ■ *No, **tú** no, me toca a mí este sábado.*
- ● *Eso es, me refería a **usted**.*

c **Identificarse** dentro de un grupo, sobre todo cuando se responde a preguntas.
- ● *¿Os habéis inscrito ya en el curso?*
- ▼ ***Yo**, sí.* (No sabe qué han hecho sus compañeros.)

2 El uso del pronombre sujeto es optativo para poner énfasis en la persona que realiza la acción.
  Locutora: *Y tú, César, ¿qué nos traes?*
  César: *Ya saben que (**yo**) soy un cinéfilo empedernido, por eso les traigo una película uruguaya: «El último tren».*

2 Expresar indeterminación o especificación por medio de los artículos.

Un / Una	*El / La*	*Ø*
Usamos el artículo indeterminado cuando nos referimos a algo que: <ul><li>mencionamos por primera vez</li><li>no podemos identificar porque hay varios iguales</li></ul> <ul><li>*Aprender **una** lengua es como **un** viaje.*</li><li>*Y si tuviera que elegir **un** paisaje o **un** lugar...*</li></ul>	Usamos el artículo determinado cuando nos referimos a algo que: <ul><li>ya hemos mencionado previamente</li><li>es único o lo presentamos así</li></ul> <ul><li>*Abrí este blog en español para pensar sobre lo que he sentido aprendiendo **la** lengua.*</li><li>***La** Plaza Mayor de Salamanca.*</li></ul>	No usamos ningún artículo cuando: <ul><li>hablamos de una cantidad indeterminada: – en singular para sustantivos no contables – en plural para sustantivos contables</li><li>no hablamos de algo concreto</li></ul> <ul><li>*Cuando llegué a Salamanca por primera vez, sentí que olía a **colonia**.*</li><li>*Hay **monumentos** más impresionantes o **lugares** más bellos, pero yo les hablo de los que he visto.*</li></ul>

> **FÍJATE**
>
> - El artículo indeterminado se usa con nombres **no contables** si van especificados.
>   **Está cayendo una lluvia → Está cayendo una lluvia **torrencial**.*
>   ** Tengo un hambre → Tengo un hambre **de lobo**.*
>   Pero en oraciones exclamativas podemos decir: *¡Está cayendo **una** lluvia…! ¡Tengo **un** hambre…!*
> - El artículo no se usa delante del número de los reyes y de los Papas.
>   *Alfonso **X** (décimo), Juan Pablo **II** (segundo).*

3 Verbos de cambio relacionados con *ser* y *estar*.

■ Relacionados con *ser*.

Expresan cambios relacionados con características definitorias.

Hacerse + sustantivo + (adjetivo)
  + adjetivos excepto los que expresan estado (*cansado/a, harto/a, contento/a*).

- ***Se hará famoso*** *con este libro.*
- ***Me he hecho un fan*** *incondicional del aceite de oliva.*

Volverse + adjetivo
  + *un / una* sustantivo + adjetivo

- *Es para **volverse loco**... de gusto.*
- *Antes era intratable, parece que **se está volviendo más sociable**.*

Llegar a ser + sustantivo / oración de relativo
  + adjetivo (sustantivados)
  + pronombres indefinidos

Expresa cambios en los que ha habido un proceso; los cambios se presentan como logros, y, normalmente, el cambio implica una mayor duración.

- ***Llegarás a ser la persona*** *más importante de su vida / **lo que te propongas**.*
- ***Llegarás a ser importante** / **alguien*** *muy importante.*

Convertirse en + sustantivo (suelen ir precedidos de artículos).
  + adjetivos sustantivados

Expresa un cambio de cualidad o naturaleza sin que haya participación del sujeto.
Alterna con *volverse*.

- *El hada **convirtió la calabaza en una carroza**.*
- *Esa cerveza **se ha convertido en la** preferida por los jóvenes.*

■ Relacionados con *estar*.

Expresan cambios relacionados con el estado.

Ponerse   + adjetivos / adjetivos de color
+ expresiones que indican estados

- ***Nos pusimos morados*** *de comer langostinos en Cádiz.*
- *Voy a dejar de escribir o **me pondré triste**.*

Quedarse   + adjetivos que expresan estado
+ complementos preposicionales

- *El Perito Moreno es un lugar para **quedarse boquiabierto**.*
- ***Se quedó viuda** muy joven y no ha vuelto a casarse.*

4 Preposiciones *por* y *para*.

■ Usos de *por* y *para*.

1. PARA

Lugar de destino: • *Nos vamos **para el centro**. ¿Te vienes?*
• *Esperadnos, vamos **para allá** ahora mismo.*

Tiempo: • *La presentación del libro está prevista **para mañana**.*
• *Estaré aquí **para la cena**.*

Objetivo, finalidad, destinatario: • *Organizamos una fiesta **para poder celebrarlo**.*
• *La comida sin grasa es muy buena **para el estómago**.*
• *Ese no es un trabajo adecuado **para alguien como él**.*

'En opinión de': • ***Para César** el cine es lo más importante.*
• ***Para mí** La ciudad y los perros es un libro muy difícil.*

Comparación: • *Ese apartamento es muy caro **para los metros que tiene**.*
• ***Para lo bueno que es**, este grupo no ha tenido mucho éxito.*

2. POR

Lugar aproximado ('a través de', 'a lo largo de', 'alrededor de'):

- ***Por el camino** les pasó de todo.*
- *Entramos **por la ventana**; nos habíamos dejado las llaves dentro.*

Tiempo aproximado (salvo con horas):

- *Todos los años vuelve a casa **por Navidad**.*
- *La música disco estuvo de moda **por los años 70**, ¿no?*

Causa, motivo:

- *Yo desempolvé a Vargas Llosa **por lo del Nobel de Literatura**.*
- *No te quedes en casa **por mí**, de verdad que no me importa quedarme solo.*
  (Aquí la preposición *por* se entiende como «no te quedes en casa a causa mía».)

'A cambio de', 'en lugar de', 'en nombre de':

- *Estoy harto de trabajar **por nada**, desde ahora quiero que me paguen.*
- *Ten cuidado con esos papeles, no vayas a dar unos **por otros** y metas la pata.*
- *Hemos elegido una representante que hablará **por el grupo**.*

Acompaña al complemento agente en las oraciones pasivas o cuando solo aparece el participio:

- *Esa canción fue votada **por los internautas** como la más popular del año.*
- *Bien promocionada **por la editorial**, esta novela será superventas.*

■ Algunos contrastes entre *para* y *por*.

	PARA	POR
Lugar	Lugar, meta que se puede alcanzar o no. • *Esperadnos, vamos **para allá** ahora mismo.*	Lugar a través del cual, a lo largo del cual se mueve algo. • *Vamos **por el parque**, el camino es más corto.* • *¡Qué olor a azahar entra **por la ventana**!*
Tiempo	Plazo antes del que debe ocurrir algo; límite en el tiempo. • *Estaré aquí **para la cena**.*	Tiempo aproximado, por eso nunca va con horas. • *Vuelva a casa **por Navidad**.*
Destinatario → ← Causa	***Para mí**, un café, gracias* → ← ***Por mí** no hagas café, no te molestes* (en este caso *por* se entiende como «yo no quiero ser la causa de que hagas café» o «en lo que a mí se refiere»).	
Finalidad	Se usan indistintamente y con esta estructura: *Para* y *por* + *infinitivo*. • *Dice esas cosas **para / por molestar*** (=con el fin de molestar).	

5 Tiempos verbales

Presente de indicativo

1 Para referirse al pasado. Va, casi siempre acompañado de marcadores temporales.
a Presente histórico:
• *En 1985 España **entra** en la Comunidad Económica Europea, actualmente UE (Unión Europea).*
b Conversacional:
• *Ayer Jaime **pone** el riego sin avisarme y me mojé entera.*
• *Estábamos en medio de la reunión y de repente **dice que se va** y **lo deja todo**.*

2 En lenguaje familiar para dar órdenes.
• *Ahora mismo **sales** del agua y te vas a casa a ayudar a tu padre en el jardín.*
• *¿Qué necesitas una cita con ella? Pues **me llamas, me dices** para cuándo y yo te lo resuelvo.*

Recuerda que con ***casi*** y con ***por poco*** solemos usar el presente cuando hablamos del pasado.
• *Ayer me subí a un manzano a coger fruta y **casi me caigo**.*

Pretérito imperfecto de indicativo

1 El pretérito imperfecto **con valor lúdico** (o **de fantasía**).
(Gonzalo de cinco años y Sofía de cuatro están jugando)

Gonzalo: *Vale, jugamos a que tú **tenías** ocho años y yo **tenía** nueve y **podíamos** bajar solos a jugar al patio.*
Sofía: *Vale.*

Futuro simple

Para marcar imprecisión, o para posponer:
• *Ya nos **llamará**, tranquila.*
• *Ya lo **hará**.*
• *El tiempo lo **dirá**.*
• *Ya **veremos**.*

Futuro compuesto

1 Forma

habré	
habrás	
habrá	+ participio
habremos	
habréis	
habrán	

2 Usos

a Marcar la anterioridad de una acción futura.

- *Cuando termine este curso* (hecho futuro), *ya **habré trabajado** veinte años en este centro* (hecho también futuro y anterior al primero).

b Marcar la probabilidad de una acción en relación con el pretérito perfecto.

- *El suelo está mojado.*
  Seguridad: *Es que ha llovido.*
  Probabilidad: *Seguramente **habrá llovido**.*

Condicional compuesto

1 Forma

habría	
habrías	
habría	+ participio
habríamos	
habríais	
habrían	

2 Usos

a Expresar hipótesis en pasado.

- *¿Imaginas cómo **habría sido** nuestra infancia fuera del valle?*
- *Yo te lo **habría contado**, pero me dijeron que no hablara con nadie.*

b Expresar la probabilidad de una acción en relación con el pretérito pluscuamperfecto.

- *No nos dijo por qué no venía con nosotros al cine.*
  Seguridad: *Es que ya **había visto** la película.*
  Probabilidad: *Supongo que ya **habría visto** la película.*

Pretérito imperfecto de subjuntivo

1 Forma

Se forma tomando la 3.ª persona del plural del pretérito indefinido, por ejemplo ***estuvieron***, se suprime la terminación –ron y se sustituye por las terminaciones propias de este tiempo: ***-ra / -ras / -ra / -ramos / -rais / -ran*** o ***-se / -ses / -se / -semos / -seis / -sen***.

Estar

Pretérito indefinido	Pretérito imperfecto
Estuve	Estuvie **ra** / **se**
Estuviste	Estuvie **ras** / **ses**
Estuvo	Estuvie **ra** / **se**
Estuvimos	Estuvié **ramos** / **semos**
Estuvisteis	Estuvié **rais** / **seis**
Estuvie**ron**	Estuvie **ran** / **sen**

Todos los verbos irregulares en pretérito indefinido, lo son también en pretérito imperfecto de subjuntivo.

FÍJATE

Las formas de imperfecto de subjuntivo *-se / -ses / -se / -semos / -seis / -sen* se usan un poco menos.

Pretérito imperfecto de subjuntivo

2 Usos

Verbo de la oración principal		**Verbo de la oración subordinada**
- Pretérito imperfecto de indicativo		
- Pretérito indefinido de indicativo	**+ Nexo +**	Pretérito imperfecto de subjuntivo
- Condicional		

- *A mi abuelo le encantaba que sus nietos fuéramos cariñosos con él.*
- *La doctora le recomendó que dejara de fumar e hiciera más ejercicio.*
- *Sería estupendo que toda la población mundial estuviera bien alimentada.*

Pretérito perfecto de subjuntivo

1 Forma

Presente de subjuntivo de *haber*		Participio invariable
haya		aprobado
hayas		entendido
haya	+	vuelto
hayamos		venido
hayáis		
hayan		

2 Significado y correspondencia con otros tiempos.
Recoge los significados temporales del pretérito perfecto de indicativo y del futuro compuesto de indicativo.

Indicativo	Subjuntivo
Ha dejado su trabajo. *Sé que ha dejado su trabajo.*	*Me parece bien que haya dejado su trabajo.*
A esa hora ya habremos terminado.	*Me parece estupendo que a esa hora ya hayamos terminado.*

ATENCIÓN

No puede usarse con verbos de influencia.

- *Queremos que nos ~~haya ayudado~~.*
  Queremos que nos ayudes.

En las oraciones temporales el presente y el perfecto de subjuntivo alternan cuando no se produce ambigüedad en la información.

- *Iremos de vacaciones cuando nos hayas dicho / nos digas las fechas en las que estés libre.*
- *Te devolveré la novela cuando la termine / la haya terminado.*

Aparece en los mismos casos que cualquier otro tiempo del subjuntivo (presente, imperfecto, etc.) para expresar deseos, sentimientos, opiniones (en forma negativa), etc.

- *Lola ha leído la tesis. Todos nos alegramos.* → *Nos alegramos de que Lola haya leído la tesis.*
- *¿Ha llegado tarde? Es normal.* → *Es normal que haya llegado tarde, hay mucho tráfico.*

6 Usos de indicativo o subjuntivo.

A Verbos de influencia y de sentimiento o de reacción.

A Los verbos que expresan *la influencia* de un sujeto (sea una persona o no) sobre otro tienen que construirse **con subjuntivo si los sujetos son distintos.** Cuando **el sujeto es el mismo se construyen con infinitivo.**

- *He logrado aprobar* el examen. / *He logrado que me contraten* para tres años.
- *La lluvia hace que* mucha gente *se quede* en casa.
- *Siempre intento llegar* a tiempo. / *Siempre intento que los alumnos lleguen* a tiempo.

Otros verbos de influencia: *aconsejar/recomendar, causar, hacer, mandar, necesitar, pedir, provocar, querer, sugerir, etc.*

ATENCIÓN

Los verbos *permitir*, *dejar* y *prohibir* admiten la construcción con infinitivo cuando el segundo sujeto queda expresado por un pronombre.

Te permito fumar. / Te permito que fumes.
Mis padres me dejan salir hasta muy tarde. / Mis padres me dejan que salga hasta muy tarde.

B Los verbos que expresan *sentimientos* o *reacción* funcionan igual que los del grupo anterior.

Cuando el sentimiento no sale del sujeto: verbo + infinitivo.

Cuando el sentimiento sale del sujeto a otro/s sujeto/s: verbo + *que* + subjuntivo.

- No **soporto trabajar** por la noche. / No **soporto que la gente no sea** respetuosa.
- **Me ha encantado conocerte.** / **Me ha encantado que nos conozcamos** aquí, en mi casa.

Otros verbos y locuciones verbales de sentimiento o reacción: *aburrir, agradecer, (no) aguantar, alegrarse de, dar igual, dar miedo, dar rabia, dar vergüenza, dudar, disfrutar de/con, divertirse, enfadar, entretener, fastidiar, gustar, hacer ilusión, importar, lamentar, molestar, poner nervioso, sentir, no soportar, tener miedo a/de, etc.*

ATENCIÓN

En verbos como *gustar, dar igual, encantar*, etc., el sujeto es el infinitivo o la oración introducida por *que*, y no los pronombres 'me', 'te', 'les', 'nos', etc.

B Verbos que expresan entendimiento, percepción o lengua (verbos «de la cabeza»): *creer, pensar, parecer, oír, decir.*

- **Verbos de entendimiento:** *imaginar, saber, sospechar, suponer, etc.*
- **Verbos de lengua:** *afirmar, contestar, contar, explicar, opinar, preguntar, etc.*
- **Verbos de percepción:** *darse cuenta, notar, percibir, sentir, ver, etc.*

- Verbos como *decir* y *sentir* tienen dos significados:

Decir: 1 comunicar algo verbalmente (lengua → indicativo)
2 aconsejar (influencia → subjuntivo)

Sentir: 1 lamentar (sentimiento → subjuntivo)
2 notar (percepción → indicativo)

- *Mi asesor económico me ha dicho que la bolsa va a bajar (información) y que, de momento, no invierta (influencia).*
- *Siento que no puedas quedarte unos días más (sentimiento).*
- *Cuando hace sol, siento que tengo más energía y estoy de mejor humor (percepción).*

Negación + verbo en indicativo		Verbo en subjuntivo
No creo		*estés enfadada por lo que te dije.*
No he dicho	que	*no sea difícil salir de la crisis.*
No pienso		*la globalización sea la solución.*
No parece		*el precio de los pisos vaya a bajar mucho.*

Imperativo negativo		Verbo en indicativo
No creas		*estoy enfadada por lo que me dijiste.*
No piense	que	*es fácil salir de la crisis.*
No digáis		*la globalización es la solución.*
No piensen		*el precio de los pisos va a bajar mucho más.*

C **Construcciones de *ser, estar* o *parecer* con adjetivos o sustantivos o adverbios.**

- **Es / Parece evidente que** <u>tardaremos</u> *un poco más de tiempo en salir de la crisis.*
- **Es / (Me) parece normal que** <u>pidas</u> *el pago de las horas extra que has hecho.*
- **Está / Parece claro que** *no* <u>llegaremos</u> *a un acuerdo sin hacer un esfuerzo.*
- **No es / No parece evidente que** *las cosas* <u>puedan</u> *arreglarse por sí solas.*

FÍJATE
Más vale que, conviene que, basta con que, también se construyen seguidos de subjuntivo.

Más vale que = es mejor que ***Conviene que*** = es conveniente que ***Basta con que*** = es suficiente (con) que	• *Más vale / Es mejor / Es conveniente que te acuestes temprano, si no, mañana no podrás madrugar.* • *Sí, podemos cancelar la reserva.* ***Basta con que*** *nos avise con dos días de antelación.*

7 **Los relativos.**

A **Los relativos son pronombres que pueden funcionar:**

> **Con antecedente para especificar o explicar alguna característica de la palabra a la que se refieren.**
>
> - *Hay <u>muchos españoles</u> **que** viven en el extranjero.*
>
>   Antecedente relativo que especifica
>
> - *<u>Salamanca</u>, **que** es la ciudad donde nací, es preciosa.*
>
>   Antecedente relativo que explica
>
> **Sin antecedente.**
> - ***Quienes*** *viven en el extranjero están encantados con sus vidas.*
>
>   Relativo sin antecedente

B Tipos de oraciones de relativo.

1 Oraciones especificativas.

La oración de relativo no se refiere a todo el antecedente, sino solo a una parte de él: por eso selecciona, especifica una parte del conjunto.

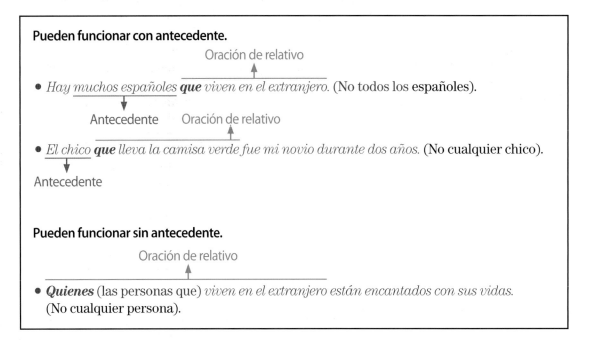

Pueden funcionar con antecedente.

Oración de relativo

- *Hay muchos españoles* **que** *viven en el extranjero.* (No todos los españoles).

Antecedente   Oración de relativo

- *El chico* **que** *lleva la camisa verde fue mi novio durante dos años.* (No cualquier chico).

Antecedente

Pueden funcionar sin antecedente.

Oración de relativo

- **Quienes** (las personas que) *viven en el extranjero están encantados con sus vidas.* (No cualquier persona).

2 Oraciones explicativas.

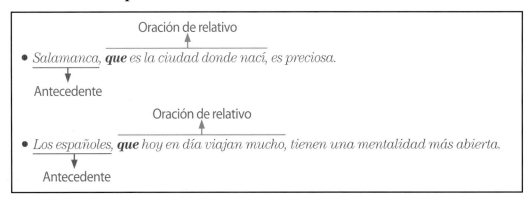

Oración de relativo

- *Salamanca,* **que** *es la ciudad donde nací, es preciosa.*

Antecedente

Oración de relativo

- *Los españoles,* **que** *hoy en día viajan mucho, tienen una mentalidad más abierta.*

Antecedente

La oración de relativo amplía la información sobre el antecedente al que se refiere. Van entre comas en la lengua escrita o marcadas por pausas en la lengua hablada.

C Los diferentes relativos y su funcionamiento.

QUE	QUIEN / QUIENES	EL QUE / LA QUE / LO QUE LOS QUE / LAS QUE
- Es invariable. - Necesita siempre antecedente. - Puede referirse a personas, cosas, animales y lugares.	- Tienen forma singular y plural. - Pueden funcionar con y sin antecedente. - Se refieren a personas. - Equivalen a *la(s) persona(s) que*. Alterna con ***el que / los que /la que / las que***.	- Señalan el masculino y femenino singular y plural. - Pueden referirse a personas, cosas, animales y lugares. - Pueden funcionar con y sin antecedente. - ***Lo que*** es neutro y, por tanto, invariable.
En oraciones especificativas: - No puede referirse a un nombre propio: * ~~Carlos que~~ *es cubano...* - No puede referirse a un sustantivo precedido de posesivo: *~~Mi casa~~ que es la tuya...*	**En oraciones especificativas:** - Funcionan sin antecedente. • ***Quienes*** *viven fuera no siempre echan de menos su país.* - Aparecen en refranes. • ***Quien*** *busca, encuentra.* - Funcionan con antecedente en oraciones con el verbo *ser*: • *Fueron <u>mis amigas</u>* ***quienes*** *me avisaron.*	**En oraciones especificativas:** - Funcionan sin antecedente. • ***Los que*** *viven fuera no siempre echan de menos su país.* - Aparecen en refranes. • ***El que*** *busca, encuentra.* - Funcionan con antecedente. Se puede explicar intercalando un sustantivo. • *Fueron mis amigas* ***las*** *(personas)* ***que*** *me avisaron.* • *Necesito otro ventilador porque* ***el*** *(ventilador)* ***que*** *tenía se ha roto.*
En oraciones explicativas: En este caso, *que* no tiene las restricciones anteriores: • *Carlos,* ***que*** *es cubano, vive en Hungría.* • *Mi casa,* ***que*** *es la tuya, está muy cerca de aquí.*	**En oraciones explicativas:** - Funcionan con antecedente. • *Mis amigos,* ***quienes*** *te conocen de oídas, están deseando conocerte en persona.*	**En oraciones explicativas:** -Tienen antecedente del que van separados por comas. Es como si entre el antecedente y *el que / la que*, etc., hubiera una pregunta sobreentendida ***¿cuál?*** • *Mira a esa chica,* ***la que*** *lleva rastas. Es guapa, ¿verdad?* ▼ *¿Esa? Es mi novia.*

FÍJATE

Lo que se refiere a un conjunto de cosas, ideas o a una oración.
• *Te han traído* ***lo que*** *(las cosas que) pediste.*
• ***Lo que*** *más me gusta es estar con mis amigos.*

D Preposición + relativos.

Quien/Quienes y ***el/la/lo que; los/las que*** admiten delante cualquier preposición.

Que también puede llevarlas, aunque no con la misma frecuencia.

• *Carlos, eres un mentiroso* ***al que / a quien*** *quiero mucho.*
• *Te presento a Kati, la socia* ***con la que / quien*** *monté el bar.*
• *Desearíamos saber la razón* ***por la que*** *nos mandó llamar.*

FÍJATE

En que
En *el /la /los / las que* = ***donde***

• *Mira, aquel es el edificio* ***en el que / donde / en que*** *vivo.*
• *Esos son los lugares* ***en los que / donde*** *me siento en casa.*

RECUERDA

Adónde se usa en las preguntas.
• *¿Adónde vas?*

E Constraste indicativo / subjuntivo.

Las oraciones explicativas se construyen siempre con indicativo.
Las especificativas se construyen:

Con indicativo	Con subjuntivo
● Cuando el antecedente es conocido.	● Cuando el antecedente es desconocido, inespecífico o aparece negado.
● *Estuve en un pueblo **en el que no había** turistas.* (El pueblo es conocido)	● *Estamos buscando un lugar parecido **en el que tampoco haya** demasiada gente.* (Es desconocido)
● Cuando se habla en general.	● ***No** conozco **a nadie que no haga** eso.* (Se niega la existencia)
● ***Al que madruga**, Dios le ayuda.* (Generaliza, se refiere a todo el mundo)	● Cuando se pregunta por la existencia de algo a alguien.
	● *¿Has visto **a alguien que lleve** un sacacorchos en la mano?* (Se pregunta)

8 Oraciones modales.

Detrás de ***como*** y ***según*** se usa el indicativo si hablamos de algo conocido. Si hablamos de algo desconocido, aparece el subjuntivo.
Se entiende ***como*** o ***según*** igual que de ***la manera que***.

● *Fuimos al restaurante vasco que nos recomendaron y estaban cerrado, como nos dijiste.*
● *No me han dado instrucciones, me han dicho que clasifique los libros como yo quiera.*
● *La cumbre de los países del Caribe se celebró como / según estaba previsto.*
● *Háganlo según / como les parezca mejor.*

9 La pasiva refleja.

A En español utilizamos frecuentemente este tipo de pasiva, que se forma así:

> ● ***Se*** + verbo en tercera persona del singular + sujeto singular.
>   ● *Para hacer un buen anuncio **se necesita** <u>mucha creatividad</u>.*
>   Verbo en singular   Sujeto en singular
>
> ● ***Se*** + verbo en tercera persona del plural + sujeto plural.
>   ● *Para hacer un buen anuncio **se necesitan** <u>ideas muy creativas</u>.*
>   Verbo en plural   Sujeto en plural

B También usamos esta estructura para no expresar quién realiza la acción.

La **diferencia** con las oraciones impersonales, que ya conoces, es que en las oraciones de pasiva refleja hay un sujeto gramatical (*mucha creatividad* e *ideas muy creativas*) y en las impersonales, no.

Impersonal: *Aquí **se vive** muy bien.*
*En hacer un buen anuncio **se tarda** mucho.*

Pasiva refleja: ***Los anuncios se hacen** pensando en los destinatarios.*

La semejanza es que ambas sirven para no expresar quién realiza la acción. Para comprobarlo, preguntamos: *¿Quién vive bien aquí? ¿Quién tarda mucho? ¿Quién hace los anuncios?* La respuesta es siempre la misma: No se sabe porque no se expresa.

10 La involuntariedad.

A Estructura

Se + OI (me / te / le / os / les) + { verbo en tercera persona de singular + sujeto gramatical en singular / verbo en tercera persona de plural + sujeto gramatical en plural }

El pronombre de **OI**, cuando aparece, expresa la persona relacionada con la acción.

- *Se **les** olvidaron las llaves.* (Ellos olvidaron las llaves, pero lo presento como si la culpa fuera de ellas).
- *Se **me** cierran los ojos aunque intento mantenerlos abiertos.* (Mis ojos).

B Usos

- Para expresar que las cosas ocurren sin la intervención de una persona. En este caso no aparece el OI.
  El sujeto puede ser singular o plural concordado con el verbo.
  - *Había mucho viento y las ventanas **se cerraron**.* (Solas).
    Sujeto en plural Verbo en plural
- ***Se ha quemado** la comida.*
  Verbo en singular   Sujeto en singular

- Cuando queremos decir que ha ocurrido algo en lo que participamos, pero no hay voluntad de que ocurra. En este caso sí aparece el OI.
  - *Estaba hablando por el móvil **y se me cayó y se rompió**.*
    Sujeto en singular   Verbo en singular
  De este modo el móvil es el «culpable», yo no he hecho nada.

11 Otras pasivas.

A *Ser* + participio (pasiva de acción)

Estructura: Sujeto paciente + *ser* + participio concordado con el sujeto + (complemento agente).

Activa: *El jurado* (sujeto/agente) *premió* (verbo activo) *los anuncios más originales* (objeto directo).

Pasiva: *Los anuncios más originales* (sujeto paciente) *fueron premiados* (verbo pasivo) *por el jurado* (complemento agente).

¿Por qué se usa?
- Porque estamos más interesados en el objeto (convertido en sujeto pasivo) o en el verbo mismo (la acción) que en quién realiza la acción (el agente).
  - *Los acusados **fueron condenados** a la pena máxima por un jurado popular.*

- Porque desconocemos el complemento agente, o porque no queremos mencionarlo.
  - *Esta campaña publicitaria **ha sido creada** en tiempo récord.*
  - *Este tipo de examen **es corregido** de manera automática.*

Esta construcción se usa poco en la lengua hablada. Aparece sobre todo en el lenguaje periodístico, en la literatura y en los libros de Arte e Historia.

B *Estar* + participio (pasiva de resultado)

> **Estructura:** Sujeto paciente + *estar* + participio concordado con el sujeto.
> El agente no suele expresarse en las construcciones pasivas con *estar*.
>
> **¿Por qué se usa?**
> - Porque queremos expresar el resultado de una acción anterior.
>   - *Los exámenes **están corregidos** (resultado), porque la profesora los ha corregido ya, (acción anterior).*
>   - *Cuando llegamos, las puertas **estaban cerradas** (resultado, porque alguien las había cerrado, acción anterior).*

12 La expresión de la consecuencia.

Conectores.

Por eso*
Luego
Así (es) que*
Por (lo) tanto
En consecuencia
Entonces*
} + indicativo

- *Pienso, **luego** existo. (Descartes)*
- *Se me ha acabado el cuaderno de dibujo, **así (es) que** compraré otro esta tarde.*
- *Se ha roto la muñeca, **por (lo) tanto** no podrá participar en la exposición de escultura de 2.º de Bachillerato.*

- *La empresa no está en su mejor momento, **en consecuencia** no podrá dedicar mucho dinero al premio anual de Arte.*
- *No he presentado la obra a tiempo y la directora de la galería se ha enfadado.*
- ▼ ***Entonces**, ¿de qué te quejas?*
- *¿Qué no va Xisca al viaje fin de curso?*
- ▼ ***Entonces**, yo tampoco.*

*Por eso, así (es) que y entonces son las más usadas en el lenguaje oral. Las demás son más propias del lenguaje escrito o de un registro oral más culto.

B Las consecutivas intensivas.

a *Tan* + adjetivo // adverbio + *que* + verbo en indicativo

b *Tanto / tanta / tantos / tantas* + sustantivo + *que* + verbo en indicativo

c Verbo en indicativo + *tanto* + *que*

a - *El cuadro era **tan trágico que** se puso triste.*
- *La Torre de Cristal está **tan lejos** de su casa **que** siempre tarda muchísimo en llegar.*

b - *Hacía **tanto calor** durante la visita de la ciudad **que** tuvo que comprarse un sombrero.*
- *Le ha puesto **tanta pintura** azul a su cuadro **que** parece un trozo de cielo.*
- *Lleva **tantos años** dedicado a la escultura **que** ya no le interesa otra cosa.*
- *Tenía **tantas cosas** en la cabeza antes de la exposición de «Jóvenes artistas» **que** se puso muy nervioso y casi se echa a llorar.*

c - *Habéis trabajado **tanto que** estáis agotados.*

C *De ahí que* + subjuntivo. (Lenguaje formal).
- *Es daltónica **de ahí que** tenga muchos problemas para dedicarse a la pintura.*

13 La expresión de la causa.

✔ Para preguntar por la causa de una acción se usa: *¿Por qué?*, y se contesta *Porque*.

✔ También se utilizan estas dos formas para:
Expresar extrañeza: *¿Cómo es que?*
Expresar extrañeza y sorpresa: *¿Y eso?*

● *¿Por qué* has venido en taxi?
▼ *Porque* he traído mucho material de papelería que era muy pesado.

● *¿Cómo es que* no vas a presentarte al examen de Historia del Arte?
▼ *Es que* no he tenido tiempo de preparármelo bien y quiero sacar un sobre*.

(*Sobre, abreviatura de sobresaliente. La máxima puntuación que se obtiene en un examen.)

● *Mi hija Adriana ha dejado la carrera de Arquitectura.*
▼ *¿Y eso?*
● *Dice que es durísima y que se cambia a Bellas Artes.*

A La causa se puede expresar por medio de:

A causa de + sustantivo o infinitivo
● *Tuvo que dejar de pintar* **a causa de** *una enfermedad.*
● *Le duele la espalda* **a causa de** *sentarse siempre en una posición incorrecta.*

Gracias a + sustantivo o infinitivo
● *Le dieron el premio* **gracias a** *la amistad de su padre con un miembro del jurado.*
● *Le dieron el premio* **gracias a** *tener un enchufe.*

Por + sustantivo o infinitivo
● *No se casó* **por** *amor sino* **por** *interés.*
● *Lo echaron del examen* **por** *copiar.*

Debido a + sustantivo o infinitivo
● **Debido a** *su edad no pudo conseguir la beca de jóvenes artistas.*
● **Debido a** *ser mayor de 31 años no pudo conseguir la beca de jóvenes artistas.*

B Además, se expresa con los siguientes conectores:

Es que
● *No puedo pintar bien,* **es que** *soy daltónica.*
Que
● *No me hables más,* **que** *estoy estudiando el tema del arte gótico.*
Puesto que
● *Estará enfermo* **puesto que** *no se ha presentado al examen.*
Ya que
● **Ya que** *eres tan bueno en dibujo técnico, ayúdame, por favor.*
Como
● **Como no** *tenía suficiente dinero, no pudo ir al viaje de fin de carrera.* (Va siempre en la 1.ª frase).
En vista de que
● **En vista de que** *nadie me hace caso, me marcho.*

Es que expresa la causa y una justificación o excusa.

Que suele ir precedido de un imperativo para justificar la petición o la orden.
Ambos son propios del lenguaje oral.

C La negación de la causa.
No porque / No es que + subjuntivo.

● **No** *le dieron el premio* **porque** *el presidente del jurado fuera amigo de su padre, sino porque su proyecto era el mejor.*
● **No es que** *no me interesara el tema del arte abstracto, es que ya habíamos hablado de él un montón de veces y por eso me marché.*

FÍJATE

La causa y la consecuencia son dos formas de ver un mismo hecho, pero desde distintos puntos de vista.
● **Como no tenía** *suficiente dinero, no pudo ir al viaje de fin de carrera.*
● *No tenía suficiente dinero,* **por eso** *no pudo ir al viaje fin de carrera.*

14 La expresión de la finalidad.

Para (que) es el elemento más frecuente para expresar finalidad.

PARA + infinitivo	*PARA QUE* + subjuntivo (siempre)
Cuando las dos frases tienen **el mismo sujeto**.	Cuando las dos frases tienen **distinto sujeto**.
• *Estoy (yo) ahorrando **para** viajar (yo) a México.*	• *Estoy (yo) ahorrando **para que** mi hijo vaya este verano a Inglaterra.*

> **RECUERDA**
>
> En las frases interrogativas introducidas por **para qué** no aparece el subjuntivo.
> • *¿**Para qué** sirve estar en Facebook?*
> • *Me he levantado preguntándome **para qué** trabajo.*

■ Construcciones finales.

Funcionan igual que *para (que)*.

- **A (que)**

  Se utiliza cuando el verbo principal es de movimiento o el verbo exige esa preposición, como en el caso de: *ayudar, invitar, obligar*, etc.

  - *He venido **a que** me prestes tus apuntes, te los devuelvo mañana.*
  - *Me invitó **a que** me hiciera amiga suya en Facebook.*
  - *He venido **a** darte los apuntes.*

- **Con el fin de (que) / con el objeto de (que)**

  Son construcciones finales, propias del lenguaje escrito.

  - ***Estimados/as** clientes:*

    *Nuestra empresa ha mejorado la velocidad de conexión a la red **con el fin de que** tengan / **con el fin de** ofrecerles un mejor servicio.*

La expresion de la concesión.

Las oraciones concesivas expresan, en general, un obstáculo a pesar del cual se realiza lo expuesto en la oración principal.

- ***Aunque** no encuentre otro trabajo, mañana mismo me voy de esta oficina, ¡no aguanto más!*

  Dificultad

- *Y he vuelto encantada **a pesar de que** llevaba en la maleta algunos estereotipos.*

  Dificultad

■ Aunque.

Aunque + indicativo + oración principal	*Aunque* + subjuntivo + oración principal
Usamos el **indicativo** para:	Usamos el **subjuntivo** para:
• Informar de circunstancias nuevas o compartidas por el interlocutor.	• Hablar de hechos no realizados. En este caso el subjuntivo es obligatorio.
• *Estoy intentando trabajar **aunque** no estoy nada inspirada.*	• ***Aunque** no encuentre otro trabajo, mañana mismo me voy de esta oficina, ¡no aguanto más!*
• ***Aunque** nadie me lo ha contado, me he imaginado lo que pasaba.*	• Hablar de lo que desconocemos. ***Aunque** ustedes piensen (no sabemos realmente lo que piensan, solo lo imaginamos) que las redes sociales no sirven para nada, eso no es cierto.*
	***
	¡OJO!
	• Al hablar de hechos conocidos por mí y por mi interlocutor, el subjuntivo sirve para quitarle importancia a lo expresado por la oración concesiva y enfatizar lo que se dice en la oración principal.
	• ***Aunque** tus amigos sean españoles (cosa que no dudo, pero que no tiene la menor importancia), no pueden darte clase de español.* **Hecho enfatizado.**

■ **Construcciones concesivas.**

Funcionan igual que aunque.

- **A pesar de que** + indicativo / subjuntivo
  A pesar de + infinitivocuando el sujeto de las dos oraciones es el mismo, pero esto no es obligatorio.
  - *A pesar de que lo sabía, volvió a preguntármelo.*
  - *A pesar de saberlo, volvió a preguntármelo.*

- **Por mucho** + sustantivo + **que**
  Por mucho / más que
  Van seguidas de **indicativo** o **subjuntivo**.
  Mucho concuerda con el sustantivo al que acompaña.
  - *Por muchos problemas que tuviera Cecilia hace años, siempre encontraba un rato para sus amigas.*

- **Y eso que** + indicativo
  Y eso que va detrás de la oración principal.
  - *¡Cuántas horas pasas conectado a internet! ¡Y eso que dijiste que tú no te engancharías!*

- **Por muy** + adjetivo / adverbio + **que**
  Por poco + **que**
  Se construyen generalmente con **subjuntivo**.
  - *Un ipad es algo muy útil.*
  - ▼ *Pues por muy útil que sea, a mí no me interesa.*

■ **La expresión de oraciones reduplicadas.**

Son un tipo de estructuras concesivas, por eso, expresan en general un obstáculo a pesar del cual se realiza lo expuesto en la oración principal.

Verbo en subjuntivo + cualquier relativo + el mismo verbo en subjuntivo, + oración principal (en indicativo).

ATENCIÓN

No se usan los relativos *que, el/la/los/las cual(es)*, pero sí, *cual*.

- *Pase lo que pase*, no te abandonaré.
- *Fuera quien fuera*, no debiste abrir la puerta.
- *Venga cuando venga*, se lo diremos.
- *Lo dijera como lo dijera*, no deberías haberte enfadado tanto con ella.
- *Esté donde esté*, lo encontraréis.
- *Sea cual sea tu decisión*, la aceptaremos.

15 La expresión de la condición.

■ **Oraciones condicionales con *si (no)*.**

A Condición en presente o en futuro.

- **Reales o posibles:** la realización de la acción se presenta como **posible** en un contexto de *presente* o *futuro*.

> Estas oraciones condicionales ya las conoces.
>
> **Si +**
> **presente de indicativo + presente de indicativo**
> **presente de indicativo + futuro simple de indicativo**
> **presente de indicativo + imperativo**

● **Poco posibles o imposibles:**

> **Si + imperfecto de subjuntivo + condicional simple**

1 Poco posibles: expresan una condición de difícil realización en **presente** o **futuro**.
● *Si mañana* **nevara**, *no* **podríamos** *ir en coche al trabajo.* Esta posibilidad, presentada como poco posible, alterna con esta otra: *Si mañana* **nieva**, *no* **podremos** *ir en coche al trabajo*, que se presenta como posible.

2 Imposibles: la condición que se presenta es imposible en **presente** o **futuro**.
● *Los tiempos son malos, si* **fueran** *mejores,* **ampliaría** *mi negocio.*

B Condición en pasado.

● **Imposibles:** la condición no se puede realizar porque no ocurrió algo en el pasado.

1 No se produce un hecho porque la condición no ha ocurrido en el pasado.

> **Si +** **pluscuamperfecto de subjuntivo + condicional compuesto**
>
> **pluscuamperfecto de subjuntivo + pluscuamperfecto de subjuntivo**
>
> (Ambas posibilidades son correctas y poseen el mismo valor y significado.)
>
> ● *Si nuestros padres no* **hubieran mantenido** *la panadería, nosotros* **no habríamos seguido y ampliado (no hubiéramos seguido y ampliado)** *el negocio.*

2 No se puede producir un hecho en el presente o en el futuro porque no se ha llevado a cabo la condición en el pasado.

> **Si + pluscuamperfecto de subjuntivo + condicional simple**
>
> ● *Si no* **hubiera gastado** *tanto dinero en viajes,* ahora **podría** *invertirlo en la empresa familiar.*
> ● *Si no* **hubiera comprado** *el coche este año, me iría de vacaciones en Navidad.*

> **RECUERDA**
>
> Detrás de SI condicional NUNCA usamos el futuro, el condicional, el presente de subjuntivo ni el pretérito perfecto de subjuntivo.

■ **Construcciones condicionales.**

● **A condición de que / Con tal de que** + subjuntivo
Expresan la condición mínima que debe cumplirse para conseguir algo.
● *Trabajaré todo el domingo* **a condición de que** *me* **des** *dos días libres.*
● *Podrás entrar a las 9:00* **con tal de que termines** *a las 18:00.*

● **En caso de que** + subjuntivo
El hablante considera difícil la realización de la condición expresada.
● *Te quedaría el 100% de tu sueldo solo* **en caso de que te dieran** *una incapacidad total.*

● **Como** + subjuntivo
Se suele usar para amenazar.
● **Como** *no* **traiga** *un certificado médico, tendremos que descontarle dos días de su trabajo.*
También para presentar algo que tememos o que nos produce fastidio.
● **Como** *no* **vengan** *a ayudarnos, tendremos que hacerlo tú y yo solos.*

- **A no ser que / A menos que / Excepto que** + subjuntivo

Expresan la condición en forma negativa.
Equivalen a *si no.*
- *No podremos salir adelante **a no ser que acabe** la crisis.*
- *No ampliaremos la empresa **a menos que nos concedan** un buen crédito.*
- *Desaparecerá la cooperativa **excepto que se reciban** ayudas solidarias.*

16 La expresión del tiempo.

■ Oraciones temporales con *cuando.*

Marcan el momento en que ocurren dos acciones y las relacionan entre sí. Esta relación puede ser en presente, pasado o futuro.

PRESENTE

1 Presente + ***cuando*** + presente / ***Cuando*** + presente + presente
- ***Cuando*** *leo un artículo científico, a veces no lo comprendo totalmente.*

2 Presente con valor de pasado + ***cuando*** + presente / ***Cuando*** + presente con valor de pasado + presente
- ***Cuando*** *el hombre llega a la Luna, comienza la era espacial.*

3 ***Cuando*** + presente + imperativo / Imperativo + ***cuando*** + presente
En estos casos el imperativo tiene carácter habitual.
- *No me distraigas **cuando** estudio.*

PASADO

Idea o expresión de pasado + ***cuando*** + pasado / ***Cuando*** + pasado + pasado
- *Nos conocimos **cuando** los dos trabajábamos en una empresa farmacéutica.*
- *Pedro llegó a la reunión **cuando** todo lo importante había acabado.*

FUTURO

1 Futuro + ***cuando*** + presente / p. perfecto de subjuntivo / ***Cuando*** + presente / p. perfecto de subjuntivo + futuro
- *Te explicaré el tema de física **cuando** tenga tiempo.*
- *Van a cambiar el laboratorio **cuando** consigan la subvención.*

En las oraciones temporales el presente y el perfecto de subjuntivo alternan cuando no se produce ambigüedad en la información.
- *Iremos de vacaciones **cuando nos hayas dicho** / **nos digas** las fechas en las que puedes.*

2 Usamos el imperativo cuando expresamos instrucciones, consejos u órdenes.
Imperativo + ***cuando*** + presente/p. perfecto de subjuntivo / ***Cuando*** + presente/p. perfecto de subjuntivo + imperativo
(En estos casos el imperativo se refiere al futuro).
- *Devuélveme el libro de Biología **cuando** lo hayas terminado.*
- ***Cuando*** *sepas el resultado de los análisis, llámame, por favor.*

■ **Construcciones temporales.**

Algunas pueden construirse con infinitivo. Funcionan igual que *cuando*, es decir, llevan indicativo y subjuntivo en los mismos casos, excepto *antes de que*.

- **Después de (que).** Expresa la idea de posterioridad.

  Con infinitivo
  Con el mismo sujeto: ***Después de*** *leer (yo) tanto sobre ese tema, estoy (yo) harto de él.*

  Con indicativo: *Todos los del laboratorio fuimos a ver a Luisa cuatro días* ***después de que*** *dio a luz.*

  Con subjuntivo: *Hablaremos más tranquilamente* ***después de que*** *hayan pasado estos momentos de nerviosismo.*

- **Hasta (que).** Señala el límite de una acción.

  Con infinitivo
  Con el mismo sujeto: *No vamos a dar una opinión* ***hasta*** *saber la versión definitiva del laboratorio.*

  Con indicativo: *La clase no empieza* ***hasta que*** *llega la profesora.*

  Con subjuntivo
  También aparece con el mismo sujeto: *Puedes quedarte en casa* ***hasta que*** *termines, pero, por favor, apaga todas las luces.*

- **Tan pronto como / En cuanto / Apenas** (formal). Expresan la idea de inmediatez: una acción ocurre a continuación de otra.

  Con indicativo: ***Tan pronto como*** *explicamos la situación financiera, las cosas empezaron a mejorar.*

  Con subjuntivo: ***En cuanto*** *llegue el pedido, avísame.*

- **Mientras / A medida que.** Expresan una acción simultánea a otra.

  Con indicativo: ***Mientras*** *tú recoges las muestras, yo relleno los informes.* (Aquí sí que es temporal.)
  A medida que *pasa el tiempo, vamos desarrollando técnicas más precisas.*

  Con subjuntivo
  En este caso, *mientras* adquiere matiz condicional: ***Mientras*** *esté usted en esta empresa, tendrá que venir a trabajar con bata blanca.* ***Mientras*** *no te pregunten, no digas nada.* ***Iremos*** *buscando soluciones* ***a medida que*** *se presenten los problemas.*

- **Siempre que.** Expresa la idea de costumbre.

  Con indicativo: *De pequeño,* ***siempre que*** *veía películas de miedo, luego no podía dormir por la noche.*

  Con subjuntivo
  En algunos casos adquiere un matiz condicional:
  Siempre que *quieras hablar conmigo, llámame.*

- **Antes de (que).** Se comporta de manera distinta a los otros marcadores: no admite el indicativo. Expresa la idea de anterioridad.

  Con infinitivo
  Con el mismo sujeto: *Todos los días saco (yo) al perro* ***antes de*** *irme a trabajar (yo).*

  Con subjuntivo: *Tienes que terminar este informe* ***antes de que*** *llegue el jefe.*
  La jefa se marchó ***antes de que*** *llegara el director general del laboratorio.*

17 La expresión de la comparación.

A Superioridad.
Verbo + *más que*
- *En algunos países se investiga **más que** en otros.*

B Inferioridad.
Verbo + *menos que*
- *Es verdad que trabajo **menos que** mi jefa, pero, ¡claro! ella gana mucho más que yo.*

C Igualdad.
Verbo + *tanto como*
- *En muchas áreas científicas en diez años se ha avanzado **tanto como** en todo el siglo xx.*

bueno ➔ mejor	malo ➔ peor
grande ➔ mayor	pequeño ➔ menor

D Cuando comparamos algo con una idea previa o una suposición, usamos: **más / menos / mejor / peor / mayor / menor... de lo que.**
- *Ese trabajo es **más** interesante **de lo que** creía.*
- *Todo ha salido **mejor de lo que** imaginábamos.*

E Oraciones comparativas proporcionales.

	más	más
Cuanto	menos	menos
	mejor	+ ... + mejor
	peor	peor
	mayor	mayor
	menor	menor

Funcionan igual que las oraciones temporales:
- ***Cuanto más** oscura **es** la noche **más** cerca **está** el amanecer.* (Presente/presente.)
- *Antes **cuanto más** me invitaban a dar conferencias sobre el ADN, **mejor** me sentía. Ahora, no me apetece ya casi nada.* (Pasado/pasado.)

18 La expresión del deseo: *Ojalá*.

Se utiliza para expresar deseos.

Ojalá + presente	*Ojalá* + pretérito perfecto	*Ojalá* + pretérito imperfecto	*Ojalá* + pretérito pluscuamperfecto
Para expresar deseos posibles referidos al presente o al futuro.	Para expresar deseos posibles recientes, en relación con el p. perfecto.	Para expresar deseos imposibles referidos al presente y al futuro.	Para expresar deseos imposibles referidos al pasado.
• ***Ojalá llueva** pronto; el campo está muy seco.*	• *Me han dicho que las notas de Estadística ya han salido. **Ojalá haya aprobado**.* ▼ *Seguro que sí; llevabas los temas muy bien preparados.*	• ***Ojalá estuviera** aquí mi hermano, así podría echarme una mano, que buena falta me hace. Me encanta el bricolaje, pero no consigo montar estas piezas.* (Mi hermano no está aquí, por eso mi deseo es imposible). ▼ *Si quieres te ayudo yo, aunque no sea lo mismo.*	• ***Ojalá** Marta **no hubiera participado** en el campeonato de patinaje, así no se habría roto el pie.* (Marta participó y se rompió el pie; el deseo es imposible). ▼ *Ya... pero nunca sabemos qué puede pasar...*

FÍJATE

Ojalá puede aparecer seguido de *que*, pero no es necesario.

19 La expresión de la duda o de la probabilidad.

A Para expresar la duda o la probabilidad puedes usar los siguientes
tiempos verbales.

SEGURIDAD	DUDA, PROBABILIDAD
1 Presente	Futuro simple
2 Pretérito perfecto	Futuro compuesto
3 Pretérito imperfecto	Condicional simple
4 Pretérito indefinido	Condicional simple

B Para expresar la duda y la probabilidad usamos:

QUIZÁ(S), TAL VEZ	Van seguidas de indicativo o subjuntivo.	Con indicativo cuando se quiere expresar más seguridad, y con subjuntivo posibilidad más remota.	• *¿Sabes que hay un concierto en la Catedral?* ▼ *Sí, **quizás voy** con unos amigos.* ▼ *Sí, **quizás vaya**, no sé, es que espero una llamada importante casi a la misma hora.*
A LO MEJOR	Se construye siempre con indicativo.	Informa de una acción o hecho muy probable de realizarse.	• ***A lo mejor me dan** unas entradas para el partido.*
PUEDE (SER) QUE	Se construye siempre con subjuntivo.	Expresa una hipótesis posible.	• *No lo recuerdo bien, pero **puede que sí**, que el verano pasado **estuvieran** de vacaciones en la península de Yucatán.*

Glosario

Glosario

abierto / abierta (U1/U10) _____

abstracto / abstracta (U4) _____

aburrir (U11) _____

el acento (U6) _____

acertar (U6) _____

ácido / ácida (U12) _____

aclarar (U3) _____

acompañar (U1) _____

aconsejar (U1) _____

el acoso (U8) _____

el acuerdo (U2) _____

adaptarse (U5) _____

adecuado / adecuada (U6) _____

la adicción (U8) _____

la admiración (U4) _____

afirmar (U2) _____

la afición (U7) _____

afín (U7) _____

la agencia (U5) _____

agradar (U6) _____

agravar (U2) _____

agridulce (U12) _____

aguantar (U1/U9) _____

ahuyentar (U3) _____

el aislamiento (U8) _____

ajeno / ajena (U12) _____

alucinar (U5) _____

aludir (U3) _____

amargo / amarga (U12) _____

ambicioso / ambiciosa (U5) _____

animar (U5/U8) _____

anochecer (U12) _____

anónimo / anónima (U3) _____

la antelación (U8) _____

el anuncio (U5) _____

apenas (U10) _____

apetecer (U4) _____

apetitoso / apetitosa (U5/U12) _____

apoyar (U6) _____

la aprobación (U3) _____

araucaria (U3) _____

argumentar (U3) _____

un arma de doble filo (U5) _____

el aroma (U6) _____

la arquitectura (U4) _____

las artes visuales (U4) _____

el artista / la artista (U4) _____

artístico / artística (U4) _____

asalariado / asalariada (U8) _____

asco (U7) _____

asegurar (U6) _____

asociar (U12) _____

atemorizar (U3) _____

atender (U2) _____

atreverse (U7) _____

autoritario / autoritaria (U1) _____

avalar (U4) _____

el avance (U10) _____

la avioneta (U11) _____

el azahar (U12) _____

baba / caer la baba (U5) _____

bastar (U2) _____

la batalla (U3) _____

la beca (U4) _____

el beneficiario / la beneficiaria (U4) _____

el beneficio (U11) _____

los bienes (U5) _____

el bienestar (U5) _____

la biomasa (U3) _____

el bocadillo (U12) _____

bocazas (U11) _____

las bodas de oro (U12) _____

el bodegón (U4) _____

el botellón (U5) _____

brillante (U7) _____

bromear (U9) _____

bucear (U11) _____

el bullicio (U12) _____

cabeza / traer de cabeza (U5) _____

el cabreo (U8) _____

el cacique (U3) _____

la calidad de vida (U5) _____

la campaña (U5) _____

el candidato / la candidata (U7) _____

canijo / canija (U12) _____

el capital (U8) _____

carabina / hacer de (U7) _____

caso / ser un caso (U7) _____

causa / a causa de (U4) _____

la causa (U4) _____

causar (U1) _____

la caza (U3) _____

cazar (U11) _____

centrado / centrada (U7) _____

chao (U4) _____

chatear (U7) _____

el chaval (U9) _____

chiflado / chiflada (U8) _____

el chiringuito (U12) _____

el chiste (U4) _____

la chorrada (U8) _____

el chuletón (U12) _____

chungo (U7) _____

chupar / chuparse los dedos (U7) _____

cierto / por cierto (U3) _____

el cinéfilo / la cinéfila (U9) _____

el cliente / la cliente / clienta (U8) _____

coherente (U8) _____

la cola (U3) _____

colectivo / colectiva (U3) _____

colgar (U9) _____

colorado / colorada (U1) _____

cómo no (U3) _____

la competencia (U8) _____

complicar (U5) _____

comportarse (U1) _____

comprobar (U8) _____

el compromiso (U5) _____

compulsivo / compulsiva (U8) _____

con lo que (U3) _____

concentrarse (U7) _____

condenar (U2) _____

conectar (U7) _____

la confianza (U1) _____

la conjura (U9) _____

conocido / conocida (U4) _____

la conquista (U3) _____

consciente (U8) _____

consecuencia / en consecuencia (U4) _____

la consecuencia (U4) _____

constar (U3) _____

constatar (U10) _____

constructivo / constructiva (U7) _____

el consumidor /
   la consumidora (U5) _____

el consumo (U5) _____

contar con (U6) _____

contradecir (U5) _____

el contrato (U8) _____

la contribución (U2) _____

contribuir (U2) _____

convencional (U12) _____

convenir (U2) _____

conversacional (U3) _____

convertir (U4) _____

cordial (U8) _____

correr / a todo
   correr (U11) _____

la cosecha (U11) _____

creador / creadora (U4) _____

la creatividad (U4/U11) _____

creativo / creativa (U1) _____

la credencial (U11) _____

la creencia (U6) _____

la crisis (U8) _____

la cristalera (U12) _____

crudívoro /
   crudívora (U3) _____

crujiente (U12) _____

cuanto / en cuanto a (U2) _____

cuanto / en cuanto (U10) _____

cuenta / darse
   cuenta (U5) _____

el cuerno (U3) _____

la cueva (U3) _____

el curro (U6) _____

la danza (U4) _____

darse cuenta (U2) _____

debatir (U3/U8) _____

debido a (U4) _____

debilitar (U3) _____

decir / es decir (U2) _____

la decisión (U6) _____

la dedicación (U8) _____

dedicar (U5) _____

delegar (U8) _____

la delicadeza (U9) _____

demostrar (U2) _____

denegar (U8) _____

depositar (U1) _____

desanimado /
   desanimada (U1) _____

desanimar (U10) _____

el desánimo (U10) _____

la desaprobación (U3) _____

desatar pasiones (U2) _____

desconocer (U5) _____

el descubrimiento (U10) _____

el descuento (U8) _____

el desenlace (U3) _____

el deseo (U5) _____

deshabitado /
   deshabitada (U3) _____

la desigualdad (U8) _____

despreocupado /
   despreocupada (U10) _____

desquiciado /
   desquiciada (U6) _____

el detalle (U5) _____

deteriorar (U5) _____

detractor / detractora (U2) _____

dicho / por todo
   lo dicho (U1) _____

la difusión (U2) _____

dinámico / dinámica (U8) _____

diseñar (U4) _____

disfrutar (U1, U11) _____

disponible (U8) _____

la disposición (U12) _____

distancia /
   a distancia (U7) _____

divertirse (U11) _____

doméstico /
   doméstica (U3) _____

dormilón /
   dormilona (U4) _____

la droga (U5) _____

dudar (U1) _____

dudoso / dudosa (U2) _____

dulce (U6/U12) _____

la dulzura (U9) _____

ecológico / ecológica (U3) _____

efecto / en efecto (U2) _____

eliminar (U5) _____

el emoticón (U7) _____

empalagoso /
   empalagosa (U12) _____

emparejar (U7) _____

empedernido /
   empedernida (U9) _____

empollón /
   empollona (U10) _____

emprendedor /
   emprendedora (U1) _____

la empresa (U8) _____

el empresario /
   la empresaria (U8) _____

encerrar (U3) _____

enfadar (U1) _____

el énfasis (U5) _____

enganchar (U7) _____

el engaño (U3) _____

engañoso /
   engañosa (U5) _____

enorme (U6) _____

el enriquecimiento
   (U2) _____

la ensalada (U12) _____

la enseñanza (U3) _____

el entendimiento (U2) _____

entonces (U4) _____

entreabrir (U10) _____

entrecortar (U10) _____

entrelazar (U10) _____

entremezclar (U10) _____

entresacar (U10) _____

entretener (U1) _____

el entretenimiento
   (U11) _____

eólico / eólica (U3) _____

equilibrado /
   equilibrada (U11) _____

el erotismo (U5) _____

la escalada (U11) _____

escalar (U11) _____

el escaparate (U11) _____

escaquearse (U6) _____

escéptico /
   escéptica (U11) _____

el escudero (U9) _____

la escultura (U4) _____

esforzarse (U7) _____

el eslogan (U5) _____

espontáneo /
   espontánea (U3) _____

establecer (U8) _____

el estereotipo (U7) _____

estético / estética
   (U4) _____

la estupidez (U10) _____

la etapa (U11) _____

el exceso (U9) _____

el éxito (U5) _____

la expansión (U2) _____

la exposición (U4) _____

expresivo /
   expresiva (U4) _____

la extinción (U3) _____

extinguir (U10) _____

la extrañeza (U4) _____

extrovertido /
   extrovertida (U7) _____

fantástico /
    fantástica (U3) _____
fastidiar (U1) _____
el fastidio (U8) _____
el fenómeno (U2) _____
fiel (U7) _____
la firmeza (U9) _____
figurativo /
    figurativa (U4) _____
financiar (U5) _____
el finde (U4) _____
flexible (U8) _____
el folleto (U5) _____
la franquicia (U8) _____
el franquiciado /
    la franquiciada (U8) _____
la fraseología (U2) _____
el fraude (U3) _____
el friki/friqui /
    la friki/friqui (U8) _____
frutal (U3) _____
el fruto (U3) _____
gallina / ser gallina (U5) _____
el gasto (U4) _____
generoso / generosa (U1) _____
el genoma (U10) _____
el gerente /
    la gerente (U8) _____
el giro (U6) _____
global (U2) _____
la globalización (U2/U8) _____
gozada (U7) _____
gozar (U6) _____
gracias a (U4) _____
graduar (U4) _____
grafiti (U4) _____
la grasa (U12) _____
grueso / gruesa (U3) _____
gubernamental (U5) _____
habilidoso /
    habilidosa (U11) _____
el hábitat (U3) _____
hasta (U10) _____
el hechicero /
    la hechicera (U9) _____
hecho / de hecho (U2) _____
heredar (U8) _____
la herencia (U9) _____
hidráulico /
    hidráulica (U3) _____
la homogeneidad (U2) _____
la huerta (U3) _____

el huerto (U3) _____
humorístico /
    humorística (U5) _____
la ignorancia (U5) _____
igual / dar igual (U1) _____
ilusionado /
    ilusionada (U8) _____
imaginar (U10) _____
importar (U1) _____
la imprecisión (U3) _____
imprescindible (U8) _____
la impresión (U2) _____
incapaz (U10) _____
incitar (U5/U9) _____
incondicional (U12) _____
indeciso / indecisa (U10) _____
indígena (U3) _____
individualista (U10) _____
inducir (U5) _____
la influencia (U1) _____
la infraestructura (U2) _____
la iniciativa (U5) _____
injusto / injusta (U10) _____
innegable (U8) _____
inserto / inserta (U5) _____
insípido / insípida (U12) _____
insociable (U10) _____
inspirado / inspirada (U7) _____
la institución (U4) _____
institucional (U2) _____
la intensidad (U5) _____
interpersonal (U8) _____
intervenir (U9) _____
inventar (U10) _____
la inversión (U8) _____
involuntariedad (U5) _____
involuntario /
    involuntaria (U5) _____
irritar (U5) _____
jo (U4) _____
jodido / jodida (U1) _____
el jolgorio (U12) _____
la jubilación (U8) _____
el juego de mesa (U11) _____
juvenil (U6) _____
el laboratorio (U10) _____
lamentar (U1) _____
la lástima (U2) _____
legalizar (U3) _____
la leyenda (U3) _____
llamativo /
    llamativa (U2) _____

luchador /
    luchadora (U8) _____
macrobiótico /
    macrobiótica (U3) _____
el maestro /
    la maestra (U4) _____
el malentendido (U6) _____
el mamífero (U3) _____
manazas (U11) _____
mandar (U1/U7) _____
la manía (U2) _____
manipulado /
    manipulada (U12) _____
manitas (U11) _____
mano / echar una
    mano (U5) _____
el/la mapuche (U3) _____
la maqueta (U11) _____
la marca (U5) _____
el marcador (U3) _____
la marcha (U4) _____
marcharse (U11) _____
mareomotriz (U3) _____
el márquetin (U8) _____
más / por más
    que (U7) _____
materialista (U10) _____
la matrícula (U4) _____
medida / a medida
    que (U10) _____
mediocre (U7) _____
la memoria (U6) _____
el mercado (U5/U8) _____
meterse (U7) _____
mientras (U10) _____
una miradita (U1) _____
la miseria (U8) _____
la mochila (U11) _____
el monopatín (U11) _____
montar (U8) _____
el montón (U2/U11) _____
morado / ponerse
    morado/a (U12) _____
el morbo (U8) _____
mosqueado /
    mosqueada (U6) _____
la movilidad (U4) _____
mucho / por mucho
    que (U7) _____
un muermo (U2/U7) _____
la muesca (U11) _____
mundial (U2) _____

el museo (U4) _____

nariz / meter

la nariz (U5) _____

la narrativa (U4) _____

neutro / neutra (U6) _____

notar (U2) _____

nuclear (U3) _____

la obra (U4) _____

el ocio (U5/U11) _____

la oferta (U5) _____

ofrecer (U5) _____

la oposición (U6) _____

ordenado /

ordenada (U1) _____

original (U5) _____

el panadero /

la panadera (U8) _____

el papel (U2) _____

paralizar (U2) _____

la pareja (U7) _____

el paro (U8) _____

el parque temático (U11) _____

la participación (U11) _____

una pasada (U2) _____

pasear (U1) _____

paso / de paso (U12) _____

la pasta (U7) _____

la peculiaridad (U2) _____

pelear (U2) _____

percibir (U2) _____

el peregrino /

la peregrina (U11) _____

la pereza (U11) _____

perpetuo /

perpetua (U3) _____

perseguir (U11) _____

perseverante (U8) _____

el pésame (U3) _____

pesar / a pesar de (U7) _____

pescar (U11) _____

picante (U12) _____

pie / con pies de

plomo (U5) _____

pie (U5) _____

piedra / quedarse

de piedra (U12) _____

la piel (U3) _____

pillado / pillada (U6) _____

pillar (U6) _____

pimiento rojo / colorado

como un pimiento (U1) _____

la pintura (U4) _____

pirarse (U6) _____

la plantilla (U8) _____

plantón / dar

plantón (U7) _____

poco / por poco que (U7) _____

poderoso / poderosa (U2) _____

polvo / hecho polvo (U2) _____

la pólvora (U12) _____

la porquería (U7) _____

el pórtico (U11) _____

posicionarse (U3) _____

posponer (U3) _____

potenciar (U2) _____

predilecto /

predilecta (U6) _____

el premio (U4) _____

la prepotencia (U6) _____

presencial (U7) _____

el préstamo (U8) _____

el presupuesto (U2) _____

el prodigio (U10) _____

profundo / profunda (U1) _____

prohibir (U1) _____

pronto / tan pronto

como (U10) _____

proponer (U2) _____

el propósito (U6) _____

proteger (U5) _____

protestar (U9) _____

provocar (U1) _____

el proyecto (U7) _____

la publicidad (U5) _____

puesto que (U4) _____

la puntualización (U2) _____

quedar (U7) _____

quejar (U6) _____

la quiebra (U8) _____

rabia / dar rabia (U1) _____

radical (U1) _____

la raíz (U9) _____

la rama (U10) _____

la reacción (U3) _____

reafirmar (U11) _____

realista (U1) _____

el rebaño (U3) _____

rechazar (U5) _____

recibir (U7) _____

reclamar (U5) _____

la recomendación

(U1/U9) _____

recomendar (U1/U9) _____

recorrer (U9) _____

recorte (U10) _____

la red social (U7) _____

el reencuentro (U6) _____

regenerar (U3) _____

relajado / relajada (U5) _____

relativamente (U5) _____

releer (U9) _____

el renacimiento (U4) _____

renovable (U3) _____

renovar (U7) _____

rentable (R3) _____

el reparto (U2) _____

el requisito (U4) _____

respetuoso /

respetuosa (U6) _____

responsable (U8) _____

retirar (U5) _____

el reto (U7) _____

retrasarse (U8) _____

el retrato (U4) _____

revisar (U2) _____

el riesgo (U8) _____

la riqueza (U2) _____

rodear (U12) _____

rogar (U3) _____

rumiar (U12) _____

el salario (U8) _____

salud de hierro (U12) _____

saludable (U3) _____

sencillo / sencilla (U7) _____

sendos (U11) _____

sensato / sensata (U7) _____

el sentido (U12) _____

señorial (U4) _____

la sequía (U11) _____

serio / seria (U5) _____

siempre que (U10) _____

simpático /

simpática (U7) _____

sin embargo (U1) _____

sincero /

sincera (U1/U7) _____

sino que (U1) _____

la sobremesa (U1) _____

sociable (U1/U8) _____

la sociedad de

consumo (U5) _____

socio / socia (U5) _____

la solicitud (U4) _____

solidario /

solidaria (U9) _____

solitario / solitario (U11) _____

sonar (U4) _____

soportar (U1) _____

sospechar (U2) _____

el sucedáneo (U12) _____

la sugerencia (U9) _____

sugerir (U1/U5) _____

superar (U5) _____

suponer (U2) _____

sustituir (U2) _____

tanto / por (lo) tanto (U4) _____

temblar (U3) _____

tenaz (U1) _____

la tentación (U11) _____

la textura (U12) _____

el tiempo libre (U11) _____

tímido / tímida (U7) _____

el título (U9) _____

la toalla / tirar la toalla (U8) _____

el tono (U9) _____

el toque (U4) _____

trabajador (U1) _____

la tradición (U6) _____

el trago (U12) _____

transgénico / transgénica (U3/U12) _____

el trasgo (U9) _____

el traslado (U4) _____

trepar (U3) _____

uniforme (U2) _____

vago / vaga (U10) _____

valer / más vale que (U2) _____

valiente (U1) _____

el vandalismo (U4) _____

variedad (U6) _____

vegetariano / vegetariana (U3/U12) _____

venga (U4) _____

verde / estar verde (U7) _____

la vergüenza (U1) _____

verificar (U8) _____

la viñeta (U5) _____

vista / en vista de que (U4) _____

la vivencia (U6) _____

vivito y coleando (U7) _____

la voluntad (U10) _____

ya que (U4) _____

NOTAS